최상위의 절대 기준

절대등급

절

대

등

급

이 책을 집필하신 선생님들께 감사드립니다.

김규완 | 대구 황금중학교	**김진영** | 대구 고산중학교	**서지영** | 신천중학교	**신은지** | 원촌중학교
신혜진 | 서문여자중학교	**우희정** | 숭문중학교	**유승연** | 신도림중학교	**윤남희** | 중동중학교
이규현 | 원촌중학교	**이문영** | 대전 삼천중학교	**이삭** | 배명중학교	**전대식** | 상원중학교
전지영 | 대전 대덕중학교	**전한우** | 서문여자중학교	**정다희** | 서일중학교	**최진이** | 광주 풍암중학교

이 책을 검토하신 선생님들께 감사드립니다.

강유미 | 경기 광주	**김국희** | 청주	**김민지** | 대구	**김선아** | 부산
김주영 | 서울 용산	**김훈회** | 청주	**노형석** | 광주	**신범수** | 대전
신지예 | 대전	**안성주** | 영암	**양영인** | 성남	**양현호** | 순천
원민희 | 대구	**윤영숙** | 서울 서초	**이미란** | 광양	**이상일** | 서울 강서
이승열 | 광주	**이승희** | 대구	**이영동** | 성남	**이진희** | 청주
임안철 | 안양	**장영빈** | 천안	**장전원** | 대전	**전승환** | 안양
전지영 | 안양	**정상훈** | 서울 서초	**정재봉** | 광주	**지승룡** | 광주
채수현 | 광주	**최주현** | 부산	**허문석** | 천안	**홍인숙** | 안양

최상위의 절대 기준

절대등급

중학 **수학** 2-2

구성과 특징

이렇게 만들었습니다.

현직 우수 학군 중학교 선생님들이 만든 문제

실제 학교 시험 문항을 출제하는
현직 선생님들이 내신 대비에 최적화
된 상위권 문제만을
엄선하였습니다.

최고 실력을 완성할 수 있는 문제로 구성

유형만 반복하는 문제 풀이는 이제 그만!
문제 해결력을 키워주는 필수 문제부터
변별력을 결정하는 최고난도 문제까지
내신 만점을 위한 집중 학습이 가능
하도록 구성하였습니다.

전국 우수 학군 기출 문제와 교과서를 철저히 분석

강남, 목동 등의 전국 우수 학군 지역
중학교의 신경향 기출 문제와
모든 교과서의 사고력 문항을
분석하여 수준 높은 문항을
수록하였습니다.

개념

- 중단원별로 꼭 알아야 하는 핵심 개념과 원리를 참고, 주의, 예와 함께 수록하였습니다.

  심화 개념 핵심 개념과 연계되는 심화 개념 또는 상위 개념을 체계적으로 정리하였습니다.

  쌤의 활용 꿀팁 심화 개념에서 꼭 알아두어야 할 문제 해결 포인트를 선생님이 직접 제시하였습니다.

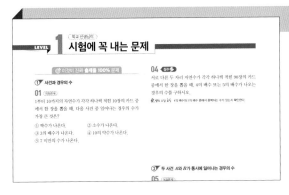

LEVEL 1 학교 선생님이 **시험에 꼭 내는 문제**

- **이것이 진짜 출제율 100% 문제** 전국 모든 중학교 시험에 출제된 문제 중에서 개념별로 대표 문제들을 엄선하여 상위 20%의 실력을 다질 수 있게 하였습니다.
- **이것이 진짜 교과서에서 뽑아온 문제** 전국 중학교에서 사용하는 다양한 교과서 문항 중 시험에 나올 수 있는 사고력 문제를 선별하였습니다.
- **실수多** 학교 시험에서 학생들이 실수하기 쉬운 문제들을 ✎ **쌤의 오답 코칭**과 함께 수록하여 실수를 줄일 수 있게 하였습니다.

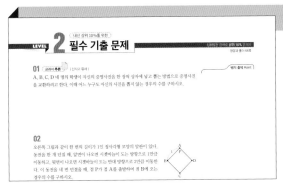

LEVEL 2 내신 상위 10%를 위한 **필수 기출 문제**

- 전국 우수 학군 중학교의 최근 기출 문제를 철저히 분석하여 실제 시험에 출제될 가능성이 높은 문제들로 구성하여 상위 10%의 실력을 굳힐 수 있게 하였습니다.
- **복합 개념** 두 가지 이상의 개념을 적용해야 해결할 수 있는 문제입니다.
- **신유형** 새롭게 떠오르는 변별력 있는 문제입니다.
- **만점 KILL** 학교 시험에서 만점 방지를 위해 나올 수 있는 고난이도 문제입니다.
- **교과서 추론**, **교과서 창의사고력** 교과서 문항을 분석하여 실제 학교 시험 고난도 문항으로 출제 가능한 형태로 제시하였습니다.
- 문항의 출제 지역(서울 강남, 서울 목동, 서울 서초, 서울 송파, 분당 서현, 안양 평촌, 대전 둔산, 광주 봉선, 대구 수성, 부산 해운대)을 표시하였습니다.

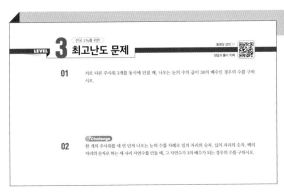

LEVEL 3 전국 1%를 위한 **최고난도 문제**

- 종합 사고력 및 가장 높은 수준의 문제 해결력을 요구하는 전국 1% 실력을 완성할 수 있는 문제로 구성하였습니다.
- **Challenge** 경시 및 특목고 대비까지 가능하도록 최고 수준 문제를 한 문항 엄선하였습니다.

동영상 강의 ≫ LEVEL 3의 모든 문제에 대한 풀이 동영상을 제공합니다. QR 코드를 인식하면 동영상을 볼 수 있습니다.

선배들의 **같은 문제 다른 풀이**

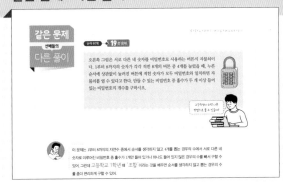

- 앞에서 풀었던 문제 중 상위 개념을 이용하여 풀 수 있는 문제를 선별하여 다른 풀이를 제시하였고, 상위 개념을 미리 익힐 수 있게 하였습니다.

정답과 풀이

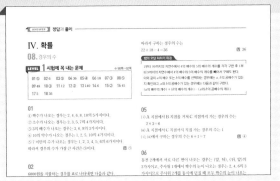

- 이해하기 쉬운 깔끔한 풀이와 한 문제에 대한 여러 가지 해결 방법을 제시하였습니다.
- 쌤의 오답 피하기 특강, 쌤의 만점 특강, 쌤의 복합 개념 특강, 쌤의 특강을 제시하여 문제마다 충분한 이해가 가능하게 하였고, LEVEL 3의 문제는 solution 미리 보기를 제시하였습니다.

차례

I
삼각형의 성질

01 삼각형의 성질   6

02 삼각형의 외심과 내심   16

같은 문제 **선배들의** 다른 풀이   26

II
사각형의 성질

03 평행사변형   28

04 여러 가지 사각형   36

같은 문제 **선배들의** 다른 풀이   48

III
도형의 닮음과
피타고라스 정리

05 도형의 닮음   50

06 닮음의 활용   62

07 피타고라스 정리   74

같은 문제 **선배들의** 다른 풀이   86

IV
확률

08 경우의 수   88

09 확률   100

같은 문제 **선배들의** 다른 풀이   112

I

삼각형의 성질

01 삼각형의 성질

02 삼각형의 외심과 내심

● 현직 교사의 학교 시험 고난도 킬러 강의

삼각형의 성질은 이후 도형 단원의 기초이자 다양한 분야의 실생활 문제 해결에 많이
이용돼요. 이등변삼각형이나 직각삼각형, 정삼각형의 성질과 주어진 조건을 이용하여
답을 찾는 문제, 삼각형의 외심과 내심의 뜻과 성질을 이용하여 삼각형의 변의 길이나
각의 크기를 구하는 문제는 꼭 출제해요. 특히, 삼각형의 성질에서는 두 각의 합을 구하는
문제나 보조선을 그려서 답을 찾는 문제, 삼각형의 외심과 내심에서는 선분이나 각을
미지수로 나타낸 후 삼각형의 성질을 이용하여 추론하는 문제가 이 단원에서 kill 문제죠.

01 삼각형의 성질

① 이등변삼각형의 성질

(1) **이등변삼각형** : 두 변의 길이가 같은 삼각형($\triangle ABC$에서 $\overline{AB}=\overline{AC}$)

　① 꼭지각 : 길이가 같은 두 변이 이루는 각($\angle A$)

　② 밑변 : 꼭지각이 마주 보는 변($\overline{BC}$)

　③ 밑각 : 밑변의 양 끝 각($\angle B$, $\angle C$)

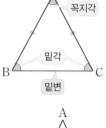

(2) **이등변삼각형의 성질**

　① 이등변삼각형의 두 밑각의 크기는 같다.

　　➡ $\triangle ABC$에서 $\overline{AB}=\overline{AC}$이면 $\angle B=\angle C$이다.

　　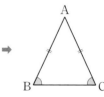

　　예 오른쪽 그림과 같은 이등변삼각형에서
　　두 밑각의 크기가 같으므로 $\angle x=50°$
　　삼각형의 내각의 크기의 합은 $180°$이므
　　로 $\angle y=180°-2\times50°=80°$

　② 이등변삼각형에서 꼭지각의 이등분선은 밑변을 수직이등
　　분한다.

　　➡ $\triangle ABC$에서 $\overline{AB}=\overline{AC}$, $\angle BAD=\angle CAD$이면
　　　$\overline{BD}=\overline{CD}$, $\overline{BC}\perp\overline{AD}$이다.

　　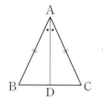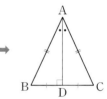

　　참고 한 각을 이등분하는 반직선을 그 각의 이등분선이라 하고,
　　이등변삼각형에서 다음은 모두 일치한다.
　　① 꼭지각의 이등분선
　　② 밑변의 수직이등분선
　　③ 꼭지각의 꼭짓점에서 밑변에 내린 수선
　　④ 꼭지각의 꼭짓점과 밑변의 중점을 잇는 선분

② 이등변삼각형이 되는 조건

이등변삼각형이 되는 조건

두 내각의 크기가 같은 삼각형은 이등변삼각형이다.

　➡ $\triangle ABC$에서 $\angle B=\angle C$이면 $\overline{AB}=\overline{AC}$이다.

　➡ 어떤 삼각형이 이등변삼각형임을 보이려면 두 내각의 크기가
　　같음을 보이면 된다.

예 오른쪽 그림과 같은 삼각형에서 나머지 한 내각의 크기는 $180°-110°-35°=35°$이다.
　즉, 두 밑각의 크기가 같으므로 주어진 삼각형은 이등변삼각형이고 $x=3$이다.

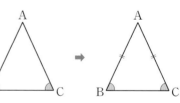

참고 폭이 일정한 종이 접기

　오른쪽 그림과 같이 폭이 일정한 종이를 접었을 때
　$\angle BAC=\angle DAC$(접은 각)
　$\angle DAC=\angle BCA$(엇각)
　➡ $\angle BAC=\angle BCA$이므로 $\triangle ABC$는 $\overline{BA}=\overline{BC}$인 이등변삼각형이다.

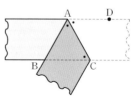

③ 직각삼각형의 합동 조건

두 직각삼각형 ABC와 DEF는 다음의 각 경우에 합동이다.

(1) 빗변의 길이와 한 예각의 크기가 각각 같을 때 (RHA 합동)

 ➡ $\angle C = \angle F = 90°$, $\overline{AB} = \overline{DE}$, $\angle B = \angle E$이면 $\triangle ABC \equiv \triangle DEF$이다.

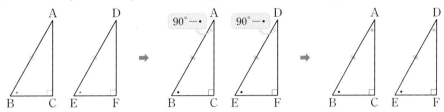

(2) 빗변의 길이와 다른 한 변의 길이가 각각 같을 때 (RHS 합동)

 ➡ $\angle C = \angle F = 90°$, $\overline{AB} = \overline{DE}$, $\overline{AC} = \overline{DF}$이면 $\triangle ABC \equiv \triangle DEF$이다.

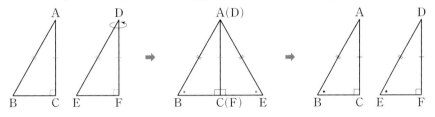

> 참고 R는 Right angle(직각), H는 Hypotenuse(빗변), A는 Angle(각), S는 Side(변)를 뜻한다.
> 주의 직각삼각형의 합동 조건을 이용하기 위해서는 반드시 빗변(H)의 길이가 같은지 먼저 확인해야 한다.

④ 각의 이등분선의 성질 　심화 개념

(1) 각의 이등분선 위의 한 점에서 그 각을 이루는 두 변까지의 거리는 같다.

 ➡ $\angle AOP = \angle BOP$이면 $\overline{PA} = \overline{PB}$이다.

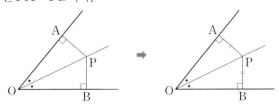

> 쌤의 활용 꿀팁
>
> 각의 이등분선의 성질은 직각삼각형의 합동을 이용하는 것이므로 각의 이등분선에서 각을 이루는 두 변에 수선인 보조선을 그어 합동인 삼각형을 찾아보세요.

> 설명 위의 그림에서 $\triangle AOP \equiv \triangle BOP$(RHA 합동)이므로 $\overline{PA} = \overline{PB}$이다.

(2) 각을 이루는 두 변에서 같은 거리에 있는 점은 그 각의 이등분선 위에 있다.

 ➡ $\overline{PA} = \overline{PB}$이면 $\angle AOP = \angle BOP$이다.

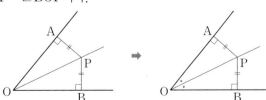

> 설명 위의 그림에서 $\triangle AOP \equiv \triangle BOP$(RHS 합동)이므로 $\angle AOP = \angle BOP$이다.

예 오른쪽 그림과 같이 $\angle C = 90°$인 직각삼각형 ABC에서 $\angle A$의 이등분선이 $\overline{BC}$와 만나는 점을 D라 하고, 점 D에서 $\overline{AB}$에 내린 수선의 발을 E라 하면

 ➡ $\angle C = \angle AED = 90°$, $\overline{AD}$는 공통, $\angle CAD = \angle EAD$이므로

  $\triangle ADC \equiv \triangle ADE$ (RHA 합동)

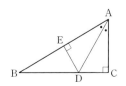

🎯 이것이 진짜 **출제율 100%** 문제

① 이등변삼각형의 성질

01 (대표문제)

오른쪽 그림과 같이 $\overline{AC}=\overline{BC}$인 이등변삼각형 ABC에서 $\overline{BD}=\overline{CD}$이고 ∠B=38°일 때, ∠ACD의 크기를 구하시오.

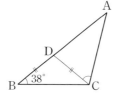

02

오른쪽 그림에서 △ABC는 $\overline{AB}=\overline{AC}$인 이등변삼각형이다. ∠B의 이등분선과 ∠C의 외각의 이등분선의 교점을 D라 하자. ∠A=56°일 때, ∠x의 크기를 구하시오.

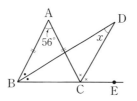

03 (실수多)

오른쪽 그림의 △AFE에서 $\overline{CD}/\!/\overline{EF}$이고 $\overline{AB}=\overline{BC}=\overline{CD}=\overline{DE}$이다. ∠DEF=48°일 때, ∠A의 크기를 구하시오.

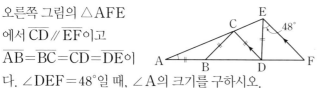

📝 쌤의 오답 코칭 | ∠ECD는 △CAD의 한 외각임에 주의한다.

② 이등변삼각형이 되는 조건

04 (대표문제)

오른쪽 그림과 같이 ∠B=90°인 직각삼각형 ABC에서 ∠C=30°, $\overline{AB}=6\,cm$이고 $\overline{AD}=\overline{BD}$일 때, $\overline{AC}$의 길이를 구하시오.

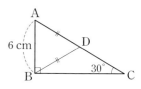

05

오른쪽 그림과 같이 직사각형 모양의 종이를 접었다. $\overline{GF}=4\,cm$, $\overline{FE}=5\,cm$일 때, $\overline{GE}$의 길이를 구하시오.

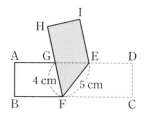

06

오른쪽 그림과 같이 $\overline{AB}=\overline{AC}$인 이등변삼각형 ABC에서 ∠C의 이등분선과 $\overline{AB}$의 교점을 D라 하자. ∠A=36°, $\overline{BC}=4\,cm$일 때, $\overline{AD}$의 길이를 구하시오.

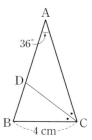

③ 직각삼각형의 합동 조건

07 (대표문제)

오른쪽 그림과 같이 ∠B=90°이고 $\overline{AB}=\overline{BC}$인 직각이등변삼각형 ABC의 두 꼭짓점 A, C에서 꼭짓점 B를 지나는 직선 l에 내린 수선의 발을 각각 D, E라 하자. $\overline{AD}=14$ cm, $\overline{CE}=6$ cm일 때, $\overline{DE}$의 길이를 구하시오.

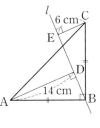

08

오른쪽 그림과 같은 △ABC에서 $\overline{AB}$의 중점을 M이라 하고, 점 M에서 $\overline{AC}$, $\overline{BC}$에 내린 수선의 발을 각각 D, E라 하자. $\overline{MD}=\overline{ME}$이고 ∠B=21°일 때, ∠DME의 크기를 구하시오.

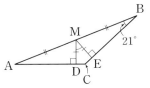

④ 각의 이등분선의 성질 심화

09 (대표문제)

오른쪽 그림과 같이 ∠C=90°인 직각삼각형 ABC에서 ∠A의 이등분선이 $\overline{BC}$와 만나는 점을 D라 하자. $\overline{CD}=6$ cm이고 △ABD의 넓이가 60 cm²일 때, $\overline{AB}$의 길이를 구하시오.

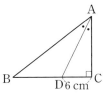

10 | 교학사 유사 |

다음 그림과 같은 이등변삼각형 모양의 구조물 ABC는 좌우의 모양이 같아 균일하게 힘을 지탱할 수 있어서 지붕 구조물에 많이 쓰인다고 한다. $x-y+z$의 값을 구하시오.

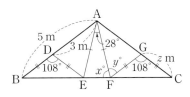

11 | 신사고 유사 |

오른쪽 그림과 같이 ∠A=90°이고 $\overline{AB}=\overline{AC}$인 직각이등변삼각형 ABC의 두 꼭짓점 B, C에서 꼭짓점 A를 지나는 직선 l 위에 내린 수선의 발을 각각 D, E라 하자. $\overline{BD}=5$ cm, $\overline{CE}=3$ cm일 때, 사각형 BCED의 넓이를 구하시오.

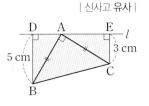

12 | 천재 유사 |

오른쪽 그림과 같이 ∠B=90°인 직각삼각형 ABC에서 점 D는 $\overline{AC}$의 중점이고 $\overline{BE}=\overline{DE}$, $\overline{AC}\perp\overline{DE}$일 때, ∠$x$의 크기를 구하시오.

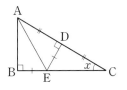

01 교과서 **추론** | 비상 유사 |

오른쪽 그림과 같이 $\overline{AB}=\overline{AC}$인 이등변삼각형 ABC에서 $\overline{AB}$의 연장선 위에 $\overline{BC}=\overline{BD}$인 점 D를 잡고, $\overline{AC}$의 연장선 위에 점 E를 잡았다. ∠ECD=75°일 때, $\angle x - \angle y$의 크기를 구하시오.

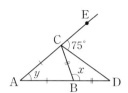

02

오른쪽 그림과 같이 $\overline{AB}=\overline{AC}$인 이등변삼각형 ABC의 $\overline{BC}$ 위에 ∠BAC=4∠BAD가 되도록 점 D를 잡고, 점 C에서 $\overline{AD}$에 내린 수선의 발을 E라 하자. ∠DCE=24°일 때, ∠BAC의 크기를 구하시오.

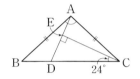

03

오른쪽 그림과 같이 $\overline{AB}=\overline{AC}$이고 ∠BAC=20°인 이등변삼각형 ABC에서 $\overline{AC}$를 한 변으로 하는 정삼각형 ACD를 그렸다. $\overline{AC}$와 $\overline{BD}$의 교점을 E라 할 때, ∠EBC의 크기를 구하시오.

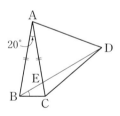

04

오른쪽 그림과 같이 ∠B=80°인 △ABC에서 $\overline{AD}=\overline{AE}$, $\overline{CE}=\overline{CF}$일 때, $\angle x$의 크기를 구하시오.

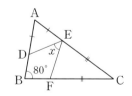

△ADE와 △CEF의 내각의 크기의 합은 각각 180°이다.

쌤의 출제 Point

05 복합 개념 （서울｜목동）

오른쪽 그림과 같은 직사각형 ABCD에서 점 E는 $\overline{BC}$ 위의 점이고, 점 F는 $\overline{DE}$의 연장선과 $\overline{AB}$의 연장선의 교점이다. ∠ABD＝48°, $\overline{BD}＝\overline{BG}＝\overline{FG}$일 때, ∠GEB－∠EDC의 크기를 구하시오.

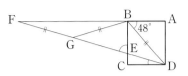

06

오른쪽 그림과 같이 $\overline{AB}＝\overline{AC}$인 이등변삼각형 ABC에서 $\overline{BC}$의 연장선 위의 점 D에 대하여 ∠CED＝92°가 되도록 $\overline{AC}$ 위에 점 E를 잡는다. ∠A의 이등분선과 ∠EDB의 이등분선의 교점을 F라 하고 $\overline{DF}$와 $\overline{AB}$의 교점을 G라 하자. ∠AFG＝102°일 때, ∠BGF의 크기를 구하시오.

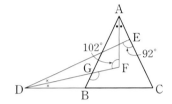

$\overline{AF}$의 연장선을 그린 후 이등변삼각형의 꼭지각의 이등분선의 성질을 이용한다.

07

오른쪽 그림에서 $\overline{AB}＝\overline{BC}$, $\overline{BD}＝\overline{BE}$이고 $\overline{AD}$와 $\overline{CE}$의 교점을 H라 하자. ∠ABC＝∠DBE＝50°일 때, ∠x의 크기를 구하시오.

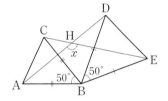

08

오른쪽 그림의 △ABC에서 ∠B＝∠C이고 $\overline{AB}＝12\,\mathrm{cm}$이다. $\overline{BC}$ 위의 점 D에서 $\overline{AB}$, $\overline{AC}$에 내린 수선의 발을 각각 E, F라 하고 △ABC의 넓이가 $36\,\mathrm{cm}^2$일 때, $\overline{DE}＋\overline{DF}$의 길이를 구하시오.

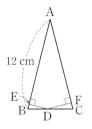

$\overline{AD}$를 그은 후 △ABC의 넓이를 두 삼각형의 넓이의 합으로 나타낸다.

09

오른쪽 그림과 같이 $\overline{AB}=10\,\text{cm}$인 $\triangle ABC$에서 $\overline{BA}$의 연장선 위에 $\overline{AC}=\overline{CD}$가 되도록 점 D를 잡고, $\angle ACD$의 이등분선과 $\overline{BD}$의 교점을 E라 하자. $\angle BCE=55^\circ$, $\angle FDC=110^\circ$이고 $\angle ABC=x^\circ$, $\overline{CD}=y\,\text{cm}$라 할 때, $x+y$의 값을 구하시오.

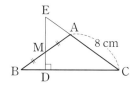

쌤의 출제 Point

10 교과서 **창의사고력** | 신사고 유사 |

오른쪽 그림과 같이 $\overline{AB}=\overline{AC}$인 이등변삼각형 ABC에서 $\overline{AB}$의 중점 M을 지나고 $\overline{BC}$에 수직인 직선이 $\overline{BC}$와 만나는 점을 D, $\overline{CA}$의 연장선과 만나는 점을 E라 하자. $\overline{AC}=8\,\text{cm}$일 때, $\overline{AE}$의 길이를 구하시오.

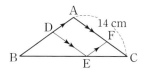

11 복합 개념 서울 | 강남

오른쪽 그림과 같이 $\overline{AB}=\overline{AC}=14\,\text{cm}$인 이등변삼각형 ABC에서 $\overline{AB}\,/\!/\,\overline{EF}$, $\overline{AC}\,/\!/\,\overline{DE}$가 되도록 세 점 D, E, F를 각각 $\overline{AB}$, $\overline{BC}$, $\overline{AC}$ 위에 정할 때, 사각형 ADEF의 둘레의 길이를 구하시오.

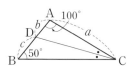

평행한 두 직선이 한 직선과 만날 때, 동위각의 크기는 같음을 이용하여 크기가 같은 각을 찾는다.

12 신유형 대구 | 수성

오른쪽 그림과 같이 $\angle A=100^\circ$, $\angle B=50^\circ$인 $\triangle ABC$에서 $\angle C$의 이등분선이 $\overline{AB}$와 만나는 점을 D라 하자. $\overline{AC}=a$, $\overline{AD}=b$, $\overline{DB}=c$일 때, 다음 중 $\overline{BC}$의 길이와 같은 것은?

① $a+b$　　　　② $a+c$　　　　③ $2a-b-c$
④ $2a+b-c$　　⑤ $2a-b+c$

합동인 두 삼각형이 만들어지도록 보조선을 긋는다.

13 신유형 서울|강남

오른쪽 그림은 $\overline{AB}=\overline{AC}$인 이등변삼각형 ABC를 $\overline{DE}$를 접는 선으로 하여 점 A가 점 C에 오도록 접고, $\overline{FG}$를 접는 선으로 하여 점 C가 점 D에 오도록 접은 것이다. $\angle DFG=38°$일 때, $\angle ECB$의 크기를 구하시오.

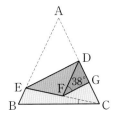

14

오른쪽 그림은 직사각형 ABCD를 점 C가 점 A에 오도록 접은 것이다. $\overline{AB}:\overline{AD}=2:3$이고, $\overline{AB}=12\,cm$, $\overline{AG}=13\,cm$일 때, $\triangle ABF$의 넓이를 구하시오.

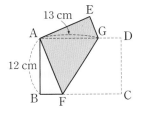

15

오른쪽 그림과 같이 정사각형 ABCD에서 꼭짓점 B를 지나는 직선과 $\overline{CD}$의 교점을 E라 하고, 두 꼭짓점 A, C에서 $\overline{BE}$에 내린 수선의 발을 각각 F, G라 하자. $\overline{AF}=12\,cm$, $\overline{CG}=9\,cm$일 때, $\triangle AFG$의 넓이를 구하시오.

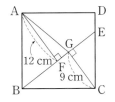

16

오른쪽 그림과 같이 $\angle C=90°$인 직각삼각형 ABC의 $\overline{AB}$ 위에 $\overline{AC}=\overline{AD}$가 되도록 점 D를 잡고, $\overline{BC}$ 위에 $\overline{AB}\perp\overline{ED}$가 되도록 점 E를 잡았다. $\overline{AB}=10\,cm$, $\overline{BC}=8\,cm$, $\overline{CA}=6\,cm$일 때, $\triangle BED$의 넓이를 구하시오.

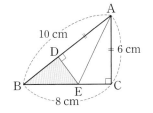

17

오른쪽 그림과 같은 정사각형 ABCD에서 점 E는 $\overline{AB}$ 위의 점이고, $\angle ADE = 25°$이다. $\overline{BC}$의 연장선 위에 $\overline{DE} = \overline{DF}$가 되도록 점 F를 잡을 때, $\angle BFE$의 크기를 구하시오.

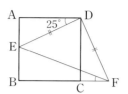

쌤의 출제 Point

18 만점 **KILL** 서울|강남

오른쪽 그림과 같이 $\angle B = 90°$인 직각삼각형 ABC와 $\angle BAD = 90°$인 직각삼각형 ADB, $\angle EAC = 90°$인 직각삼각형 ACE가 있다. $\overline{AB} = 8\,cm$, $\overline{BC} = 6\,cm$, $\overline{AD} = 9\,cm$이고 $\overline{AC} = \overline{AE}$일 때, $\triangle EDA$의 넓이를 구하시오.

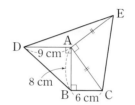

$\overline{DA}$의 연장선을 그어 합동인 두 직각삼각형을 만든다.

19 신유형 대구|수성

오른쪽 그림과 같이 $\angle C = 90°$인 직각삼각형 ABC의 점 C에서 $\overline{AB}$에 내린 수선의 발을 D라 하고, $\angle A$의 이등분선이 $\overline{BC}$, $\overline{CD}$와 만나는 점을 각각 E, F라 하자. $\overline{AB} = 18\,cm$이고 $\triangle ABE$의 넓이가 $45\,cm^2$일 때, $\overline{CE} + \overline{CF}$의 길이를 구하시오.

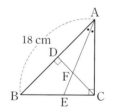

20

오른쪽 그림과 같이 $\triangle ABC$에서 $\angle B$와 $\angle C$의 외각의 이등분선의 교점을 P라 하고, 점 P에서 $\overline{AB}$, $\overline{AC}$의 연장선과 $\overline{BC}$에 내린 수선의 발을 각각 D, E, F라 하자. $\overline{PD} = 6\,cm$, $\overline{BD} = 5\,cm$, $\overline{AB} = 12\,cm$일 때, $\triangle ABC$의 둘레의 길이를 구하시오.

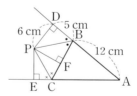

합동인 두 직각삼각형을 이용하여 길이가 같은 선분을 찾는다.

01 오른쪽 그림에서 △ADE는 △ABC를 점 A를 중심으로 $\overline{AE} /\!/ \overline{BC}$ 가 되도록 회전시킨 것이다. $\overline{AC}$와 $\overline{DE}$의 교점을 F, $\overline{BC}$와 $\overline{DE}$의 교점을 G라 하고 $\overline{BC}=8$ cm, $\overline{CA}=6$ cm일 때, $\overline{DG}$의 길이를 구하시오.

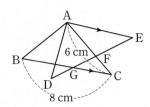

02 오른쪽 그림과 같이 △ABC에서 ∠A의 이등분선이 $\overline{BC}$와 만나는 점을 D라 하고 $\overline{BC}$의 중점을 M이라 하자. 점 M에서 $\overline{AD}$와 평행한 직선을 그어 $\overline{AC}$, $\overline{AB}$의 연장선과 만나는 점을 각각 E, F라 하고 $\overline{AB}=6$ cm, $\overline{AC}=10$ cm일 때, $\overline{CE}$의 길이를 구하시오.

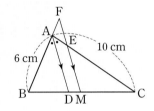

03 오른쪽 그림에서 △ABC는 ∠C=90°이고 $\overline{AC}=\overline{BC}$인 직각이등변삼각형이다. 정사각형 DEFG의 세 꼭짓점 D, F, G는 각각 $\overline{AB}$, $\overline{BC}$, $\overline{CA}$ 위의 점이고 $\overline{FC}+\overline{CG}=14$ cm, $\overline{BC}=22$ cm일 때, △FCG의 넓이를 구하시오.

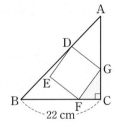

🌐Challenge

04 오른쪽 그림과 같은 △ABC에서 점 M은 $\overline{BC}$의 중점이고, 점 D는 ∠A의 이등분선과 $\overline{BC}$의 수직이등분선의 교점이다. 점 D에서 $\overline{AB}$, $\overline{AC}$의 연장선에 내린 수선의 발을 각각 E, F라 하고 $\overline{AB}=20$ cm, $\overline{DE}=12$ cm, $\overline{AF}=16$ cm일 때, △ADC의 넓이를 구하시오.

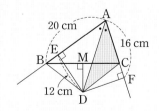

02 삼각형의 외심과 내심

① 삼각형의 외심

(1) **외접원과 외심** : △ABC의 모든 꼭짓점이 원 O 위에 있을 때, 원 O는 △ABC에 외접한다고 한다. 또, 원 O를 △ABC의 외접원이라 하며 외접원의 중심 O를 △ABC의 외심이라 한다.

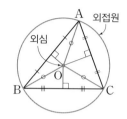

(2) **삼각형의 외심의 성질**

① 삼각형의 세 변의 수직이등분선은 한 점(외심)에서 만난다.

② 삼각형의 외심에서 세 꼭짓점에 이르는 거리는 모두 같다.

➡ $\overline{OA}=\overline{OB}=\overline{OC}=$ (외접원 O의 반지름의 길이)

참고 삼각형의 외심의 위치 : 예각삼각형 ➡ 삼각형의 내부, 직각삼각형 ➡ 빗변의 중점, 둔각삼각형 ➡ 삼각형의 외부

(3) **삼각형의 외심의 응용** : 점 O가 △ABC의 외심일 때

① $\angle x + \angle y + \angle z = 90°$

② $\angle BOC = 2\angle A$

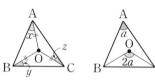

② 삼각형의 내심

(1) **내접원과 내심** : △ABC의 세 변이 모두 원 I에 접할 때, 원 I는 △ABC에 내접한다고 한다. 또, 원 I를 △ABC의 내접원이라 하며 내접원의 중심 I를 △ABC의 내심이라 한다.

참고 원의 접선은 그 접점을 지나는 반지름에 수직이다.

(2) **삼각형의 내심의 성질**

① 삼각형의 세 내각의 이등분선은 한 점(내심)에서 만난다.

② 삼각형의 내심에서 세 변에 이르는 거리는 모두 같다. ➡ $\overline{ID}=\overline{IE}=\overline{IF}=$ (내접원 I의 반지름의 길이)

(3) **삼각형의 내심의 응용** : 점 I가 △ABC의 내심일 때

① $\angle x + \angle y + \angle z = 90°$

② $\angle BIC = 90° + \dfrac{1}{2}\angle A$

③ $\overline{AD}=\overline{AF}$, $\overline{BD}=\overline{BE}$, $\overline{CE}=\overline{CF}$

④ (△ABC의 넓이) $= \dfrac{1}{2}r(\overline{AB}+\overline{BC}+\overline{CA})$ (단, r는 내접원의 반지름의 길이)

③ 삼각형의 외심과 내심 심화 개념

오른쪽 그림에서 두 점 O, I가 각각 △ABC의 외심, 내심일 때

$\angle OBC = \angle OCB$, $\angle IBA = \angle IBC$

참고 ① 이등변삼각형의 외심과 내심은 꼭지각의 이등분선 위에 있다.

② 정삼각형의 외심과 내심은 일치한다.

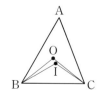

쌤의 활용 꿀팁
삼각형의 외심과 내심이 동시에 주어졌을 때, 어떤 각끼리 크기가 같은지 잘 기억하도록 하세요.

🎯 이것이 진짜 **출제율 100%** 문제

① **삼각형의 외심**

01 대표문제

오른쪽 그림에서 점 O는 △ABC의 외심이다. ∠ABO=14°, ∠ACO=31°일 때, ∠A의 크기를 구하시오.

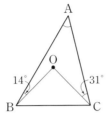

02

오른쪽 그림과 같이 ∠B=90°인 직각삼각형 ABC에서 $\overline{AB}=6$ cm, $\overline{BC}=8$ cm, $\overline{CA}=10$ cm일 때, △ABC의 외접원의 넓이를 구하시오.

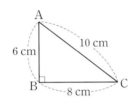

03

오른쪽 그림에서 점 O가 △ABC의 외심일 때, 보기에서 옳지 <u>않은</u> 것을 모두 고르시오.

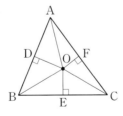

◀ 보기 ▶

ㄱ. $\overline{OA}=\overline{OB}=\overline{OC}$ 　　ㄴ. $\overline{AD}=\overline{BD}$

ㄷ. $\overline{BE}=\overline{BD}$ 　　ㄹ. △DAO≡△FAO

ㅁ. △OFA≡△OFC 　　ㅂ. ∠BOE=∠COE

ㅅ. ∠OBD=∠OBE 　　ㅇ. ∠OAD=∠OBD

04

오른쪽 그림에서 점 O는 △ABC의 외심이다. ∠B=60°, ∠OCB=40°일 때, ∠x+2∠y의 크기를 구하시오.

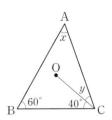

05

오른쪽 그림에서 점 O는 △ABC의 외심이고 ∠A : ∠B : ∠C=4 : 5 : 6일 때, ∠AOC의 크기를 구하시오.

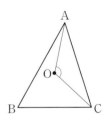

② **삼각형의 내심**

06 대표문제

오른쪽 그림에서 점 I는 △ABC의 내심이다. 다음 중 옳은 것을 모두 고르면? (정답 2개)

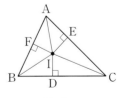

① $\overline{IA}=\overline{IB}=\overline{IC}$ 　　② ∠IBD=∠IBF

③ ∠BIF=∠AIF 　　④ △IAF≡△IBF

⑤ △ICD≡△ICE

07

오른쪽 그림에서 점 I는 $\overline{AB}=\overline{AC}$인
이등변삼각형 ABC의 내심이고, 점 I′
은 △IBC의 내심이다. ∠A=52°일
때, ∠I′BC의 크기를 구하시오.

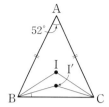

08

오른쪽 그림에서 점 I는 △ABC의
내심이다. ∠ACI=40°,
∠IBC=20°일 때, ∠x+∠y의
크기를 구하시오.

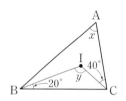

09

오른쪽 그림에서 점 I는 △ABC의
내심이고, 세 점 D, E, F는 각각 내
접원과 세 변 AB, BC, CA의 접점
이다. $\overline{AB}=18, \overline{BD}=10, \overline{CA}=15$
일 때, $\overline{BC}$의 길이를 구하시오.

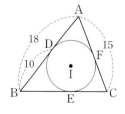

10 실수多

오른쪽 그림에서 점 I는 △ABC의
내심이다. $\overline{DE} \parallel \overline{BC}$이고
∠DIB=30°, ∠IEC=130°일 때,
∠x−∠y의 크기를 구하시오.

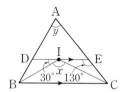

✎ **쌤의 오답 코칭** | 평행선에서 엇각의 크기가 같음을 이용한다.

11

오른쪽 그림에서 점 I는 △ABC
의 내심이다. $\overline{AB}=11\,cm$,
$\overline{BC}=12\,cm$, $\overline{CA}=7\,cm$이고
△IBC의 넓이가 $18\,cm^2$일 때,
△ABC의 넓이를 구하시오.

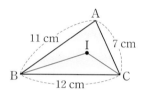

③ 삼각형의 외심과 내심 심화

12 대표문제 실수多

오른쪽 그림에서 두 점 O, I는 각각
△ABC의 외심과 내심이다.
∠A=70°일 때, ∠IBO+∠ICO
의 크기를 구하시오.

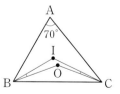

✎ **쌤의 오답 코칭** | △IBC는 이등변삼각형이 아님에 주의한다.

13

오른쪽 그림에서 두 점 O, I는 각
각 ∠C=90°인 직각삼각형 ABC
의 외심과 내심이다. 외접원의 반
지름의 길이가 8 cm, 내접원의 반
지름의 길이가 3 cm일 때, △ABC의 넓이를 구하시오.

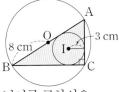

16

오른쪽 그림에서 점 I는 △ABC의
내심이고, $\overline{BI}$의 연장선과 $\overline{AC}$의 교
점을 D, $\overline{CI}$의 연장선과 $\overline{AB}$의 교점
을 E라 하자. ∠A=50°일 때,
∠x+∠y의 크기를 구하시오.

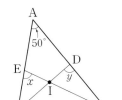

| 교학사 유사 |

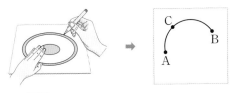

이것이 진짜 **교과서에서 뽑아온** 문제

14

| 동아 유사 |

종이 위에 원 모양 접시의 테두리를 이용하여 원의 일부를
그린 후, 실수로 접시를 깨뜨렸다. 이 원 모양의 접시의 테두
리를 복원하기 위하여 아래 그림과 같이 호 AB 위에 한 점
C를 잡았을 때, 원의 중심을 찾는 방법으로 옳은 것은?

① 점 C에서 $\overline{AB}$에 수선의 발을 내린다.
② 호 AB 밖의 한 점에서 $\overline{AC}$에 수선의 발을 내린다.
③ ∠ABC, ∠BAC의 이등분선의 교점을 찾는다.
④ $\overline{AC}$와 $\overline{BC}$의 수직이등분선의 교점을 찾는다.
⑤ $\overline{AB}$의 중점과 점 C를 잇는 선분을 그린다.

17

| 비상 유사 |

오른쪽 그림에서 점 I는 △ABC
의 내심이고 $\overline{AB}=12$ cm,
$\overline{AC}=10$ cm이다. $\overline{DE} /\!/ \overline{BC}$일
때, △ADE의 둘레의 길이를 구
하시오.

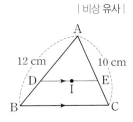

15

| 신사고 유사 |

오른쪽 그림에서 점 O가
△ABC의 외심이고 ∠B=56°
일 때, ∠C의 크기를 구하시오.

18

| 금성 유사 |

오른쪽 그림과 같은 직각삼각형 모
양의 잔디밭 ABC에 최대한 넓은
원 모양의 분수대를 설치하려고 한
다. 원 모양의 분수대의 둘레의 길
이를 구하시오.

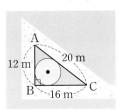

01

오른쪽 그림에서 점 O는 △ABC의 외심이고, 점 A에서 $\overline{BC}$에 내린 수선의 발을 H라 하자. ∠BAC=70°, ∠ACH=62°일 때, ∠OAH 의 크기를 구하시오.

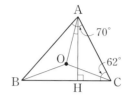

쌤의 출제 Point

02

오른쪽 그림에서 점 O는 △ABC의 외심이고 ∠ABC=30°, ∠OBC=26°일 때, ∠BAC의 크기를 구하시오.

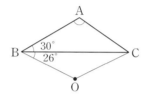

03

오른쪽 그림에서 점 O는 $\overline{AC}=\overline{BC}$인 이등변삼각형 ABC의 외심이다. 점 D는 $\overline{BO}$의 연장선과 $\overline{AC}$의 교점이고 ∠ABD=50°일 때, ∠BDC의 크기를 구하시오.

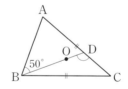

$\overline{OA}$를 그은 후 삼각형의 외심의 성질을 이용하여 각의 크기를 구한다.

04

오른쪽 그림에서 점 O는 △ABC의 외심이다. $\overline{AF}$=8 cm, $\overline{OF}$=6 cm이고 사각형 DBEO의 넓이가 38 cm²일 때, △ABC의 넓이를 구하시오.

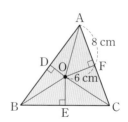

(사각형 DBEO의 넓이)
=△OBD+△OBE

05

오른쪽 그림에서 점 O는 △ABC의 외심이고, 점 O'은 △ABO의 외심이다. ∠O'BO＝32°일 때, ∠C－∠ABO'의 크기를 구하시오.

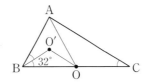

쌤의 출제 Point

직각삼각형의 외심은 빗변의 중점이므로 △ABC는 직각삼각형이다.

06

오른쪽 그림에서 점 O는 △ABC의 외심인 동시에 △ACD의 외심이다. ∠B＝72°일 때, ∠ADC의 크기를 구하시오.

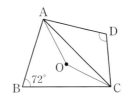

07

오른쪽 그림에서 점 O는 △ABC의 외심이고, $\overline{CO}$의 연장선과 $\overline{BO}$의 연장선이 $\overline{AB}$, $\overline{AC}$와 만나는 점을 각각 P, Q라 하자.
$\overline{BP}＝\overline{PQ}＝\overline{QC}$일 때, ∠A의 크기를 구하시오.

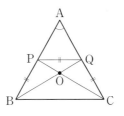

∠PBQ＝∠PQB,
∠QPC＝∠QCP
임을 이용한다.

08 교과서 추론 | 비상 유사 |

오른쪽 그림에서 점 I가 △ABC의 내심이고, $\overline{AI}$의 연장선과 $\overline{BC}$의 교점을 D라 하자. $\overline{AH}\perp\overline{BC}$, ∠ABC＝56°, ∠ACB＝72°일 때, ∠BID－∠DAH의 크기를 구하시오.

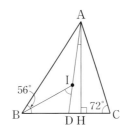

09

오른쪽 그림에서 점 I는 $\overline{AC}=\overline{BC}$인 이등변삼각형 ABC의 내심이고, 점 I′은 $\overline{AC}=\overline{AD}$인 이등변삼각형 ACD의 내심이다. $\angle BIC=106°$일 때, $\angle CI′D$의 크기를 구하시오.

(단, 점 C는 $\overline{BD}$ 위의 점이다.)

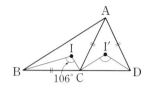

쌤의 출제 Point

10

오른쪽 그림에서 점 I는 △ABC의 내심이고, 점 D는 $\overline{CI}$의 연장선과 $\overline{AB}$의 교점이다. 점 I′은 △DBC의 내심이고, $\angle A=62°$, $\angle ACD=34°$일 때, $\angle II′C$의 크기를 구하시오.

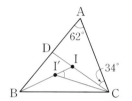

$\overline{IC}, \overline{I'C}$가 각각 $\angle ACB$, $\angle ICB$의 이등분선임을 이용한다.

11

오른쪽 그림에서 $\overline{AB}=\overline{AD}$, $\overline{BC}=\overline{BD}$, $\overline{AD}\,/\!/\,\overline{BC}$, $\angle DBC=16°$이고 두 점 I, I′은 각각 △ABD, △DBC의 내심이다. $\overline{AI}$의 연장선과 $\overline{DI′}$의 연장선이 만나는 점을 E라 할 때, $\angle AED$의 크기를 구하시오.

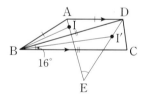

12 복합 개념 대전 | 둔산

오른쪽 그림에서 점 I는 한 변의 길이가 24 cm인 정삼각형 ABC의 내심이다. $\overline{AB}\,/\!/\,\overline{DI}$, $\overline{BC}\,/\!/\,\overline{IE}$이고 $\overline{BI}$의 연장선과 $\overline{AC}$가 만나는 점을 G라 할 때, $\overline{DG}$의 길이를 구하시오.

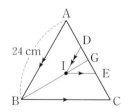

13

오른쪽 그림과 같은 직사각형 ABCD에서 원 O는 △ABC의 내접원이고, 원 O′은 △ACD의 내접원이다. 대각선 AC와 원 O, O′의 접점을 각각 E, F라 하자. $\overline{AB}=9$ cm, $\overline{BC}=12$ cm, $\overline{AC}=15$ cm일 때, $\overline{EF}$의 길이를 구하시오.

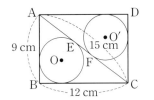

쌤의 출제 Point

△ABC에서 $\overline{AE}$의 길이를, △ACD에서 $\overline{CF}$의 길이를 각각 구한다.

14 신유형 대구 | 수성

오른쪽 그림에서 점 I는 $\overline{AB}=\overline{AC}=17$ cm, $\overline{BC}=16$ cm인 이등변삼각형 ABC의 내심이고, 점 H는 내접원 I와 $\overline{BC}$의 접점이다. $\overline{AH}=15$ cm이고 $\overline{AH}$와 내접원 I의 교점을 E라 할 때, $\overline{AE}$의 길이를 구하시오.

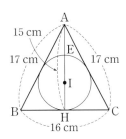

15 복합 개념 분당 | 서현

오른쪽 그림에서 점 I는 ∠A=90°인 직각삼각형 ABC의 내심이고, 세 점 D, E, F는 각각 내접원과 세 변 AB, BC, CA의 접점이다. $\overline{AB}=5$ cm, $\overline{BC}=13$ cm, $\overline{CA}=12$ cm일 때, 색칠한 부분의 넓이를 구하시오.

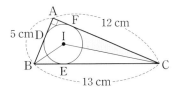

16 신유형 서울 | 목동

오른쪽 그림에서 점 I는 △ABC의 내심이다. $\overline{BD}=5$ cm, $\overline{CE}=3$ cm, $\overline{BC}=18$ cm이고 오각형 IDBCE의 넓이가 39 cm²일 때, 내접원 I의 넓이를 구하시오.

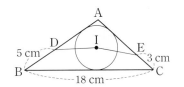

$\overline{IB}$, $\overline{IC}$를 그은 후 오각형의 넓이를 △IDB, △IBC, △ICE의 넓이의 합으로 구한다.

17 교과서 **창의사고력** | 신사고 유사 |

오른쪽 그림에서 두 점 O, I는 각각 △ABC의 외심과 내심이고 두 점 D, E는 각각 $\overline{AI}$, $\overline{AO}$의 연장선과 $\overline{BC}$의 교점이다. ∠BAD=40°, ∠CAE=25°일 때, ∠x+∠y의 크기를 구하시오.

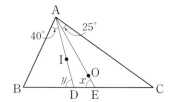

쌤의 출제 Point

18

오른쪽 그림에서 △ABC는 $\overline{AB}=\overline{AC}$인 이등변삼각형이고, $\overline{AH}$ 위의 두 점 O와 I는 각각 △ABC의 외심과 내심이다. ∠BAH=40° 이고 $\overline{AC}$의 중점을 D, $\overline{OD}$와 $\overline{IC}$의 교점을 E라 할 때, ∠DEC−∠ECO의 크기를 구하시오.

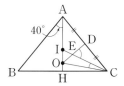

$\overline{AH}\perp\overline{BC}$, $\overline{OD}\perp\overline{AC}$임을 이용한다.

19 만점 **KILL** 대전 | 둔산

오른쪽 그림에서 점 O는 △ABC와 △ADC의 외심이고, 두 점 I와 I′은 각각 △ABC, △ADC의 내심이다. $\overline{AB}=\overline{BC}$이고 ∠ACD=30°일 때, ∠$x$−∠$y$의 크기를 구하시오.

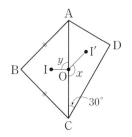

점 O는 △ADC의 외심이므로 $\overline{OA}=\overline{OC}=\overline{OD}$이다.

20

∠C=90°인 직각삼각형 ABC의 내접원의 넓이가 9π cm², 외접원의 넓이가 36π cm²일 때, △ABC의 넓이를 구하시오.

01 오른쪽 그림과 같이 △ABC의 꼭짓점 A에서 꼭짓점 B를 지나고 $\overline{AC}$에 평행한 직선 위에 내린 수선의 발을 D라 하고, $\overline{AD}$와 $\overline{BC}$의 교점을 E라 하자. $\overline{EC}=2\overline{AB}$, ∠ACE=20°일 때, ∠BAD의 크기를 구하시오.

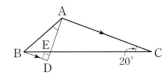

02 오른쪽 그림은 ∠C=90°이고, $\overline{AB}=10\ cm$, $\overline{BC}=8\ cm$, $\overline{AC}=6\ cm$인 직각삼각형 ABC의 두 변 AB, BC에 접하는 원 O와 두 변 BC, AC에 접하는 원 O′이 한 점에서 만나도록 그린 것이다. 두 원의 반지름의 길이가 같을 때, 색칠한 부분의 넓이를 구하시오.

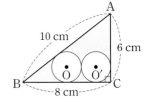

03 오른쪽 그림에서 점 O는 △ABC의 외심이고 두 점 D, E는 각각 △OBC, △OCA의 내심이다. 점 I는 △ODE의 내심이고 ∠B=68°일 때, ∠IOC의 크기를 구하시오.

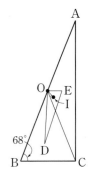

🌐**Challenge**

04 오른쪽 그림과 같이 점 O는 $\overline{AB}=\overline{AC}$인 이등변삼각형 ABC의 외심이고, 점 E는 $\overline{BC}$의 연장선 위에 있는 점이다. 점 I는 △DCE의 내심이고 $\overline{DI}$, $\overline{EI}$의 연장선과 $\overline{CE}$, $\overline{CD}$가 만나는 점을 각각 F, G라 하자. ∠BAC=40°, ∠DGE=80°, ∠DFE=100°일 때, ∠OCI의 크기를 구하시오.

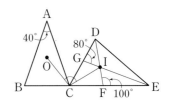

같은 문제
선배들의
다른 풀이

본책 23쪽 · **14** 번 문제

오른쪽 그림에서 점 I는 $\overline{AB}=\overline{AC}=17$ cm, $\overline{BC}=16$ cm인 이등변삼각형 ABC의 내심이고, 점 H는 내접원 I와 $\overline{BC}$의 접점이다. $\overline{AH}=15$ cm이고 $\overline{AH}$와 내접원 I의 교점을 E라 할 때, $\overline{AE}$의 길이를 구하시오.

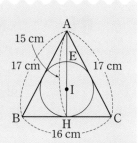

3학년이 되면 더 빠르게 해결할 수 있을까요?

이 문제는 삼각형 ABC의 넓이를 구한 후 '삼각형의 내접원의 반지름의 길이'를 미지수로 놓고 문제를 해결해야 해. 하지만 중학교 3학년 때 '삼각비'를 배우면 삼각형의 넓이를 구하지 않고도 내접원의 반지름의 길이를 구할 수 있어. 삼각비란 직각삼각형에서 주어진 각에 대한 두 변의 길이의 비야.

오른쪽 그림과 같이 $\angle B=90°$인 직각삼각형 ABC에서 삼각비의 값은

$$(\angle A의 사인)=\sin A=\frac{(높이)}{(빗변)}=\frac{a}{b},$$

$$(\angle A의 코사인)=\cos A=\frac{(밑변)}{(빗변)}=\frac{c}{b},$$

$$(\angle A의 탄젠트)=\tan A=\frac{(높이)}{(밑변)}=\frac{a}{c}$$

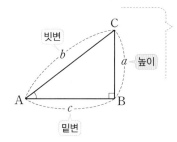

오른쪽 그림과 같이 $\triangle ABC$에서 내접원의 반지름의 길이를 r cm라 하면 접점 G에 대하여 $\overline{CG}=\overline{CH}=\frac{1}{2}\overline{BC}=8$ (cm)이므로 $\overline{AG}=9$ cm, $\overline{AI}=(15-r)$ cm야. 이때 $\angle CAH=x$라 하면

직각삼각형 AIG에서 $\cos x=\dfrac{\overline{AG}}{\overline{AI}}=\dfrac{9}{15-r}$

직각삼각형 CAH에서 $\cos x=\dfrac{\overline{AH}}{\overline{AC}}=\dfrac{15}{17}$

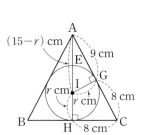

즉, $\dfrac{9}{15-r}=\dfrac{15}{17}$이므로 $r=\dfrac{24}{5}$

이와 같이 삼각비를 이용하더라도 삼각형에 원이 내접할 때, 서로 길이가 같은 선분을 알아야 하므로 삼각형의 내심의 성질을 잘 익혀두도록 해.

II

사각형의 성질

03 평행사변형

04 여러 가지 사각형

⊙ 현직 교사의 학교 시험 고난도 킬러 강의

이 단원에서는 여러 가지 사각형, 즉 사다리꼴, 등변사다리꼴, 평행사변형, 직사각형, 마름모, 정사각형의 뜻과 성질을 이용하여 문제를 해결하는 능력이 중요해요. 또한, 사각형에서 주어진 변의 길이, 각의 크기, 대각선의 길이를 이용하여 어떤 사각형인지 파악할 수 있어야 해요. '같은 변의 길이' 또는 '같은 각의 크기'를 찾아 직사각형, 마름모, 정사각형의 성질을 활용하는 문제는 시험에 꼭 출제해요. 특히, 삼각형의 합동과 내심, 외심, 무게중심의 성질과 여러 가지 사각형의 성질이 혼합된 문제는 이 단원에서의 kill 문제죠.

03 평행사변형

① 평행사변형의 성질

(1) 평행사변형의 뜻

두 쌍의 대변이 각각 평행한 사각형 ➡ $\overline{AB}\,/\!/\,\overline{DC}$, $\overline{AD}\,/\!/\,\overline{BC}$

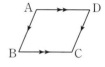

참고 (1) 사각형 ABCD를 기호로 □ABCD로 나타내고, 사각형에서 서로 마주 보는 변을 대변, 서로 마주 보는 각을 대각이라 한다.
(2) 평행사변형에서 이웃하는 두 내각의 크기의 합은 180°이다.

(2) 평행사변형의 성질

① 두 쌍의 대변의 길이가 각각 같다. ➡ $\overline{AB}=\overline{DC}$, $\overline{AD}=\overline{BC}$

② 두 쌍의 대각의 크기가 각각 같다. ➡ $\angle A=\angle C$, $\angle B=\angle D$

③ 두 대각선은 서로 다른 것을 이등분한다. ➡ $\overline{OA}=\overline{OC}$, $\overline{OB}=\overline{OD}$

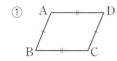
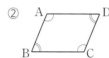

② 평행사변형이 되는 조건

다음 중 어느 한 조건을 만족시키는 사각형은 평행사변형이다. (단, 점 O는 두 대각선의 교점)

(1) 두 쌍의 대변이 각각 평행하다. ➡ $\overline{AB}\,/\!/\,\overline{DC}$, $\overline{AD}\,/\!/\,\overline{BC}$

(2) 두 쌍의 대변의 길이가 각각 같다. ➡ $\overline{AB}=\overline{DC}$, $\overline{AD}=\overline{BC}$

(3) 두 쌍의 대각의 크기가 각각 같다. ➡ $\angle A=\angle C$, $\angle B=\angle D$

(4) 두 대각선이 서로 다른 것을 이등분한다. ➡ $\overline{OA}=\overline{OC}$, $\overline{OB}=\overline{OD}$

(5) 한 쌍의 대변이 평행하고, 그 길이가 같다. ➡ $\overline{AB}\,/\!/\,\overline{DC}$, $\overline{AB}=\overline{DC}$ (또는 $\overline{AD}\,/\!/\,\overline{BC}$, $\overline{AD}=\overline{BC}$)

참고 다음 그림의 □ABCD가 평행사변형일 때, 조건을 만족시키는 □EBFD는 모두 평행사변형이다.

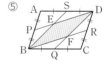

①	②	③	④	⑤
$\angle ABE=\angle EBF$ $\angle EDF=\angle FDC$ ➡ 조건(3) 활용	$\overline{OE}=\overline{OF}$ 또는 $\overline{AE}=\overline{CF}$ ➡ 조건(4) 활용	$\overline{AE}=\overline{CF}$ 또는 $\overline{EB}=\overline{FD}$ ➡ 조건(5) 활용	$\angle AEB=\angle CFD$ $=90°$ ➡ 조건(5) 활용	$\overline{AS}=\overline{SD}=\overline{BQ}=\overline{QC}$ $\overline{AP}=\overline{PB}=\overline{DR}=\overline{RC}$ ➡ 조건(1) 활용

③ 평행사변형과 넓이

평행사변형 ABCD에서 두 대각선의 교점을 O라 하면

(1) $\triangle ABC=\triangle BCD=\triangle CDA=\triangle DAB=\dfrac{1}{2}\square ABCD$

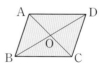

(2) $\triangle OAB=\triangle OBC=\triangle OCD=\triangle ODA=\dfrac{1}{4}\square ABCD$

(3) 평행사변형 내부의 임의의 한 점 P에 대하여

$$\triangle PAB+\triangle PCD=\triangle PBC+\triangle PDA=\dfrac{1}{2}\square ABCD$$

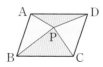

🎯 이것이 진짜 **출제율 100%** 문제

① 평행사변형의 성질

01 대표문제

오른쪽 그림과 같은 평행사변형 ABCD에서 ∠D의 이등분선과 $\overline{BC}$의 교점을 E라 하고, 점 C에서 $\overline{DE}$에 내린 수선의 발을 F라 하자. ∠FCD=51°일 때, ∠A의 크기를 구하시오.

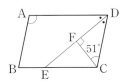

02

오른쪽 그림과 같은 평행사변형 ABCD에서 $\overline{BC}$의 중점을 E라 하고, $\overline{AE}$의 연장선과 $\overline{DC}$의 연장선의 교점을 F라 하자. $\overline{AB}=5$ cm, $\overline{AD}=7$ cm일 때, $\overline{DF}$의 길이를 구하시오.

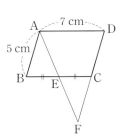

03

오른쪽 그림과 같은 평행사변형 ABCD의 두 대각선의 교점 O를 지나는 직선이 $\overline{AB}$, $\overline{CD}$와 만나는 점을 각각 P, Q라 하자. ∠APO=90°일 때, △OCQ의 넓이를 구하시오.

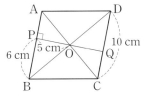

04

오른쪽 그림과 같이 $\overline{AB}=\overline{AC}$인 이등변삼각형 ABC에서 $\overline{AB}/\!/\overline{DF}$, $\overline{AC}/\!/\overline{EF}$이다. $\overline{AB}=8$ cm일 때, □AEFD의 둘레의 길이를 구하시오.

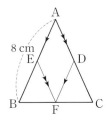

② 평행사변형이 되는 조건

05 대표문제

오른쪽 그림과 같은 평행사변형 ABCD에서 ∠BAD의 이등분선과 $\overline{BC}$의 교점을 E, ∠BCD의 이등분선과 $\overline{AD}$의 교점을 F라 하자. ∠B=60°일 때, ∠AFC의 크기를 구하시오.

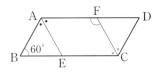

06 실수多

오른쪽 그림과 같은 평행사변형 ABCD의 두 대각선의 교점을 O, $\overline{BO}$와 $\overline{DO}$의 중점을 각각 E, F라 하자. ∠OAE=40°, ∠OCE=25°일 때, 다음 중 옳지 **않은** 것은?

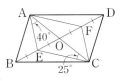

① $\overline{AF}=\overline{EC}$ ② ∠BCE=∠DAF

③ ∠AFC=115°   ④ △ABE≡△CDF

⑤ ∠CDF=40°

📝 쌤의 오답 코칭 | 평행사변형의 대각선에 의해 나누어지는 삼각형에서 서로 합동인 삼각형을 찾는다.

③ **평행사변형과 넓이**

07 대표문제

오른쪽 그림과 같은 평행사변형 ABCD에서 $\overline{AD}$, $\overline{BC}$의 중점을 각각 E, F라 하고, □ABFE, □EFCD의 두 대각선의 교점을 각각 P, Q라 하자. □ABCD의 넓이가 48 cm²일 때, □EPFQ의 넓이를 구하시오.

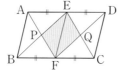

10 | 천재 유사 |

오른쪽 그림과 같은 평행사변형 ABCD에서 $\overline{BE}$, $\overline{CF}$는 각각 ∠B, ∠C의 이등분선이다. $\overline{CD}=11$ cm, $\overline{DE}=4$ cm일 때, $\overline{FE}$의 길이를 구하시오.

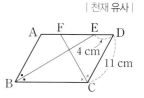

08

오른쪽 그림과 같이 평행사변형 ABCD에서 $\overline{BC}$와 $\overline{DC}$의 연장선 위에 $\overline{BC}=\overline{CE}$, $\overline{DC}=\overline{CF}$가 되도록 두 점 E, F를 각각 잡아 □BFED를 만들었다. 또, $\overline{DE}$의 연장선과 $\overline{FE}$의 연장선 위에 $\overline{DE}=\overline{EH}$, $\overline{FE}=\overline{EG}$가 되도록 두 점 H, G를 각각 잡았다. △OAB의 넓이가 2 cm²일 때, □DFHG의 넓이를 구하시오.

(단, 점 O는 □ABCD의 두 대각선의 교점)

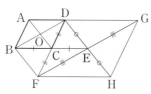

11 실수多 | 비상 유사 |

다음 중에서 □ABCD가 평행사변형이 되는 조건을 말한 학생을 모두 구하시오.

서연 : $\overline{AD}=\overline{BC}=7$ cm, $\overline{AB}=\overline{DC}=4$ cm
윤우 : $\overline{AD}$ // $\overline{BC}$, $\overline{AB}=\overline{BC}=5$ cm
은서 : $\overline{AB}=\overline{CD}=6$ cm, ∠A+∠D=180°
지호 : ∠BAC=∠DCA, ∠ADB=∠CBD
지안 : ∠ABD=∠CDB, $\overline{AB}⊥\overline{AD}$

✏️ **쌤의 오답 코칭** | 조건을 만족시키는 □ABCD를 그려 본다.

09

오른쪽 그림과 같은 평행사변형 ABCD의 내부의 한 점 P에 대하여 △PAB : △PCD=5 : 4이고, 점 D에서 $\overline{BC}$의 연장선 위에 내린 수선의 발을 Q라 하자. $\overline{AD}=18$ cm, $\overline{DQ}=12$ cm일 때, △PCD의 넓이를 구하시오.

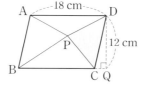

12 | 동아 유사 |

오른쪽 그림에서 □ABCD는 평행사변형이고 점 O는 두 대각선의 교점이다. 점 O를 지나는 직선이 $\overline{AB}$, $\overline{DC}$와 만나는 점을 각각 E, F라 할 때, △AEO와 △DOF의 넓이의 합이 16 cm²이다. □ABCD의 넓이를 구하시오.

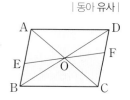

01

오른쪽 그림과 같은 평행사변형 ABCD에서 점 E는 $\overline{BC}$ 위에 있다. $\overline{AB}=\overline{BE}$, $\overline{EC}=\overline{CF}$일 때, ∠AEF의 크기를 구하시오.

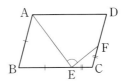

쌤의 출제 Point

02

오른쪽 그림과 같은 평행사변형 ABCD에서 $\overline{BE}$, $\overline{CF}$는 각각 ∠B와 ∠C의 이등분선이고, $\overline{BE}$의 연장선과 $\overline{CD}$의 연장선의 교점을 G라 하자. ∠BGC=40°일 때, ∠AFC의 크기를 구하시오.

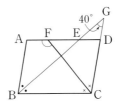

평행사변형의 이웃하는 두 내각의 크기의 합은 180°이다.

03

오른쪽 그림과 같은 평행사변형 ABCD에서 ∠D의 이등분선이 $\overline{BC}$와 만나는 점을 E라 하자. $\overline{AF}\perp\overline{DE}$이고 $\overline{AB}=8\,cm$, $\overline{AD}=12\,cm$일 때, $\overline{EF}$의 길이를 구하시오.

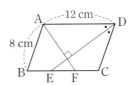

04

오른쪽 그림과 같은 평행사변형 ABCD에서 ∠A의 이등분선과 ∠DCE의 이등분선의 교점을 F라 하고 $\overline{AF}$와 $\overline{CD}$의 교점을 G라 할 때, ∠GFC의 크기를 구하시오.

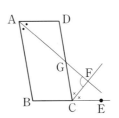

05 신유형 서울 | 서초

오른쪽 그림은 평행사변형 모양의 종이 ABCD를 $\overline{EC}$를 접는 선으로 하여 접은 것이다. $\angle D=60°$, $\angle BEC=100°$일 때, $\angle x$의 크기를 구하시오.

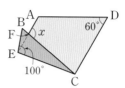

쌤의 출제 Point

06 복합 개념 서울 | 서초

오른쪽 그림과 같은 평행사변형 ABCD에서 두 대각선의 교점을 O라 하고, 점 C에서 $\overline{AD}$에 내린 수선의 발을 E라 하자. $\angle OCB=50°$일 때, $\angle AOE$의 크기를 구하시오.

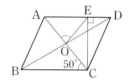

직각삼각형의 외심은 빗변의 중점이다.

07 교과서 추론 | 신사고 유사 |

오른쪽 그림과 같은 평행사변형 ABCD에서 $\angle BAD$의 이등분선과 $\overline{BC}$의 교점을 E, $\angle CAD$의 이등분선과 $\overline{BC}$의 연장선의 교점을 F라 하자. $\overline{AB}=10\ cm$, $\overline{AC}=12\ cm$, $\overline{AD}=15\ cm$일 때, $\overline{EF}$의 길이를 구하시오.

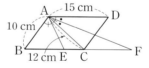

평행사변형은 두 쌍의 대변이 각각 평행함을 이용하여 크기가 같은 각을 찾는다.

08 복합 개념 분당 | 서현

오른쪽 그림과 같은 평행사변형 ABCD에서 $\overline{CD}$의 중점을 E, 점 B에서 $\overline{AE}$에 내린 수선의 발을 F라 하자. $\angle FBC=68°$일 때, $\angle EFC$의 크기를 구하시오.

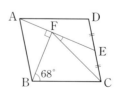

직각삼각형의 빗변의 중점은 외심이고 외심에서 세 꼭짓점에 이르는 거리는 같다.

09 만점 KILL 대구 | 수성

오른쪽 그림과 같이 $2\overline{AB}=\overline{AD}$인 평행사변형 ABCD의 점 D에서 $\overline{BA}$의 연장선에 내린 수선의 발을 E라 하고, $\overline{BC}$의 중점을 F라 하자. $\angle BEF=33°$일 때, $\angle EFC$의 크기를 구하시오.

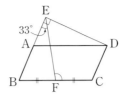

쌤의 출제 Point

$\overline{EF}$와 $\overline{DC}$의 연장선을 그은 후 합동인 삼각형을 찾는다.

10

오른쪽 그림과 같은 평행사변형 ABCD에서 점 O는 $\overline{AC}$의 중점이고, $\overline{OA}=\overline{OC}=\overline{DE}$가 되도록 $\overline{OE}$를 그었을 때 $\overline{OE}$와 $\overline{AD}$의 교점을 F라 하자. $\overline{AB}=6\,cm$이고 $\angle B=65°$, $\angle CAD=45°$, $\angle EDC=110°$일 때, $\overline{EF}$의 길이를 구하시오.

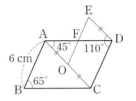

11 교과서 창의사고력 | 천재 유사 |

오른쪽 그림과 같은 좌표평면 위에 점 D를 잡아 네 점 A, B, C, D를 꼭짓점으로 하는 평행사변형을 만들려고 한다. 점 D의 좌표를 (a, b)라 할 때, $a+b$의 값을 모두 구하시오.

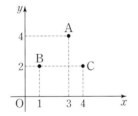

□ABCD, □ABDC, □ADBC가 각각 평행사변형이 될 때의 점 D의 좌표를 각각 구한다.

12 신유형 서울 | 강남

오른쪽 그림과 같이 △ABC의 $\overline{BC}$ 위의 점 D에서 $\overline{AB}$, $\overline{AC}$에 평행한 직선을 그었을 때 $\overline{AC}$, $\overline{AB}$와 만나는 점을 각각 E, F라 하자. 마찬가지로 $\overline{BD}$ 위의 점 G와 $\overline{DC}$ 위의 점 H에서 각 변에 평행한 직선을 그었을 때, 색칠한 부분의 둘레의 길이의 합을 구하시오.

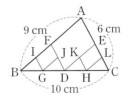

13

오른쪽 그림과 같이 $\overline{AB}=62$ cm인 평행사변형 ABCD에서 점 P는 점 A를 출발하여 점 B까지 $\overline{AB}$ 위를 매초 3 cm의 속력으로 이동하고, 점 Q는 점 P가 출발한 지 2초 후 점 D를 출발하여 점 C까지 $\overline{DC}$ 위를 매초 4 cm의 속력으로 이동한다. 점 P가 출발한 지 몇 초 후에 색칠한 사각형이 평행사변형이 되는지 구하시오.

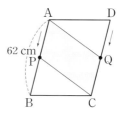

쌤의 출제 Point

$\overline{AP} /\!/ \overline{QC}$이므로 $\overline{AP}=\overline{QC}$가 될 때 □APCQ는 평행사변형이 된다.

14

오른쪽 그림과 같이 $\overline{AB}=6$ cm, $\overline{AD}=9$ cm인 평행사변형 ABCD에서 $\overline{AE}$와 $\overline{BF}$는 각각 ∠A, ∠B의 이등분선이고, 점 G는 $\overline{AE}$와 $\overline{BF}$의 교점이다. □ABCD의 넓이가 60 cm²일 때, △AGF 의 넓이를 구하시오.

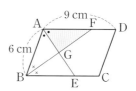

15

오른쪽 그림과 같은 평행사변형 ABCD에서 $\overline{AB}$와 $\overline{CD}$의 중점을 각각 E, F라 하고 $\overline{BD}$와 $\overline{EC}$, $\overline{AF}$와의 교점을 각각 G, H라 하자. □ABCD의 넓이가 48 cm²일 때, □AEGH의 넓이를 구하시오.

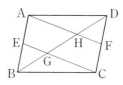

$\overline{AC}$를 긋고 합동인 삼각형을 찾는다.

16

오른쪽 그림과 같이 평행사변형 ABCD의 내부의 한 점 P에 대하여 $\overline{CP}$의 연장선과 $\overline{AD}$의 교점을 Q라 하자. $3\triangle PBC=2\triangle BPQ$이고 △PDA의 넓이가 12 cm²일 때, □ABCD의 넓이를 구하시오.

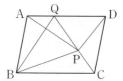

01 오른쪽 그림과 같이 △ABC의 세 변 AB, BC, AC를 각각 한 변으로 하는 정삼각형 ADB, BCE, ACF를 그렸다. ∠BAC=80°일 때, ∠ADE+∠AFE의 크기를 구하시오.

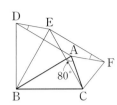

02 오른쪽 그림과 같이 평행사변형 ABCD에서 $\overline{AD}$의 연장선 위에 $\overline{AD}=\overline{DE}$가 되도록 점 E를 잡았다. ∠AEO=∠OEC=29°일 때, ∠ACB의 크기를 구하시오. (단, 점 O는 두 대각선의 교점)

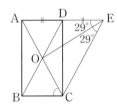

03 오른쪽 그림과 같이 합동인 두 평행사변형 ABCD, CEFG가 있다. $\overline{AB}:\overline{AD}=1:2$이고 □ABCD의 넓이는 30 cm²이다. ∠ADC=60°일 때, □BEFG의 넓이를 구하시오.

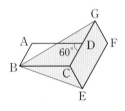

Challenge

04 오른쪽 그림과 같이 평행사변형 ABCD의 내부의 두 점 P, Q에 대하여 △PAB와 △QCD의 넓이는 각각 15이고 △PAD와 △QBC의 넓이는 각각 4일 때, □AQCP의 넓이를 구하시오.

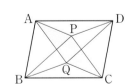

04 여러 가지 사각형

① 직사각형

(1) **직사각형** : 네 내각의 크기가 모두 같은 사각형
➡ $\angle A = \angle B = \angle C = \angle D = 90°$

참고 직사각형은 두 쌍의 대각의 크기가 각각 같으므로 평행사변형이다.

(2) **직사각형의 성질** : 두 대각선은 길이가 같고, 서로 다른 것을 이등분한다.
➡ $\overline{AC} = \overline{BD}$, $\overline{AO} = \overline{BO} = \overline{CO} = \overline{DO}$

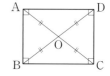

② 마름모

(1) **마름모** : 네 변의 길이가 모두 같은 사각형
➡ $\overline{AB} = \overline{BC} = \overline{CD} = \overline{DA}$

참고 마름모는 두 쌍의 대변의 길이가 각각 같으므로 평행사변형이다.

(2) **마름모의 성질** : 두 대각선은 서로 다른 것을 수직이등분한다.
➡ $\overline{AC} \perp \overline{BD}$, $\overline{AO} = \overline{CO}$, $\overline{BO} = \overline{DO}$

참고 $\triangle ABO \equiv \triangle CBO \equiv \triangle CDO \equiv \triangle ADO$ (RHS 합동)

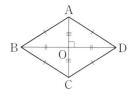

③ 정사각형

(1) **정사각형** : 네 내각의 크기가 모두 같고, 네 변의 길이가 모두 같은 사각형
➡ $\angle A = \angle B = \angle C = \angle D = 90°$, $\overline{AB} = \overline{BC} = \overline{CD} = \overline{DA}$

(2) **정사각형의 성질**: 두 대각선은 길이가 같고, 서로 다른 것을 수직이등분한다.
➡ $\overline{AC} = \overline{BD}$, $\overline{AC} \perp \overline{BD}$, $\overline{AO} = \overline{BO} = \overline{CO} = \overline{DO}$

참고 정사각형은 직사각형과 마름모의 성질을 동시에 가지고 있다.

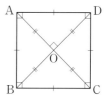

④ 등변사다리꼴

(1) **등변사다리꼴** : 밑변의 양 끝 각의 크기가 같은 사다리꼴 ➡ $\angle B = \angle C$

참고 사다리꼴 : 한 쌍의 대변이 평행한 사각형

(2) **등변사다리꼴의 성질** : 평행하지 않은 한 쌍의 대변의 길이가 같고, 두 대각선의 길이가 같다. ➡ $\overline{AB} = \overline{DC}$, $\overline{AC} = \overline{BD}$

참고 등변사다리꼴의 성질의 응용

$\overline{AD} /\!/ \overline{BC}$인 등변사다리꼴 ABCD에서

① 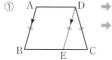 ➡ □ABED는 평행사변형
➡ △DEC는 이등변삼각형

② 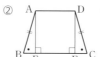 ➡ △ABE ≡ △DCF
(RHA 합동)

⑤ 여러 가지 사각형 사이의 관계

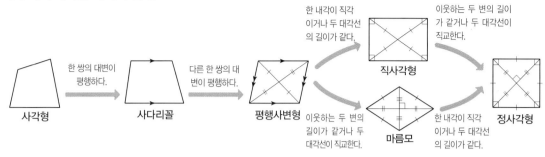

참고 여러 가지 사각형의 대각선의 성질
   ⑴ 서로 다른 것을 이등분한다. ➡ 평행사변형, 직사각형, 마름모, 정사각형
   ⑵ 길이가 같다. ➡ 직사각형, 정사각형, 등변사다리꼴
   ⑶ 서로 직교한다. ➡ 마름모, 정사각형

⑥ 사각형의 각 변의 중점을 연결하여 만든 사각형 〔심화 개념〕

여러 가지 사각형의 각 변의 중점을 연결하여 만든 사각형은 다음과 같다.

(1) 사각형

➡ 평행사변형

(2) 평행사변형

➡ 평행사변형

(3) 직사각형

➡ 마름모

(4) 마름모

➡ 직사각형

(5) 정사각형

➡ 정사각형

(6) 등변사다리꼴

➡ 마름모

쌤의 활용 꿀팁

대각선의 길이가 같은 사각형의 각 변의 중점을 연결하여 만든 사각형은 네 변의 길이가 같고, 대각선이 수직인 사각형의 각 변의 중점을 연결하여 만든 사각형은 네 각의 크기가 같아요.

⑦ 평행선과 넓이

(1) 평행선과 삼각형의 넓이의 비

오른쪽 그림에서 두 직선 l, m이 평행할 때, 세 삼각형 ABC, DBC, EBC는 밑변 BC가 공통이고, 높이가 h로 같으므로

$$\triangle ABC = \triangle DBC = \triangle EBC = \frac{1}{2}ah$$

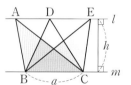

(2) 높이가 같은 삼각형의 넓이의 비

높이가 같은 두 삼각형의 넓이의 비는 밑변의 길이의 비와 같다.

➡ $\triangle ABC : \triangle ACD = \frac{1}{2}mh : \frac{1}{2}nh = m : n = \overline{BC} : \overline{CD}$

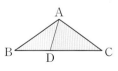

예 오른쪽 그림과 같은 △ABC에서 △ABD의 넓이가
   6이고 $\overline{BD} : \overline{DC} = 2 : 3$일 때
   △ABD : △ADC = 6 : △ADC = 2 : 3이므로
   △ADC의 넓이는 9이다.

참고 오른쪽 그림과 같이 점 D가 $\overline{BC}$의 중점이면

$$\triangle ABD = \triangle ADC = \frac{1}{2}\triangle ABC$$

이것이 진짜 출제율 100% 문제

① 직사각형

01 대표문제

오른쪽 그림과 같은 직사각형 ABCD에서 ∠BAC의 이등분선과 $\overline{BC}$의 교점을 E라 하자. $\overline{AE}=\overline{EC}$일 때, ∠AEB의 크기를 구하시오.

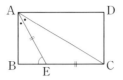

02 실수多

오른쪽 그림과 같은 평행사변형 ABCD에서 $\overline{AD}=5\,cm$, $\overline{OD}=3\,cm$일 때, 한 가지 조건을 추가하여 □ABCD가 직사각형이 되도록 하려고 한다. 다음 중 필요한 조건이 아닌 것은? (단, 점 O는 두 대각선의 교점)

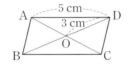

① ∠ABC=∠BCD
② $\overline{AC}=6\,cm$
③ ∠OAB=∠OBA
④ ∠AOB=90°
⑤ $\overline{AO}=\overline{DO}$

✏️ 쌤의 오답 코칭 | 평행사변형은 이웃하는 두 내각의 크기의 합이 180°이다.

② 마름모

03 대표문제

오른쪽 그림과 같은 마름모 ABCD의 꼭짓점 A에서 $\overline{BC}$에 내린 수선의 발을 E라 하고, $\overline{AE}$와 $\overline{BD}$의 교점을 F라 하자. ∠C=100°일 때, ∠AFD의 크기를 구하시오.

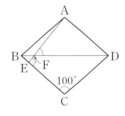

04

오른쪽 그림과 같은 마름모 ABCD의 꼭짓점 A에서 $\overline{BC}$, $\overline{CD}$에 내린 수선의 발을 각각 E, F라 하자. ∠B=68°일 때, ∠AFE의 크기를 구하시오.

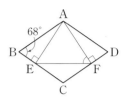

05

오른쪽 그림과 같은 평행사변형 ABCD에서 두 대각선의 교점을 O라 하자. $\overline{DC}=7\,cm$, ∠CAD=55°, ∠DBC=35°일 때, □ABCD의 둘레의 길이를 구하시오.

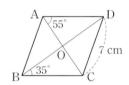

③ 정사각형

06 대표문제

오른쪽 그림과 같이 정사각형 ABCD의 대각선 BD 위에 한 점 P를 잡고 $\overline{AP}$, $\overline{PC}$를 그었다. ∠PCB=25°일 때, ∠APD의 크기를 구하시오.

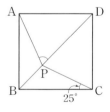

07

오른쪽 그림의 정사각형 ABCD에서 $\overline{AF}=\overline{CE}$이고 대각선 AC와 $\overline{BE}$, $\overline{DF}$의 교점을 각각 G, H라 하자. ∠ADF=30°일 때, ∠AGB의 크기를 구하시오.

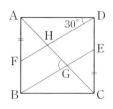

④ 등변사다리꼴

08 대표문제

오른쪽 그림과 같이 $\overline{AD} /\!/ \overline{BC}$인 등변사다리꼴 ABCD에서 $\overline{AD} = \overline{DC}$이고 $\angle ABC = 76°$일 때, $\angle ACB$의 크기를 구하시오.

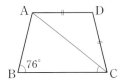

09

오른쪽 그림과 같이 $\overline{AD} /\!/ \overline{BC}$인 등변사다리꼴 ABCD의 꼭짓점 A에서 $\overline{BC}$에 내린 수선의 발을 E라 하자. $\overline{AD} = 7$ cm, $\overline{BC} = 13$ cm일 때, $\overline{EC}$의 길이를 구하시오.

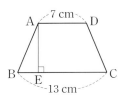

⑤ 여러 가지 사각형 사이의 관계

10 대표문제

다음 그림은 여러 가지 사각형 사이의 관계를 나타낸 것이다. (가)~(마)에 필요한 조건으로 옳지 않은 것은?

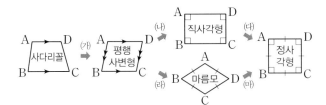

① (가) : $\overline{AD} = \overline{BC}$ ② (나) : $\angle A = \angle B$
③ (다) : $\overline{AC} = \overline{BD}$ ④ (라) : $\overline{AC} \perp \overline{BD}$
⑤ (마) : $\angle B = 90°$

11 실수多

오른쪽 그림과 같이 두 대각선의 교점이 O인 평행사변형 ABCD에 대한 다음 설명 중 옳지 않은 것은?

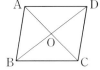

① $\overline{AB} = \overline{AD}$이면 □ABCD는 마름모이다.
② $\overline{AC} = \overline{BD}$이면 □ABCD는 직사각형이다.
③ $\angle ABC = \angle BCD$이면 □ABCD는 직사각형이다.
④ $\angle ABO = \angle ADO$인 직사각형 ABCD는 정사각형이다.
⑤ $\overline{AO} = \overline{DO}$이면 □ABCD는 마름모이다.

✍ 쌤의 오답 코칭 | 평행사변형이 직사각형이 되는 조건과 마름모가 되는 조건을 혼동하지 않게 주의한다.

⑥ 사각형의 각 변의 중점을 연결하여 만든 사각형 심화

12 대표문제

다음 사각형 중 각 변의 중점을 연결하여 만든 사각형이 마름모인 것을 모두 고르면? (정답 2개)

① 평행사변형   ② 직사각형
③ 마름모   ④ 사다리꼴
⑤ 등변사다리꼴

13

오른쪽 그림과 같은 사각형 ABCD의 각 변의 중점을 각각 E, F, G, H라 하자. $\overline{FG} = 7$ cm, $\overline{HG} = 5$ cm, $\angle EHG = 95°$일 때, $x + y$의 값을 구하시오.

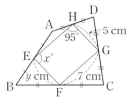

14

오른쪽 그림과 같이 반지름의 길이가 5 cm인 원에 내접하는 직사각형 ABCD의 네 변의 각 중점을 연결하여 □PQRS를 만들었다. □PQRS의 둘레의 길이를 구하시오.

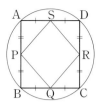

📖 이것이 진짜 **교과서에서 뽑아온** 문제

17

| 천재 유사 |

오른쪽 그림은 높은 곳에서 작업하기 편리하게 만든 구조물인 고소 작업대이다. 이 고소 작업대에서 □ABCD는 마름모이고 $\overline{DC}$, $\overline{BC}$의 연장선이 직선 m과 만나는 점을 각각 E, F라 하자. $l \perp m$이고 $\angle CEF = 25°$일 때, $\angle CAD$의 크기를 구하시오.

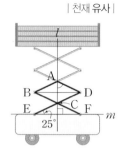

---

⑦ 평행선과 넓이

15 （대표문제）

오른쪽 그림과 같이 평행사변형 ABCD에서 $\overline{BC}$, $\overline{CD}$ 위에 $\overline{BD} /\!/ \overline{EF}$가 되도록 두 점 E, F를 잡는다. △ABE의 넓이가 14 cm²일 때, △DAF의 넓이를 구하시오.

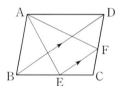

18

| 신사고 유사 |

다음 중 오른쪽 그림과 같은 평행사변형 ABCD의 네 내각의 이등분선에 의해 만들어진 □EFGH에 대한 설명으로 옳지 <u>않은</u> 것은?

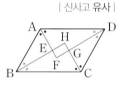

① 두 쌍의 대변의 길이가 각각 같다.
② 이웃하는 두 각의 크기가 같다.
③ 이웃하는 두 변의 길이가 같다.
④ 두 대각선의 길이가 같다.
⑤ 두 대각선이 서로를 이등분한다.

16 （실수多）

오른쪽 그림과 같은 △ABC에서 $\overline{BC} /\!/ \overline{DE}$이고 $\overline{AD} : \overline{DB} = 1 : 2$, $\overline{DO} : \overline{OC} = 1 : 3$이다. △ABC의 넓이가 60 cm²일 때, △COE의 넓이를 구하시오.
　（단, 점 O는 $\overline{BE}$와 $\overline{CD}$의 교점）

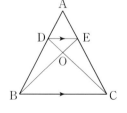

✏️ 쌤의 오답 코칭 | □DBCE는 $\overline{DE} /\!/ \overline{BC}$인 사다리꼴이다.

19

| 동아 유사 |

오른쪽 그림과 같이 □ABCD의 꼭짓점 D를 지나고 $\overline{AC}$와 평행한 직선이 $\overline{BC}$의 연장선과 만나는 점을 E라 하자. $\overline{AF} = 4$ cm, $\overline{BC} = 5$ cm, $\overline{CE} = 6$ cm일 때, □ABCD의 넓이를 구하시오.

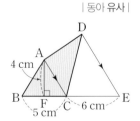

01

오른쪽 그림과 같이 직사각형 모양의 종이 ABCD를 대각선 AC를 접는 선으로 하여 점 B가 점 E에 오도록 접었다. $\overline{AE}$와 $\overline{CD}$의 연장선의 교점을 F라 하고 ∠ACB=27°일 때, ∠AFC의 크기를 구하시오.

쌤의 출제 Point

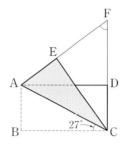

02

오른쪽 그림과 같은 직사각형 ABCD에서 $\overline{AB} : \overline{BC} = 2 : 3$이다. 점 P는 $\overline{AB}$의 중점이고 점 Q는 $\overline{BC}$를 2 : 1로 나누는 점일 때, ∠ADP+∠BQP의 크기를 구하시오.

$\overline{DQ}$를 그은 후 합동인 두 삼각형을 찾는다.

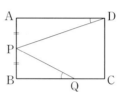

03

오른쪽 그림과 같이 한 변의 길이가 10 cm인 마름모 ABCD의 내부에 한 점 P가 있고 $\overline{AC}=12$ cm, $\overline{BD}=16$ cm이다. 점 P에서 □ABCD의 각 변에 내린 수선의 발을 각각 E, F, G, H라 할 때, $\overline{PE}+\overline{PF}+\overline{PG}+\overline{PH}$의 길이를 구하시오.

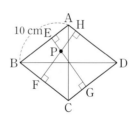

04 교과서 추론 📄 | 동아 유사 |

오른쪽 그림과 같이 마름모 ABCD에서 △ABP는 정삼각형이고 ∠BAD=100°일 때, ∠DPC+∠PCD의 크기는?

① 150°　　　② 155°　　　③ 160°

④ 165°　　　⑤ 170°

△APD가 어떤 삼각형인지 알아본다.

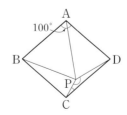

05 교과서 **추론** | 비상 유사 |

오른쪽 그림과 같은 마름모 ABCD에서 점 O는 두 대각선의 교점이다. $\overline{BE}=\overline{BF}=3$ cm, $\overline{BC}=5$ cm이고 △BCD의 넓이가 12 cm²일 때, △OFC의 넓이를 구하시오.

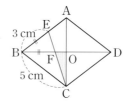

쌤의 출제 Point

06 신유형 대구 | 수성 |

오른쪽 그림과 같이 정사각형 ABCD의 대각선 AC와 마름모 EBCF의 대각선 BF의 교점을 P라 하자. ∠APB=70°일 때, ∠ABE의 크기를 구하시오.

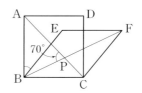

정사각형과 마름모의 대각선은 각 내각을 이등분한다.

07

오른쪽 그림과 같이 중심각의 크기가 90°인 부채꼴의 내부에 정사각형 ABCD가 꼭 맞게 들어 있다. 정사각형의 넓이가 32 cm²일 때, 이 부채꼴의 넓이를 구하시오.

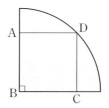

부채꼴의 반지름의 길이를 r cm라 할 때, 정사각형의 넓이를 r에 대한 식으로 나타낸다.

08

오른쪽 그림에서 □ABCD는 정사각형이고 △AEB는 $\overline{AE}=\overline{AB}$인 이등변삼각형이다. 이때 ∠DEB의 크기를 구하시오.

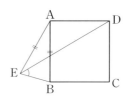

09

오른쪽 그림과 같은 정사각형 ABCD에서 점 O는 두 대각선의 교점이다. $\overline{BC}$와 $\overline{CD}$ 위의 두 점 E, F에 대하여 $\angle EOF=90°$이고 $\overline{BE}=6$ cm, $\overline{DF}=4$ cm일 때, $\triangle EOF$의 넓이를 구하시오.

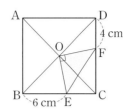

쌤의 출제 Point

$\angle BOE=90°-\angle COE=\angle COF$ 임을 이용하여 합동인 두 삼각형을 찾는다.

10 복합 개념 대구 | 수성

오른쪽 그림과 같이 좌표평면 위에 정사각형 ABCD가 있다. 꼭짓점 A는 y축 위에, 꼭짓점 B는 x축 위에 있고 점 C의 좌표는 $(7, 3)$이다. 두 점 A, D를 지나는 일차함수의 그래프의 x절편을 구하시오.

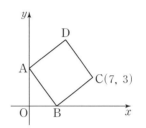

11

오른쪽 그림과 같이 정사각형 ABCD의 $\overline{BC}$, $\overline{CD}$ 위에 $\angle EAF=45°$, $\angle AEF=72°$인 두 점을 각각 E, F라 할 때, $\angle AFD$의 크기를 구하시오.

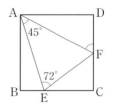

$\triangle ABE \equiv \triangle ADG$가 되도록 $\overline{CD}$의 연장선 위에 점 G를 잡고, $\angle AFD$와 크기가 같은 각을 찾는다.

12

오른쪽 그림과 같이 마름모 ABCD에서 두 대각선의 교점을 O라 하고 $\overline{OE} \parallel \overline{CD}$, $\overline{OE}=\overline{CD}$가 되도록 점 E를 잡았다. 다음 보기에서 $\square AODE$에 대한 설명으로 옳은 것을 모두 고르시오.

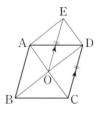

◀ 보기 ▶

ㄱ. 두 대각선의 길이가 같다.

ㄴ. 네 변의 길이가 모두 같다.

ㄷ. 두 대각선은 서로를 이등분한다.

ㄹ. 두 대각선이 서로 수직이고 한 내각의 크기가 90°이다.

13

오른쪽 그림과 같은 평행사변형 ABCD에서 ∠A＝2∠D이다. $\overline{AD}$ 위에 $\overline{CD}＝\overline{CE}$인 점을 E라 하고 $\overline{AE}＝10\ cm$, $\overline{DC}＝16\ cm$ 일 때, □ABCE의 둘레의 길이를 구하시오.

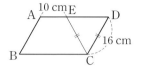

쌤의 출제 Point

∠A＋∠D＝180°, $\overline{CE}＝\overline{CD}＝\overline{AB}$임을 이용한다.

14 만점 KILL 대구｜수성

오른쪽 그림과 같이 $\overline{AD}\ /\!/\ \overline{BC}$인 등변사다리꼴 ABCD의 $\overline{BD}$의 연 장선 위에 $\overline{BD}＝\overline{DE}$가 되도록 하는 점 E를 잡고, 점 E에서 $\overline{BC}$의 연장선에 내린 수선의 발을 F라 하자. $\overline{AB}＝9\ cm$, $\overline{BC}＝14\ cm$, $\overline{AD}＝8\ cm$일 때, $\overline{CF}$의 길이를 구하시오.

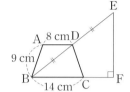

점 D가 직각삼각형 BFE의 외심임을 이용한다.

15

다음 그림에서 $l\ /\!/\ m$일 때, 사각형 ㈎~㈐의 각 변의 중점을 연결하여 만든 사각형을 차례로 ㉠~㉤이라 한다. 각 사각형에 대한 설명을 바르게 말한 학생을 모두 구하시오.

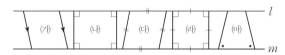

예인 : ㉠~㉤ 중 두 대각선이 서로를 수직이등분하는 사각형은 3개야.

다영 : ㉠~㉤ 중 네 각의 크기가 모두 같은 사각형은 2개야.

현수 : ㉠~㉤ 중 두 대각선의 길이가 같은 사각형은 3개야.

지원 : ㉣은 두 대각선의 길이는 다르지만 서로를 수직으로 이등분하는 사각형이야.

선우 : ㉤의 넓이는 두 대각선의 길이의 곱의 절반으로 구하기도 해.

16

다음 사각형 중에서 두 쌍의 대변의 길이가 각각 같은 것은 a개, 두 대각선의 길이가 같은 것은 b개, 두 대각선이 서로 수직인 것은 c개, 이웃하는 두 내각의 크기의 합이 항상 180°인 것은 d개, 각 변의 중점을 연결하여 만든 도형의 네 변의 길이가 모두 같은 것은 e개이다. 이때 $a＋b＋c－d－e$의 값을 구하시오.

• 사다리꼴	• 평행사변형	• 직사각형
• 마름모	• 등변사다리꼴	• 정사각형

17

오른쪽 그림과 같이 $\overline{AD} \,\#\, \overline{BC}$인 사다리꼴 ABCD에서 $\overline{AB}$의 중점을 M이라 하자. $\overline{AD}=3$ cm, $\overline{BC}=5$ cm일 때, △AMC와 △DMC의 넓이의 비는?

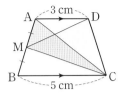

① 3 : 5   ② 4 : 9   ③ 5 : 8

④ 6 : 11   ⑤ 7 : 10

쌤의 출제 Point

점 M에서 $\overline{DA}$의 연장선과 $\overline{BC}$에 각각 수선의 발을 내려 합동인 두 삼각형을 찾는다.

18 만점 KILL 서울 | 서초

오른쪽 그림과 같이 평행사변형 ABCD에서 $\overline{DC}=\overline{CE}$가 되도록 $\overline{DC}$의 연장선 위에 점 E를 잡는다. △ADF의 넓이가 18 cm²일 때, △BEF의 넓이를 구하시오.

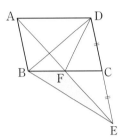

19 교과서 창의사고력 | 지학사 유사 |

오른쪽 그림과 같이 오각형 ABCDE가 높이가 12 cm인 사다리꼴 PQRS의 내부에 꼭 맞게 들어 있다. $\overline{PA}=\overline{AS}$, $\overline{QC}=\overline{CD}=\overline{DR}$이고 $\overline{PS}=10$ cm, $\overline{QR}=15$ cm일 때, 오각형 ABCDE의 넓이를 구하시오.

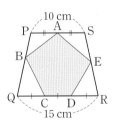

20 교과서 추론 | 비상 유사 |

오른쪽 그림에서 □ABCD는 $\overline{AB} \,\#\, \overline{DC}$이고 ∠C=90°인 사다리꼴이다. $\overline{CD}=7$ cm, $\overline{BC}=4$ cm이고 $\overline{AD} \,\#\, \overline{EC}$가 되도록 점 E를 잡았을 때, △AED의 넓이를 구하시오.

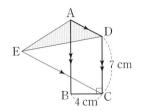

$\overline{AC}$, $\overline{BD}$를 그은 후 평행선 사이에서 넓이가 같은 삼각형을 찾는다.

21 복합 개념 · 부산 | 해운대

오른쪽 그림과 같이 지름의 길이가 8 cm인 원 O에서 $\overline{AB} /\!/ \overline{CD}$이다. 호 CD의 길이는 원 O의 둘레의 길이의 $\dfrac{1}{4}$일 때, 색칠한 부분의 넓이를 구하시오.

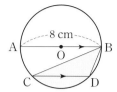

쌤의 출제 Point

$\overline{AB} /\!/ \overline{CD}$임을 이용하여 △BCD와 넓이가 같은 삼각형을 찾는다.

22 신유형 · 분당 | 서현

오른쪽 그림에서 두 사각형 ABCD, BEFG는 모두 평행사변형이고 점 C는 $\overline{EF}$ 위에, 점 G는 $\overline{AD}$ 위에 있다. □BEFG의 넓이는 48 cm²이고 $\dfrac{\overline{GD}}{\overline{AG}} = \dfrac{1}{2}$일 때, △ABG의 넓이를 구하시오.

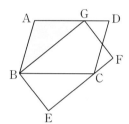

23

오른쪽 그림과 같이 평행사변형 ABCD에서 $\overline{CB}$의 연장선 위의 한 점을 E, $\overline{AB}$와 $\overline{ED}$의 교점을 F라 하자. △EBF의 넓이가 4 cm², △AEF의 넓이가 8 cm²일 때, □BCDF의 넓이를 구하시오.

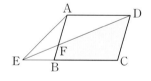

$\overline{BD}$를 그은 후 넓이가 같은 삼각형을 찾는다.

24

오른쪽 그림의 □ABCD는 두 대각선 AC, BD의 길이가 각각 6 cm, 12 cm인 마름모이다. $\overline{AB} /\!/ \overline{SQ}$, $\overline{BC} /\!/ \overline{PR}$이고 $\overline{PR}$와 $\overline{SQ}$의 교점을 O라 할 때, 색칠한 부분의 넓이를 구하시오.

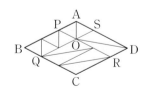

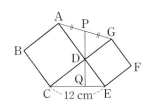

01 오른쪽 그림에서 점 D는 $\overline{AE}$와 $\overline{CG}$의 교점이고 □ABCD와 □DEFG는 정사각형이다. $\overline{AG}$의 중점을 P, $\overline{PD}$의 연장선과 $\overline{CE}$의 교점을 Q라 하고 $\overline{CE}=12$ cm, △DCE의 넓이가 24 cm²일 때, $\overline{PQ}$의 길이를 구하시오.

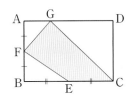

02 오른쪽 그림과 같이 넓이가 80 cm²인 직사각형 ABCD에서 $\overline{BC}$, $\overline{AB}$의 중점을 각각 E, F라 하고 $\overline{AD}$ 위의 한 점을 G라 하자. △AFG의 넓이가 6 cm²일 때, □FECG의 넓이를 구하시오.

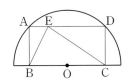

03 오른쪽 그림과 같이 넓이가 18π인 반원 O에 직사각형 ABCD가 내접한다. 점 E가 $\overline{AD}$ 위에 있을 때, $\overline{BE}+\overline{EC}$의 길이 중 가장 짧은 길이를 구하시오.

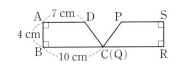

🌐Challenge

04 오른쪽 그림에서 합동인 두 사다리꼴 ABCD, PQRS가 한 점에서 만나고 있다. $\overline{AB}=\overline{SR}=4$ cm, $\overline{BC}=\overline{QR}=10$ cm, $\overline{AD}=\overline{PS}=7$ cm이고 □ABCD가 오른쪽 방향으로 초속 0.5 cm의 속력으로 이동할 때, 두 사다리꼴이 겹친 부분에 대하여 다음 물음에 답하시오. (단, $\overline{BC}$, $\overline{QR}$는 한 직선 위에 있다.)

(1) 겹친 부분이 등변사다리꼴이 되는 것은 몇 초 동안인지 구하시오.

(2) 겹친 부분이 정사각형이 되는 것은 □ABCD가 출발한 지 몇 초 후인지 구하시오.

본책 42쪽 · **05** 번 문제

오른쪽 그림과 같은 마름모 ABCD에서 점 O는 두 대각선의 교점이다. $\overline{BE}=\overline{BF}=3$ cm, $\overline{BC}=5$ cm이고 $\triangle$BCD의 넓이가 12 cm²일 때, $\triangle$OFC의 넓이를 구하시오.

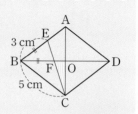

다른 방법으로 풀 수 있을까요?

이 문제는 마름모의 성질에 대한 문제야. $\triangle$OFC의 넓이를 구하기 위해서는 마름모의 대변이 각각 평행하고, 네 변의 길이가 같으며 두 대각선이 서로 다른 것을 수직이등분한다는 성질을 이용하여 크기가 같은 각을 찾은 후 대각선의 길이를 각각 구해야 해. 하지만 다음 단원인 'Ⅲ. 도형의 닮음과 피타고라스 정리'에서 배울 피타고라스 정리를 이용하면 $\overline{OC}$의 길이를 쉽게 구할 수 있어.

피타고라스 정리는 오른쪽 그림과 같은 직각삼각형 ABC에서 직각을 끼고 있는 두 변의 길이를 각각 a, b라 하고, 빗변의 길이를 c라 하면 $a^2+b^2=c^2$이야.

즉, $\triangle$EBF와 $\triangle$DFC가 모두 이등변삼각형이므로

$$\overline{BD}=\overline{BF}+\overline{FD}=3+5=8 \text{ (cm)}$$이고 $$\overline{BO}=\frac{1}{2}\overline{BD}=4 \text{ (cm)}$$야.

이때 $\triangle$OBC는 $\angle$BOC$=90°$인 직각삼각형이므로 피타고라스 정리를 이용하면

$$\overline{BO}^2+\overline{OC}^2=\overline{BC}^2, \text{ 즉 } 4^2+\overline{OC}^2=5^2, \overline{OC}^2=9$$

이때 $\overline{OC}>0$이므로 $\overline{OC}=3$ cm

따라서 $\triangle$OFC의 넓이는

$$\frac{1}{2}\times\overline{OF}\times\overline{OC}=\frac{1}{2}\times(4-3)\times3=\frac{3}{2} \text{ (cm}^2)$$

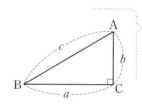

여러 가지 삼각형과 사각형에서 직각삼각형이 있는 경우에 편리하게 활용할 수 있겠지?
피타고라스 정리는 다음 단원에서 더 자세히 공부해 보자.

도형의 닮음과 피타고라스 정리

05 도형의 닮음

06 닮음의 활용

07 피타고라스 정리

현직 교사의 학교 시험 고난도 킬러 강의

이 단원에서는 도형의 닮음의 뜻을 이해하고 삼각형의 닮음 조건을 이용하여 복잡한 도형에서 닮음인 삼각형을 찾는 것이 중요해요. 닮은 도형을 찾아 닮음비를 구하고 넓이의 비 또는 부피의 비를 이용하여 도형의 넓이 또는 부피를 구하는 문제, 평행선 사이에 있는 선분의 길이의 비를 활용한 문제, 삼각형의 무게중심의 개념과 성질을 활용한 문제, 피타고라스 정리를 정당화하고 이를 활용하는 문제를 꼭 출제해요. 특히, 문제에 나타나 있지 않은 평행선이나 선분의 연장선을 추가적으로 그린 후, 평행선 사이의 선분의 길이의 비를 이용하는 문제는 이 단원에서의 kill 문제죠.

도형의 닮음

① 닮음의 뜻과 성질

(1) **닮은 도형** : 한 도형을 일정한 비율로 확대 또는 축소한 도형이 다른 도형과 합동일 때, 이 두 도형은 서로 닮음인 관계에 있고, 닮음인 관계에 있는 두 도형을 닮은 도형이라 한다.

> **참고** 두 원, 두 직각이등변삼각형, 변의 개수가 같은 두 정다각형, 중심각의 크기가 같은 두 부채꼴, 두 구, 면의 개수가 같은 두 정 다면체는 항상 닮은 도형이다.

(2) **닮음의 기호** : 두 도형이 닮은 도형일 때, 기호 ∽를 사용하여 나타낸다.

> **주의** 두 도형이 닮음임을 기호로 나타낼 때,
> 두 도형의 꼭짓점은 대응하는 순서대로 쓴다.
>
> **참고** △ABC와 △DEF에 대하여
> (1) 두 삼각형이 합동일 때, △ABC≡△DEF
> (2) 두 삼각형이 닮음일 때, △ABC∽△DEF
> (3) 두 삼각형의 넓이가 같을 때, △ABC=△DEF

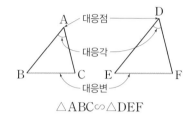

(3) **평면도형에서의 닮음의 성질**

닮은 두 평면도형에서

① 대응변의 길이의 비는 일정하다.

② 대응각의 크기는 각각 같다.

(4) **닮음비** : 두 닮은 도형에서 대응하는 변의 길이의 비

> **예** △ABC∽△DEF이고, $\overline{AB} : \overline{DE} = 1 : 2$일 때, △ABC와 △DEF의 닮음비는 1 : 2이다.
>
> **주의** 일반적으로 닮음비는 가장 간단한 자연수의 비로 나타낸다.
>
> **참고** 닮음비가 1 : 1인 두 도형은 합동이다.

(5) **입체도형에서의 닮음의 성질**

닮은 두 입체도형에서

① 대응하는 모서리의 길이의 비는 일정하다.

② 대응하는 면은 닮은 도형이다.

> **참고** 입체도형의 닮음비는 대응하는 모서리의 길이, 높이, 반지름의 길이의 비이다.

② 닮은 도형의 넓이의 비와 부피의 비

(1) **닮은 두 평면도형의 넓이의 비**

닮은 두 평면도형의 닮음비가 $m : n$일 때

① 둘레의 길이의 비 ➡ $m : n$

② 넓이의 비 ➡ $m^2 : n^2$

　　　➡ 두 평면도형의 넓이의 비는 닮음비의 각 항의 제곱의 비와 같다.

(2) **닮은 두 입체도형의 부피의 비**

닮은 두 입체도형의 닮음비가 $m : n$일 때

① 겉넓이의 비 ➡ $m^2 : n^2$

② 부피의 비 ➡ $m^3 : n^3$

　　　➡ 두 입체도형의 부피의 비는 닮음비의 각 항의 세제곱의 비와 같다.

③ 삼각형의 닮음 조건

두 삼각형 ABC와 A′B′C′은 다음 각 경우에 닮은 도형이다.

(1) 세 쌍의 대응변의 길이의 비가 같을 때 (SSS 닮음)

   ➡ $a : a′ = b : b′ = c : c′$

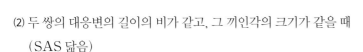

(2) 두 쌍의 대응변의 길이의 비가 같고, 그 끼인각의 크기가 같을 때
   (SAS 닮음)

   ➡ $a : a′ = c : c′$, $\angle B = \angle B′$

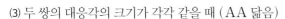

(3) 두 쌍의 대응각의 크기가 각각 같을 때 (AA 닮음)

   ➡ $\angle A = \angle A′$, $\angle B = \angle B′$

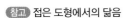

주의 삼각형의 합동 조건은 대응변의 길이가 같고,
삼각형의 닮음 조건은 대응변의 길이의 비가 같다.

참고 접은 도형에서의 닮음
도형에서 접은 면은 서로 합동임을 이용하여 닮은 삼각형을 찾는다.
① 정삼각형 모양의 종이 접기
   정삼각형 ABC에서 $\angle B = \angle C = 60°$, $\angle BDA′ = \angle CA′E$(또는 $\angle BA′D = \angle CEA′$)
   ➡ $\triangle BA′D \backsim \triangle CEA′$ (AA 닮음)

② 직사각형 모양의 종이 접기
   직사각형 ABCD에서 $\angle A = \angle D = 90°$, $\angle AEB′ = \angle DB′C$ (또는 $\angle EB′A = \angle B′CD$)
   ➡ $\triangle AEB′ \backsim \triangle DB′C$ (AA 닮음)

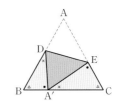

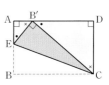

④ 직각삼각형의 닮음의 응용   **심화 개념**

$\angle A = 90°$인 직각삼각형 ABC의 꼭짓점 A에서 빗
변 BC에 내린 수선의 발을 H라 할 때,
$\triangle ABC \backsim \triangle HBA \backsim \triangle HAC$ (AA 닮음)

① $\triangle ABC \backsim \triangle HBA$이므로

   $\overline{AB} : \overline{HB} = \overline{BC} : \overline{BA}$

   ➡ $\overline{AB}^2 = \overline{BH} \times \overline{BC}$

② $\triangle ABC \backsim \triangle HAC$이므로

   $\overline{BC} : \overline{AC} = \overline{CA} : \overline{CH}$

   ➡ $\overline{AC}^2 = \overline{CH} \times \overline{CB}$

③ $\triangle HBA \backsim \triangle HAC$이므로

   $\overline{BH} : \overline{AH} = \overline{AH} : \overline{CH}$

   ➡ $\overline{AH}^2 = \overline{BH} \times \overline{CH}$

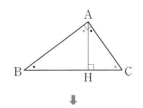

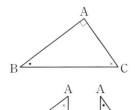

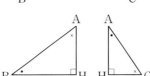

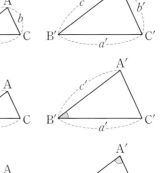

쌤의 활용 꿀팁

두 삼각형이 서로 닮음인지 알아볼
때, 삼각형이 뒤집혀 있거나 방향
이 바뀌어 있는 경우에는 반드시
대응변이나 대응각을 찾아서 확인
해야 실수를 줄일 수 있어요.

🎯 이것이 진짜 **출제율 100%** 문제

① 닮음의 뜻과 성질

01 대표문제

오른쪽 그림에서
□ABCD∽□EFGH
일 때, 다음 중 옳은 것
은?

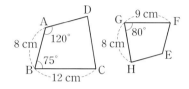

① ∠E=130°

② ∠H=95°

③ $\overline{AD} : \overline{EH}=3 : 2$

④ $\overline{EF}=\dfrac{16}{3}$ cm

⑤ $\overline{CD}=\dfrac{32}{3}$ cm

02

다음 중 닮음에 대한 설명으로 옳지 **않은** 것은?

① 모든 직각이등변삼각형은 닮은 도형이다.

② 모든 정팔면체는 닮은 도형이다.

③ 한 예각의 크기가 같은 두 직각삼각형은 닮은 도형이다.

④ 둘레의 길이의 비가 1 : 2인 두 사각형은 닮은 도형이다.

⑤ 두 닮은 입체도형에서 대응하는 모서리의 길이의 비는
닮음비와 같다.

03

오른쪽 그림에서 A(−12, 8),
B(−12, 0)이고
△ABO∽△ODC이다.
△ABO와 △ODC의 닮음비
가 4 : 3일 때, 점 C의 좌표를 구
하시오. (단, O는 원점)

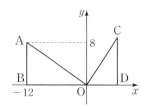

② 닮은 도형의 넓이의 비와 부피의 비

04 대표문제

오른쪽 그림과 같이 중심이 같은 세 원
의 반지름의 길이의 비가 1 : 2 : 3이고
가장 큰 원의 넓이가 72π cm²일 때,
색칠한 부분의 넓이를 구하시오.

05

오른쪽 그림과 같이 밑면의 지름
의 길이가 각각 15 cm, 30 cm인
닮은 두 원기둥 모양의 코펠 (가),
(나)가 있다. 코펠 (가)에 가득 담은
물을 코펠 (나)에 부어 코펠 (나)를 가득 채우려면 몇 번을 부어
야 하는지 구하시오.

15 cm (가)　　30 cm (나)

06 실수多

축척이 $\dfrac{1}{50000}$인 지도에서 넓이가 4 cm²인 부분의 실제 땅
의 넓이는 몇 km²인지 구하시오.

✏️ **쌤의 오답 코칭** | 넓이의 단위에 주의한다. 1 m²=10000 cm², 1 km²=1000000 m²
이다.

07

오른쪽 그림과 같이 직육면체 모양의 두 선물 상자는 닮은 도형이고, 밑면의 넓이의 비는 16 : 9이다. 작은 선물 상자의 높이가 6 cm일 때 큰 선물 상자의 높이는 a cm이고, 큰 선물 상자의 부피가 1152 cm³일 때 작은 선물 상자의 부피는 b cm³라 한다. $a+b$의 값을 구하시오.

10

오른쪽 그림과 같이 직사각형 모양의 종이 ABCD를 대각선 BD를 접는 선으로 하여 접었다. $\overline{BD} \perp \overline{EF}$이고 $\overline{AB}=15$ cm, $\overline{BC}=20$ cm, $\overline{BD}=25$ cm일 때, $\overline{EF}$의 길이를 구하시오.

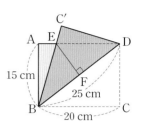

③ 삼각형의 닮음 조건

08 (대표문제)

오른쪽 그림과 같은 △ABC에서 $\overline{AB}=24$ cm, $\overline{AC}=16$ cm, $\overline{BD}=18$ cm, $\overline{DC}=14$ cm일 때, $\overline{AD}$의 길이를 구하시오.

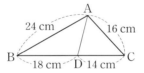

④ 직각삼각형의 닮음의 응용 심화

11 (대표문제)

오른쪽 그림과 같이 ∠A=90°인 직각삼각형 ABC에서 $\overline{AH} \perp \overline{BC}$이고 $\overline{AB}=10$ cm, $\overline{BH}=8$ cm일 때, △ABC의 넓이를 구하시오.

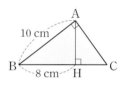

09

오른쪽 그림과 같은 △ABC에서 $\overline{BE}=\overline{EC}=\overline{DE}$이고 $\overline{AD}=7$ cm, $\overline{DB}=18$ cm, $\overline{BC}=30$ cm일 때, $\overline{AC}$의 길이를 구하시오.

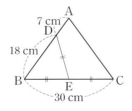

12

오른쪽 그림과 같이 ∠A=90°인 직각삼각형 ABC에서 $\overline{BM}=\overline{CM}$, $\overline{AH} \perp \overline{BC}$이고 $\overline{AH}=8$ cm, $\overline{HC}=4$ cm일 때, △AMH의 넓이를 구하시오.

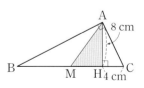

📖 이것이 진짜 **교과서에서 뽑아온** 문제

13 | 천재 유사 |

오른쪽 그림의 두 원뿔은 닮은 도형이다. 작은 원뿔의 밑면의 둘레의 길이가 12π cm일 때, 큰 원뿔의 높이를 구하시오.

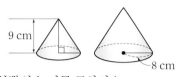

14 | 비상 유사 |

오른쪽 그림과 같이 정사면체를 높이가 삼등분이 되도록 밑면에 평행한 두 평면으로 자를 때 생기는 세 입체도형을 차례로 A, B, C라 하자. 입체도형 A의 부피가 5 cm³일 때, 입체도형 B, C의 부피를 각각 구하시오.

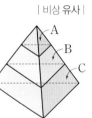

15 실수多 | 신사고 유사 |

오른쪽 그림과 같은 원뿔 모양의 그릇에 일정한 속도로 물을 채우고 있다. 물을 전체 높이의 $\dfrac{2}{5}$만큼 채우는 데 16초가 걸렸다면, 가득 채울 때까지 시간이 얼마나 더 걸리는가? (단, 그릇의 두께는 생각하지 않는다.)

① 3분 50초　　② 3분 54초　　③ 3분 58초
④ 4분 4초　　⑤ 4분 10초

✍️ **쌤의 오답 코칭** | 원뿔 모양의 그릇과 물이 채워진 부분은 닮은 도형이다.

16 | 동아 유사 |

오른쪽 그림과 같이 $\overline{AD}=16$ cm, $\overline{AB}=15$ cm인 직사각형 ABCD에서 $\overline{CD}$ 위에 한 점 E를 잡고 $\overline{AE}$의 연장선과 $\overline{BC}$의 연장선이 만나는 점을 F라 하자. $\overline{BF}=20$ cm, $\overline{EF}=5$ cm일 때, △AED의 둘레의 길이를 구하시오.

17 | 천재 유사 |

오른쪽 그림과 같이 $\overline{AB}=4$ cm, $\overline{BC}=12$ cm이고 ∠B$=90°$인 직각삼각형 ABC가 있다. $\overline{AC}$ 위에 있는 점 F를 꼭짓점으로 하는 정사각형 DBEF를 그릴 때, □DBEF의 둘레의 길이를 구하시오.

18 | 지학사 유사 |

오른쪽 그림과 같이 ∠B$=90°$인 직각삼각형 ABC에서 $\overline{AB}=3$ cm, $\overline{BC}=4$ cm, $\overline{AC}=5$ cm이고 $\overline{BD}\perp\overline{AC}$, $\overline{DE}\perp\overline{AB}$일 때, $\overline{AE}$의 길이를 구하시오.

01

다음 보기에서 항상 닮은 도형인 것을 모두 고르시오.

◀ 보기 ▶

ㄱ. 지름의 길이가 서로 다른 두 원

ㄴ. 반지름의 길이가 서로 같은 두 부채꼴

ㄷ. 꼭지각의 크기가 같은 두 이등변삼각형

ㄹ. 한 내각의 크기가 서로 같은 두 평행사변형

ㅁ. 한 내각의 크기가 서로 같은 두 마름모

ㅂ. 이웃하는 변의 길이의 비가 서로 같은 두 직사각형

ㅅ. 윗변과 아랫변의 길이의 비가 서로 같은 두 등변사다리꼴

02

A 시리즈 복사 용지는 축소나 확대를 쉽게 하기 위하여 용지를 반으로 자르는 때, 처음 것과 닮은 도형이 되도록 만든 것이다. A0 용지를 반으로 자르는 과정을 계속하여 만들어지는 용지를 차례대로 A1, A2, A3, ⋯ 용지라 할 때, A1 용지와 A5 용지의 닮음비를 가장 간단한 자연수의 비로 나타내시오.

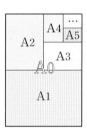

A1 용지의 긴 변의 길이와 A5 용지의 긴 변의 길이의 비를 구한다.

03

오른쪽 그림에서 △ABC∽△ACD∽△FBE이다.
$\overline{AC}=\overline{CF}=8$ cm, $\overline{BF}=4$ cm, $\overline{BE}=3$ cm일 때, □EFCD의
둘레의 길이를 구하시오.

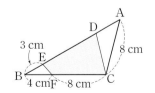

04 복합 개념 대구 | 수성

오른쪽 그림과 같이 직선 $y=-\dfrac{1}{2}x+1$과 x축 사이에 세 개

의 정사각형 A, B, C가 있다. 이때 세 정사각형 A, B, C의

닮음비를 가장 간단한 자연수의 비로 나타내시오.

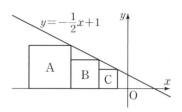

쌤의 출제 Point

세 정사각형과 직선이 만나는 점의 y 좌표를 각각 a, b, c로 놓는다.

05 교과서 창의사고력 | 동아 유사 |

어느 과자점에서 판매하는 오른쪽 그림과 같은 원기둥

모양의 두 케이크 A, B는 닮은 도형이다. 케이크 A는

밑면의 지름의 길이가 16 cm이고 가격은 10000원이

며, 케이크 B는 밑면의 지름의 길이가 24 cm이고 가

격은 30000원이다. 30000원으로 살 수 있는 케이크

A 3개와 케이크 B 1개 중 어느 것의 양이 더 많은지 구하시오.

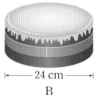

06 신유형 서울 | 서초

반지름의 길이가 6 cm인 큰 쇠구슬 하나를 녹여서 반지름의 길이가 3 cm, 2 cm, 1 cm인 세

종류의 작은 쇠구슬을 a개씩 만들려고 한다. 세 종류의 작은 쇠구슬의 겉넓이의 합은 큰 쇠구

슬의 겉넓이의 b배가 된다고 할 때, $a+3b$의 값을 구하시오. (단, 쇠구슬은 모두 구 모양이고,

녹인 쇠구슬은 남김없이 사용한다.)

부피의 비를 구하여 a의 값을 먼저 구한다.

07

오른쪽 그림과 같이 크기가 같은 정육면체 모양의 상자 A, B가

있다. 상자 A에는 큰 구슬 1개가 꼭 맞게 들어 있고, 상자 B에는

같은 크기의 작은 구슬 8개가 꼭 맞게 들어 있다. 두 상자 A, B에

각각 들어 있는 구슬 전체의 겉넓이의 비를 1 : a, 부피의 비를

1 : b라 할 때, $a+b$의 값을 구하시오. (단, 구슬은 모두 구 모양이다.)

08 교과서 추론 | 지학사 유사 |

오른쪽 그림과 같이 한 모서리의 길이가 서로 같은 정팔면체 1개와 정사면체 4개를 붙이면 큰 정사면체 1개를 만들 수 있다. [그림 1]의 정사면체 1개를 A, 정팔면체를 B, [그림 2]의 정사면체를 C라 할 때, A, B, C의 부피의 비를 가장 간단한 자연수의 비로 나타내시오.

[그림 1]　　　　[그림 2]

쌤의 출제 Point

두 정사면체 A, C의 부피의 비를 이용하여 정팔면체 B의 부피를 구한다.

09

오른쪽 그림과 같은 $\triangle ABC$에서 $\angle C=80°$, $\angle ADB=120°$이고 $\overline{AC}=15\,cm$, $\overline{BD}=16\,cm$, $\overline{CD}=9\,cm$일 때, $\angle x$의 크기를 구하시오.

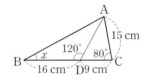

10

오른쪽 그림과 같이 두 밑면의 지름의 길이가 각각 $12\,cm$, $8\,cm$인 원뿔대 모양의 컵에 음료수가 가득 담겨 있다. 누나가 컵 높이의 절반만큼의 음료수가 남도록 먼저 마신 후 동생이 나머지 음료수를 마셨다. 누나와 동생이 마신 음료수의 양의 비를 가장 간단한 자연수의 비로 나타내시오. (단, 컵의 두께는 생각하지 않는다.)

컵의 모선을 연장하여 원뿔을 만든 다음 원뿔의 부피를 이용하여 원뿔대의 부피를 구한다.

11 교과서 추론 | 천재 유사 |

오른쪽 그림과 같이 정사각형 모양의 종이 ABCD를 $\overline{EF}$를 접는 선으로 하여 꼭짓점 A가 $\overline{BC}$의 중점 M에 오도록 접었을 때, $\triangle MCH$의 둘레의 길이를 구하시오.

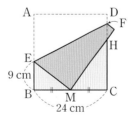

12

오른쪽 그림에서 △ABC∽△DCE이고 세 점 B, C, E는 한 직선 위에 있다. $\overline{AE}$와 $\overline{CD}$의 교점을 F라 하면 $\overline{AB}=9$ cm, $\overline{BC}=8$ cm, $\overline{CE}=16$ cm일 때, $\overline{DF}$의 길이를 구하시오.

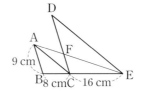

쌤의 출제 Point
주어진 닮은 삼각형을 이용하여 $\overline{AC} /\!/ \overline{DE}$임을 알고, 이를 이용하여 닮음인 두 삼각형을 찾는다.

13 교과서 **추론** | 신사고 유사 |

오른쪽 그림과 같이 정삼각형 모양의 종이 ABC를 $\overline{DF}$를 접는 선으로 하여 꼭짓점 A가 $\overline{BC}$ 위의 점 E에 오도록 접었다. $\overline{BD}=5$ cm, $\overline{DE}=7$ cm이고 $\overline{BE}:\overline{EC}=2:1$일 때, $\overline{AF}$의 길이를 구하시오.

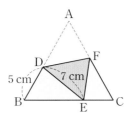

14 교과서 **창의사고력** | 동아 유사 |

예린이는 빛이 거울에 비칠 때, 거울의 입사각과 반사각의 크기가 같음을 이용하여 나무의 높이를 구하려고 한다. 다음 그림과 같이 예린이가 나무에서 6 m 떨어진 곳에 작은 거울을 놓고, 거울에서 2.4 m 떨어진 곳에 섰더니 나무의 꼭대기가 거울에 비쳐 보였다. 예린이의 눈 높이가 1.6 m일 때, 나무의 높이를 구하시오. (단, 거울의 두께는 생각하지 않는다.)

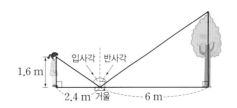

입사각과 반사각의 크기가 같음을 이용하여 닮은 두 삼각형을 찾는다.

15  | 비상 유사 |

오른쪽 그림에서 ∠BAE=∠CBF=∠ACD이고 $\overline{AB}$=15 cm, $\overline{BC}$=12 cm, $\overline{AC}$=18 cm, $\overline{EF}$=4 cm일 때, △DEF의 둘레의 길이를 구하시오.

쌤의 출제 Point

△ABC∽△DEF임을 이용한다.

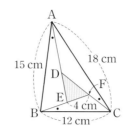

16

오른쪽 그림과 같이 △ABC의 두 꼭짓점 B, C에서 $\overline{AC}$, $\overline{AB}$에 내린 수선의 발을 각각 D, E라 하고, $\overline{BD}$와 $\overline{CE}$의 교점을 F라 하자. $\overline{EF}$: $\overline{FC}$=1 : 5이고 $\overline{BE}$=4 cm, $\overline{CF}$=15 cm, $\overline{DF}$=9 cm일 때, $\overline{AE}$의 길이를 구하시오.

△FEB와 닮음인 삼각형을 찾는다.

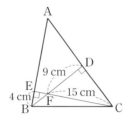

17

오른쪽 그림과 같은 정사각형 ABCD에서 $\overline{AB}$, $\overline{BC}$의 중점을 각각 E, F라 하고 $\overline{AF}$와 $\overline{DE}$의 교점을 G라 할 때, $\overline{EG}$: $\overline{GD}$를 가장 간단한 자연수의 비로 나타내시오.

△DAE와 △ABF가 합동임을 이용하여 크기가 같은 각을 표시해 본다.

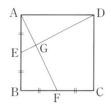

18

오른쪽 그림과 같이 ∠A=90°인 직각삼각형 모양의 종이 ABC에서 $\overline{AB}$의 중점을 D, 점 D에서 $\overline{BC}$에 내린 수선의 발을 E라 하자. 이 종이를 $\overline{DE}$를 접는 선으로 하여 꼭짓점 B가 $\overline{BC}$ 위의 점 F에 오도록 접었다. $\overline{AB}$=6 cm, $\overline{BC}$=10 cm일 때, $\overline{FC}$의 길이를 구하시오.

한 예각이 공통인 두 직각삼각형은 닮음임을 이용한다.

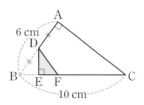

19

오른쪽 그림과 같이 ∠B=90°인 직각삼각형 ABC에서 $\overline{AC} \perp \overline{BD}$, $\overline{AB} \perp \overline{DE}$, $\overline{AC} \perp \overline{EF}$, $\overline{AB} \perp \overline{FG}$이고 $\overline{ED}=5\,cm$, $\overline{EF}=4\,cm$, $\overline{FD}=3\,cm$이다. △BDE와 △EFG가 닮음일 때, 닮음비를 가장 간단한 자연수의 비로 나타내시오.

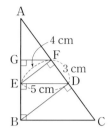

20 🔧 복합 개념 (광주 | 봉선)

오른쪽 그림과 같이 ∠A=90°인 직각삼각형 ABC에서 점 M은 $\overline{BC}$의 중점이다. 점 A에서 $\overline{BC}$에 내린 수선의 발을 D라 하고, 점 D에서 $\overline{AM}$에 내린 수선의 발을 E라 할 때, △EDM의 둘레의 길이를 구하시오.

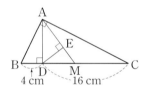

21 🏆 만점 KILL (서울 | 강남)

오른쪽 그림과 같이 ∠A=90°인 직각삼각형 ABC에서 $\overline{AH} \perp \overline{BC}$이고 $\overline{AB}=8\,cm$, $\overline{BC}=10\,cm$, $\overline{CA}=6\,cm$이다. △ABH의 내접원과 △ACH의 내접원이 $\overline{AH}$에 접하는 점을 각각 D, E라 할 때, $\dfrac{\overline{AH}}{\overline{DE}}$의 값을 구하시오.

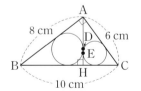

$\overline{AH}$의 길이를 구한 후 내접원의 반지름의 길이를 각각 구한다.

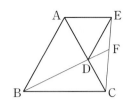
LEVEL 3 최고난도 문제

전국 1%를 위한

01 오른쪽 그림은 정삼각형 ABC에서 $\overline{AC}$ 위에 $\overline{AD}:\overline{CD}=4:3$을 만족시키는 점 D를 잡아 $\overline{AD}$를 한 변으로 하는 정삼각형 ADE를 그린 것이다. $\overline{BD}$의 연장선과 $\overline{CE}$가 만나는 점을 F라 할 때, $\dfrac{\overline{FC}}{\overline{FD}}$의 값을 구하시오.

02 오른쪽 그림과 같은 정사각형 ABCD에서 $\overline{BC}$, $\overline{CD}$ 위의 점 E, F에서 대각선 AC에 내린 수선의 발을 각각 P, Q라 하자. 정사각형 ABCD의 넓이는 $96\,\mathrm{cm}^2$이고 $\angle EAF=45°$, $\overline{AQ}=8\,\mathrm{cm}$일 때, $\overline{PQ}$의 길이를 구하시오.

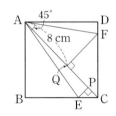

03 오른쪽 그림과 같은 △ABC에서 $\overline{AB}$의 길이를 45 % 줄이고 $\overline{BC}$의 길이를 40 % 늘여서 △DBE를 만들었다. △DBE의 넓이는 △ABC의 넓이의 몇 % 줄어든 것인지 구하시오.

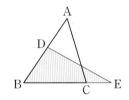

🌐 Challenge

04 오른쪽 그림과 같은 평행사변형 ABCD에서 $\overline{AD}$, $\overline{CD}$의 중점을 각각 P, Q라 하고, $\overline{AP}$의 중점을 R라 하자. $\overline{AQ}$와 $\overline{BR}$, $\overline{BP}$의 교점을 각각 E, F라 할 때, $\overline{AQ}:\overline{EF}$를 가장 간단한 자연수의 비로 나타내시오.

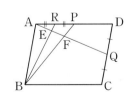

06 닮음의 활용

① 삼각형에서 평행선과 선분의 길이의 비

(1) 삼각형 ABC에서 두 변 AB, AC 또는 그 연장선 위의 점을 각각 D, E라 할 때

① $\overline{BC} /\!/ \overline{DE}$이면

$$\overline{AB} : \overline{AD} = \overline{AC} : \overline{AE} = \overline{BC} : \overline{DE}$$

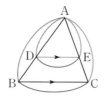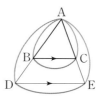

② $\overline{BC} /\!/ \overline{DE}$이면

$$\overline{AD} : \overline{DB} = \overline{AE} : \overline{EC}$$

주의 $\overline{AD} : \overline{DB} \neq \overline{DE} : \overline{BC}$임에 주의한다.

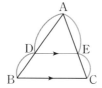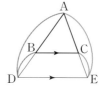

(2) 삼각형 ABC에서 두 변 AB, AC 또는 그 연장선 위의 점을 D, E라 할 때

① $\overline{AB} : \overline{AD} = \overline{AC} : \overline{AE}$이면 $\overline{BC} /\!/ \overline{DE}$

② $\overline{AD} : \overline{DB} = \overline{AE} : \overline{EC}$이면 $\overline{BC} /\!/ \overline{DE}$

② 삼각형의 각의 이등분선 [심화 개념]

(1) **삼각형의 내각의 이등분선의 성질**

삼각형 ABC에서 ∠A의 이등분선과 변 BC의 교점을 D라 하면

$$\overline{AB} : \overline{AC} = \overline{BD} : \overline{CD}$$

참고 삼각형의 내각의 이등분선과 삼각형의 넓이의 비

➡ $\triangle ABD : \triangle ACD = \overline{BD} : \overline{CD} = \overline{AB} : \overline{AC}$

설명 오른쪽 그림과 같이 점 C를 지나고 $\overline{AD}$에 평행한 직선과 $\overline{AB}$의 연장선의 교점을 E라 하면

∠BAD = ∠E (동위각),

∠DAC = ∠ACE (엇각)

따라서 △ACE는 이등변삼각형이므로

$\overline{AE} = \overline{AC}$ ......㉠

또한, $\overline{AD} /\!/ \overline{EC}$이므로 $\overline{BA} : \overline{AE} = \overline{BD} : \overline{DC}$ ......㉡

㉠, ㉡에서 $\overline{AB} : \overline{AC} = \overline{BD} : \overline{CD}$

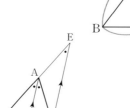

> 쌤의 활용 꿀팁
> 삼각형의 각의 이등분선의 성질을 결과만 외우기 보다는, 삼각형의 닮음 조건을 이용하여 확인해 보는 것도 중요해요.

(2) **삼각형의 외각의 이등분선의 성질**

삼각형 ABC에서 ∠A의 외각의 이등분선과 변 BC의 연장선의 교점을 D라 하면

$$\overline{AB} : \overline{AC} = \overline{BD} : \overline{CD}$$

설명 오른쪽 그림과 같이 $\overline{AB}$의 연장선 위에 점 E를 잡고, 점 C를 지나고 $\overline{AD}$에 평행한 직선과 $\overline{AB}$의 교점을 F라 하면

∠EAD = ∠AFC (동위각), ∠DAC = ∠ACF (엇각)

따라서 △AFC는 이등변삼각형이므로

$\overline{AF} = \overline{AC}$ ......㉠

또한, $\overline{AD} /\!/ \overline{FC}$이므로 $\overline{AB} : \overline{AF} = \overline{DB} : \overline{DC}$ ......㉡

㉠, ㉡에서 $\overline{AB} : \overline{AC} = \overline{BD} : \overline{CD}$

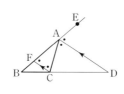
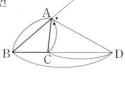

③ 평행선 사이의 선분의 길이의 비

(1) **평행선 사이의 선분의 길이의 비**

세 개 이상의 평행선이 다른 두 직선과 만나서 생기는
선분의 길이의 비는 같다.

➡ $l \parallel m \parallel n$이면 $a : b = c : d$

참고 $a : b = c : d$이지만 $l \parallel m \parallel n$이 성립하지 않을 수도 있다.

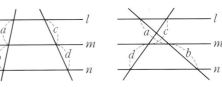

(2) **사다리꼴에서 평행선 사이의 선분의 길이의 비**

사다리꼴 ABCD에서 $\overline{AD} \parallel \overline{EF} \parallel \overline{BC}$이고 $\overline{AD} = a$, $\overline{BC} = b$,

$\overline{AE} = m$, $\overline{EB} = n$일 때, $\overline{EF} = \dfrac{an + bm}{m + n}$

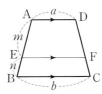

(3) **평행선 사이의 선분의 길이의 비의 응용**

$\overline{AC}$와 $\overline{BD}$의 교점을 E라 할 때, $\overline{AB} \parallel \overline{EF} \parallel \overline{DC}$이고 $\overline{AB} = a$, $\overline{CD} = b$이면

① $\overline{EF} = \dfrac{ab}{a + b}$　　② $\overline{BF} : \overline{FC} = a : b$

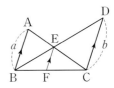

④ 삼각형의 두 변의 중점을 연결한 선분의 성질

(1) $\triangle ABC$에서 $\overline{AB}$, $\overline{AC}$의 중점을 각각 M, N이라 하면

$$\overline{BC} \parallel \overline{MN}, \quad \overline{MN} = \frac{1}{2}\overline{BC}$$

(1) 　(2)

(2) $\triangle ABC$에서 $\overline{AB}$의 중점 M을 지나고 $\overline{BC}$에 평행한 직선과

$\overline{AC}$의 교점을 N이라 하면 $\overline{AN} = \overline{NC}$

참고 $\overline{AD} \parallel \overline{BC}$인 사다리꼴 ABCD에서 $\overline{AB}$, $\overline{DC}$의 중점을 각각 M, N이라 하면

① $\overline{AD} \parallel \overline{MN} \parallel \overline{BC}$

② $\overline{MN} = \dfrac{1}{2}(\overline{AD} + \overline{BC})$

③ $\overline{PQ} = \dfrac{1}{2}(\overline{BC} - \overline{AD})$ (단, $\overline{BC} > \overline{AD}$)

⑤ 삼각형의 무게중심

(1) **중선** : 삼각형에서 한 꼭짓점과 그 대변의 중점을 이은 선분

(2) **삼각형의 중선의 성질** : $\overline{AD}$가 $\triangle ABC$의 중선이면

$$\triangle ABD = \triangle ACD = \frac{1}{2}\triangle ABC$$

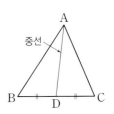

(3) **삼각형의 무게중심** : 삼각형의 세 중선의 교점

(4) **삼각형의 무게중심의 성질** : $\triangle ABC$의 무게중심을 G라 하면

① 삼각형의 세 중선은 한 점 G(무게중심)에서 만난다.

② $\overline{AG} : \overline{GD} = \overline{BG} : \overline{GE} = \overline{CG} : \overline{GF} = 2 : 1$

③ $\triangle GAF = \triangle GBF = \triangle GBD = \triangle GCD = \triangle GCE = \triangle GAE = \dfrac{1}{6}\triangle ABC$

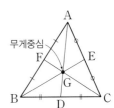

이것이 진짜 출제율 100% 문제

① 삼각형에서 평행선과 선분의 길이의 비

01 대표문제

오른쪽 그림과 같은 △ABC에 대한 설명으로 옳은 것을 보기에서 모두 고르시오.

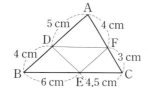

┤ 보기 ├

ㄱ. $\overline{AB}$∥$\overline{EF}$ ㄴ. $\overline{BC}$∥$\overline{DF}$

ㄷ. ∠A=∠CFE ㄹ. ∠B=∠ADF

ㅁ. △ABC∽△DBE ㅂ. △ABC∽△FEC

02

오른쪽 그림과 같은 △ABC에서 $\overline{BC}$∥$\overline{DE}$, $\overline{CD}$∥$\overline{EF}$이고 $\overline{AD}$=15 cm, $\overline{DB}$=12 cm일 때, $\overline{AF}$의 길이를 구하시오.

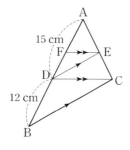

03

오른쪽 그림과 같은 △ABC에서 □DFCE는 평행사변형이고 $\overline{AC}$=10 cm, $\overline{BC}$=8 cm, $\overline{DE}$=6 cm일 때, □DFCE의 둘레의 길이를 구하시오.

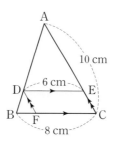

② 삼각형의 각의 이등분선 심화

04 대표문제

오른쪽 그림과 같은 △ABC에서 ∠A의 이등분선과 $\overline{BC}$의 교점을 D, ∠A의 외각의 이등분선과 $\overline{BC}$의 연장선의 교점을 E라 하자. $\overline{AB}$=10 cm, $\overline{AC}$=6 cm, $\overline{BD}$=5 cm일 때, $\overline{CE}$의 길이를 구하시오.

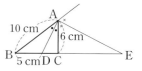

05 실수多

오른쪽 그림과 같은 △ABC에서 ∠BAD=∠CAD=45°일 때, △ABD의 넓이를 구하시오.

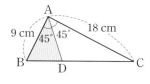

✐ 쌤의 오답 코칭 │ ∠BAC=90°이므로 △ABC의 넓이를 먼저 구한다.

06

오른쪽 그림과 같은 △ABC에서 ∠A=∠ABD=∠CBD일 때, 다음을 구하시오.

(1) $\overline{CD}$의 길이

(2) $\overline{AB}$의 길이

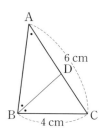

③ **평행선 사이의 선분의 길이의 비**

07 대표문제

다음 그림에서 $k /\!/ l /\!/ m /\!/ n$일 때, abc의 값을 구하시오.

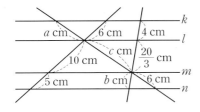

08 실수多

오른쪽 그림과 같이 $\overline{AD}=9$ cm, $\overline{BC}=21$ cm인 사다리꼴 ABCD 에서 $\overline{AD} /\!/ \overline{EF} /\!/ \overline{GH} /\!/ \overline{BC}$, $\overline{AE}=\overline{EG}=\overline{GB}$일 때, $\overline{GH}$의 길이 를 구하시오.

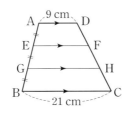

✎ **쌤의 오답 코칭** | 보조선을 그어 삼각형에서 평행선과 선분의 길이의 비를 이용한다.

09

오른쪽 그림에서 $\overline{AC}$와 $\overline{BD}$ 의 교점이 E이고 $\overline{AB}$, $\overline{EF}$, $\overline{DC}$가 모두 $\overline{BC}$에 수직이다. $\overline{AB}=12$ cm, $\overline{BC}=20$ cm, $\overline{DC}=6$ cm일 때, $\triangle EFC$ 의 넓이를 구하시오.

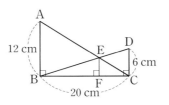

④ **삼각형의 두 변의 중점을 연결한 선분의 성질**

10 대표문제

오른쪽 그림과 같은 $\triangle ABC$에서 $\overline{BD}=\overline{DC}$, $\overline{AG}=\overline{GD}$이고, $\overline{BE} /\!/ \overline{DF}$이다. $\overline{DF}=8$ cm일 때, $\overline{BG}$의 길이를 구하시오.

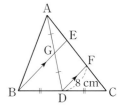

11

오른쪽 그림과 같이 $\overline{AD} /\!/ \overline{BC}$인 사다리꼴 ABCD에서 $\overline{AB}$, $\overline{CD}$의 중점을 각각 M, N이라 하자. $\overline{MN}=16$ cm, $\overline{BC}=20$ cm일 때, $\overline{AD}$의 길이를 구하시오.

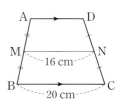

⑤ **삼각형의 무게중심**

12 대표문제

오른쪽 그림에서 점 G는 $\triangle ABC$의 무게중심이고 $\overline{GD}=12$ cm일 때, $\overline{AH}$의 길이를 구하시오.

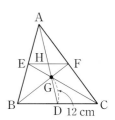

13

오른쪽 그림과 같이 ∠A=90°인 직각삼각형 ABC의 무게중심을 G라 하자. $\overline{\mathrm{AG}}$=6 cm일 때, $\overline{\mathrm{BD}}$의 길이를 구하시오.

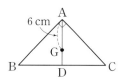

이것이 진짜 **교과서에서 뽑아온** 문제

16

| 천재 유사 |

오른쪽 그림과 같이 $\overline{\mathrm{AD}}$ // $\overline{\mathrm{BC}}$인 사다리꼴 ABCD에서 $\overline{\mathrm{AB}}$, $\overline{\mathrm{CD}}$의 중점을 각각 M, N이라 하고 $\overline{\mathrm{MN}}$과 $\overline{\mathrm{BD}}$, $\overline{\mathrm{AC}}$의 교점을 각각 P, Q라 하자. $\overline{\mathrm{AD}}$=6 cm, $\overline{\mathrm{PQ}}$=1 cm일 때, $\overline{\mathrm{BC}}$의 길이를 구하시오.

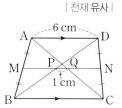

14

오른쪽 그림에서 점 G는 △ABC의 무게중심이고 $\overline{\mathrm{BN}}=\overline{\mathrm{CM}}$이다. $\overline{\mathrm{AN}}$=6 cm일 때, $\overline{\mathrm{AB}}$의 길이를 구하시오.

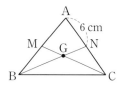

17

| 미래엔 유사 |

오른쪽 그림과 같은 평행사변형 ABCD에서 $\overline{\mathrm{BC}}$와 $\overline{\mathrm{CD}}$의 중점을 각각 M, N이라 하고, 대각선 BD와 $\overline{\mathrm{AM}}$, $\overline{\mathrm{AN}}$의 교점을 각각 E, F라 하자. $\overline{\mathrm{BD}}$=18 cm일 때, $\overline{\mathrm{EF}}$의 길이를 구하시오.

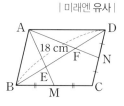

15

오른쪽 그림과 같은 평행사변형 ABCD에서 $\overline{\mathrm{CM}}=\overline{\mathrm{DM}}$이고 $\overline{\mathrm{DH}}$=10 cm, $\overline{\mathrm{BC}}$=12 cm이다. 두 대각선 AC, BD의 교점을 O라 하고 $\overline{\mathrm{AM}}$과 $\overline{\mathrm{BD}}$의 교점을 P라 할 때, □OCMP의 넓이를 구하시오.

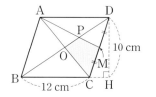

18

| 신사고 유사 |

오른쪽 그림과 같이 △ABC에서 $\overline{\mathrm{BD}}=\overline{\mathrm{DC}}$, $\overline{\mathrm{AE}}=\overline{\mathrm{EF}}=\overline{\mathrm{FC}}$이고 점 P는 $\overline{\mathrm{DE}}$와 $\overline{\mathrm{BF}}$의 교점이다. △ABC의 넓이가 36 cm²일 때, △EPF의 넓이를 구하시오.

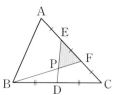

01

오른쪽 그림과 같은 △ABC에서 $\overline{AD} : \overline{DB} = 4 : 5$이고 $\overline{DE} /\!/ \overline{BC}$, $\overline{DF} /\!/ \overline{AC}$, $\overline{EG} /\!/ \overline{AB}$이다. $\overline{BC} = 18$ cm일 때, $\overline{GF}$의 길이를 구하시오.

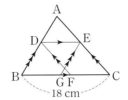

쌤의 출제 Point

02

오른쪽 그림과 같은 △ABC에서 $\overline{AD} : \overline{DB} = 3 : 2$이고 점 M은 $\overline{AC}$의 중점이다. $\overline{CD}$와 $\overline{BM}$의 교점을 E라 하고 △DBE의 넓이가 6 cm² 일 때, △DBC의 넓이를 구하시오.

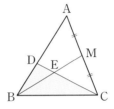

점 D를 지나고 $\overline{AC}$에 평행한 직선을 그은 후, 삼각형에서 평행선과 선분의 길이의 비를 이용한다.

03

오른쪽 그림과 같은 △ABC의 두 변 BC, AC 위의 두 점 D, E에 대하여 $\overline{AD}$와 $\overline{BE}$의 교점을 F라 하자. $\overline{DC} = 2\overline{BD}$, $\overline{EC} = 3\overline{AE}$이고 $\overline{EF} = 4$ cm일 때, $\overline{BF}$의 길이를 구하시오.

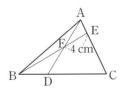

04

오른쪽 그림과 같은 △ABC에서 $\overline{AD}$는 ∠A의 이등분선이고 $\overline{AE} = \overline{AC}$, $\overline{EF} /\!/ \overline{AD}$이다. $\overline{AB} = 10$ cm, $\overline{AC} = 6$ cm, $\overline{FD} = 3$ cm일 때, $\overline{BC}$의 길이를 구하시오.

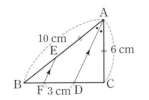

05 복합 개념 (서울 | 강남)

오른쪽 그림과 같이 ∠B=∠ADC=90°인 사각형 ABCD에서
∠ACB=∠ACD이고 점 D에서 $\overline{BC}$에 내린 수선의 발 E에 대
하여 $\overline{AC}$, $\overline{DE}$의 교점을 F라 하자. 이때 $\overline{DF}$의 길이를 구하시오.

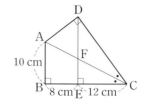

쌤의 출제 Point
△CDE에서 삼각형의 내각의 이등분
선의 성질을 이용한다.

06

오른쪽 그림과 같은 △ABC에서 ∠BAD=∠ACB,
∠DAE=∠CAE이고 $\overline{AB}$=18 cm, $\overline{BC}$=24 cm일 때, $\overline{CE}$의
길이를 구하시오.

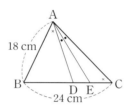

07

오른쪽 그림과 같이 $\overline{AB}$=8 cm, $\overline{BC}$=9 cm, $\overline{AC}$=5 cm인 △ABC
에서 ∠C의 외각의 이등분선과 $\overline{BA}$의 연장선의 교점을 D라 하고
$\overline{BC}$ 위에 $\overline{AE}$ ∥ $\overline{DC}$인 점 E를 잡을 때, 다음을 구하시오.

(1) $\overline{AD}$의 길이　　　　　(2) $\overline{BE}$의 길이

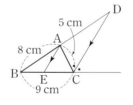

08

오른쪽 그림과 같이 $\overline{AC}$=6 cm, $\overline{BC}$=10 cm인 △ABC에서 ∠C의
외각의 이등분선과 $\overline{BA}$의 연장선의 교점을 D라 하자. △DAC의 넓
이가 30 cm²일 때, △ABC의 넓이를 구하시오.

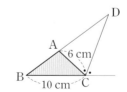

삼각형의 외각의 이등분선의 성질을
이용하여 △ABC와 △DAC의 넓이
의 비를 구한다.

09 교과서 **추론** | 비상 유사 |

오른쪽 그림에서 $l \,/\!/\, m \,/\!/\, n$일 때, x의 값을 구하시오.

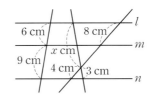

쌤의 출제 Point

10

오른쪽 그림과 같은 사다리꼴 ABCD에서
$\overline{AD} \,/\!/\, \overline{EF} \,/\!/\, \overline{GH} \,/\!/\, \overline{BC}$일 때, $x-y$의 값을 구하시오.

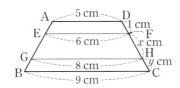

점 D에서 $\overline{AB}$에 평행한 직선을 그은 후, 평행선 사이의 선분의 길이의 비를 이용한다.

11 교과서 **창의사고력** | 신사고 유사 |

오른쪽 그림과 같이 $\overline{AD} \,/\!/\, \overline{BC}$인 사다리꼴 ABCD에서 $\overline{AD}=12\,\text{cm}$, $\overline{BC}=24\,\text{cm}$이고 $\overline{EF} \,/\!/\, \overline{AD}$, $\overline{GH} \,/\!/\, \overline{AD}$일 때, 다음 물음에 답하시오.

(1) $\overline{OE}$, $\overline{OF}$, $\overline{GH}$의 길이를 각각 구하시오.

(2) $\overline{BG} : \overline{GO} : \overline{OD}$를 가장 간단한 자연수의 비로 나타내시오.

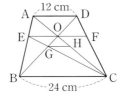

12

오른쪽 그림에서 $\overline{AB} \,/\!/\, \overline{EF} \,/\!/\, \overline{DC}$이고 $\overline{AB}=15\,\text{cm}$, $\overline{BG}=7\,\text{cm}$, $\overline{GC}=28\,\text{cm}$, $\overline{CD}=36\,\text{cm}$일 때, $\overline{EF}$의 길이를 구하시오.

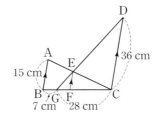

점 G를 지나고 $\overline{AB}$에 평행한 직선을 그은 후, 삼각형에서 평행선과 선분의 길이의 비를 이용한다.

13

오른쪽 그림과 같은 △ABC에서 $\overline{AE}$와 $\overline{CD}$의 교점을 F라 할 때, $\overline{CF}=\overline{DF}$이고 $\overline{AD}:\overline{DB}=4:3$이다. $\overline{CE}=8\,cm$일 때, $\overline{BE}$의 길이를 구하시오.

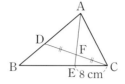

쌤의 출제 Point

점 D를 지나고 $\overline{AE}$에 평행한 직선을 그은 후, 삼각형의 두 변의 중점을 연결한 선분의 성질을 이용한다.

14

오른쪽 그림과 같은 △ABC에서 점 D는 $\overline{AC}$의 중점이고 두 점 E, F는 $\overline{BC}$의 삼등분점이다. $\overline{BD}$와 $\overline{AE}$, $\overline{AF}$의 교점을 각각 P, Q라 할 때, $\overline{AQ}:\overline{QF}$를 가장 간단한 자연수의 비로 나타내시오.

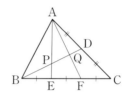

15 신유형 서울 | 강남

오른쪽 그림과 같은 △ABC에서 $\overline{AE}$와 $\overline{BD}$의 교점을 F라 할 때, 두 점 D, F는 각각 $\overline{AC}$, $\overline{BD}$의 중점이다. $\overline{FE}=5\,cm$일 때, $\overline{AF}$의 길이를 구하시오.

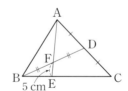

16

오른쪽 그림과 같이 $\overline{AB}=10\,cm$, $\overline{BC}=9\,cm$, $\overline{AC}=8\,cm$인 △ABC에서 점 M은 $\overline{BC}$의 중점이다. $\overline{MC}$ 위의 한 점 F를 지나고 $\overline{AM}$에 평행한 직선이 $\overline{BA}$의 연장선, $\overline{AC}$와 만나는 점을 각각 D, E라 할 때, $\overline{AD}:\overline{AE}$를 가장 간단한 자연수의 비로 나타내시오.

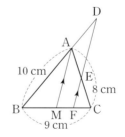

점 M을 지나고 $\overline{AC}$에 평행한 직선을 그은 후, 삼각형의 두 변의 중점을 연결한 선분의 성질을 이용한다.

17

오른쪽 그림에서 $\overline{\text{CD}}$는 △ABC의 중선이고 두 점 G, G′은 각각 △ABC, △DBC의 무게중심이다. $\overline{\text{AB}}=30$ cm일 때, $\overline{\text{GG}'}$의 길이를 구하시오.

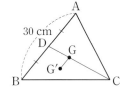

<</sub> 쌤의 출제 Point

삼각형의 무게중심의 성질을 이용한다.

18 만점 KILL 서울 | 강남

오른쪽 그림과 같이 $\overline{\text{AB}}=\overline{\text{BC}}$, $\overline{\text{CD}}=\overline{\text{AD}}$인 사각형 ABCD에서 $\overline{\text{AD}}$, $\overline{\text{BC}}$의 중점을 각각 M, N이라 하자. 대각선 BD와 $\overline{\text{AN}}$, $\overline{\text{CM}}$이 만나는 점을 각각 P, Q라 하고 $\overline{\text{BD}}=15$ cm일 때, $\overline{\text{PQ}}$의 길이를 구하시오.

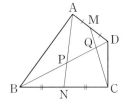

$\overline{\text{AC}}$를 그으면 △ABC, △ACD는 각각 이등변삼각형이고, 이등변삼각형의 꼭지각의 이등분선의 성질을 이용한다.

19

오른쪽 그림과 같이 ∠ABC=90°인 직각삼각형 ABC의 무게중심을 G라 하자. $\overline{\text{BC}}$의 연장선 위의 점 D와 $\overline{\text{BG}}$의 연장선 위의 점 E에 대하여 ∠D=90°이고 $\overline{\text{DE}}=18$ cm인 직각삼각형 BDE를 그렸다. $\overline{\text{GF}}\perp\overline{\text{BD}}$이고 $\overline{\text{FC}}:\overline{\text{CD}}=4:3$일 때, $\overline{\text{GF}}$의 길이를 구하시오.

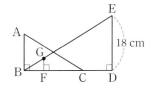

20

오른쪽 그림에서 점 G는 △ABC의 무게중심이고 두 점 E, F는 각각 $\overline{\text{BG}}$, $\overline{\text{CG}}$의 중점이다. 색칠한 부분의 넓이가 7 cm²일 때, △ABC의 넓이를 구하시오.

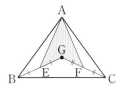

21

오른쪽 그림에서 $\overline{AE}$와 $\overline{CD}$는 △ABC의 중선이고, 점 G는 △ABC의 무게중심이다. $\overline{DE}\,/\!/\,\overline{GF}$일 때, △ABC의 넓이는 △GEF의 넓이의 몇 배인지 구하시오.

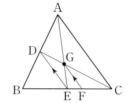

쌤의 출제 Point

22

오른쪽 그림에서 $\overline{AD}$는 △ABC의 중선이고 점 G는 △ABC의 무게중심이다. $\overline{EF}\,/\!/\,\overline{BC}$이고 △EDG의 넓이가 $8\ cm^2$일 때, □GDCF의 넓이를 구하시오.

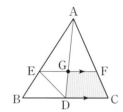

삼각형의 무게중심은 중선의 길이를 꼭짓점으로부터 2 : 1로 나눈다.

23

오른쪽 그림과 같이 $\overline{AB}=12\ cm$, $\overline{AD}=15\ cm$인 직사각형 ABCD에서 $\overline{AD}$, $\overline{BC}$의 중점을 각각 M, N이라 하자. 대각선 BD와 $\overline{AN}$, $\overline{CM}$과의 교점을 각각 E, F라 할 때, □ENCF의 넓이를 구하시오.

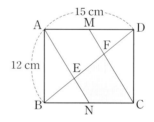

24

오른쪽 그림과 같은 평행사변형 ABCD에서 두 점 M, N은 각각 $\overline{AB}$, $\overline{BC}$의 중점이고 두 점 P, Q는 각각 $\overline{AC}$와 $\overline{DM}$, $\overline{DN}$의 교점일 때, 다음을 구하시오.

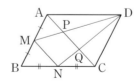

$\overline{BD}$를 그으면 두 점 P, Q는 각각 △ABD, △BCD의 무게중심이다.

(1) $\overline{AC}=12\ cm$일 때, $\overline{PQ}$의 길이

(2) □ABCD의 넓이가 $84\ cm^2$일 때, □PMNQ의 넓이

01 오른쪽 그림과 같이 $\overline{AD}=10\,cm$, $\overline{BC}=12\,cm$인 사다리꼴 ABCD에서 $\overline{AD}/\!/\overline{EF}/\!/\overline{BC}$이고, $\overline{AC}$와 $\overline{EF}$의 교점을 G라 하자.
$\overline{EG}:\overline{GF}=3:1$일 때, $\overline{AG}:\overline{GC}$를 가장 간단한 자연수의 비로 나타내시오.

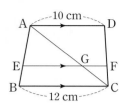

02 오른쪽 그림과 같은 △ABC에서 $\overline{DB}=3\overline{AD}$, $\overline{AE}=4\overline{EC}$이다. $\overline{BE}$와 $\overline{CD}$의 교점을 F라 하고 △EFC의 넓이가 $3\,cm^2$일 때, △FBC의 넓이를 구하시오.

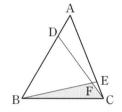

03 오른쪽 그림과 같이 $\overline{AB}=6\,cm$, $\overline{BC}=10\,cm$인 평행사변형 ABCD에서 $\angle ABE=\angle CBE$이고 $\overline{BE}\perp\overline{CF}$이다. $\overline{FE}$의 길이를 a cm, $\overline{EC}$의 길이를 b cm라 할 때, $\dfrac{b}{a}$의 값을 구하시오.

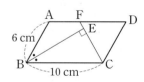

Challenge

04 오른쪽 그림과 같이 $\angle A=90°$인 직각이등변삼각형 ABC에서 $\overline{CD}$는 △ABC의 중선이고 점 A에서 $\overline{BC}$, $\overline{CD}$에 내린 수선의 발을 각각 H, I라 하자. $\overline{AH}$와 $\overline{CD}$의 교점을 E라 할 때, $\overline{DI}:\overline{IE}:\overline{EC}$를 가장 간단한 자연수의 비로 나타내시오.

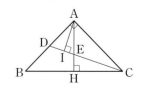

07 피타고라스 정리

① 피타고라스 정리

직각삼각형에서 직각을 낀 두 변의 길이를 각각 a, b라 하고 빗변의 길이를 c라 하면 $a^2+b^2=c^2$이다.

참고 $\angle C=90°$인 직각삼각형 ABC에서 두 변의 길이를 알면 피타고라스 정리를 이용하여 나머지 한 변의 길이를 구할 수 있다. ➡ $c^2=a^2+b^2$, $a^2=c^2-b^2$, $b^2=c^2-a^2$

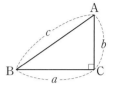

② 피타고라스 정리의 설명

(1) 유클리드의 방법

오른쪽 그림과 같이 직각삼각형 ABC의 각 변을 한 변으로 하는 세 정사각형을 그리면 □ACDE=□AFKJ, □CBHI=□JKGB

➡ □AFGB=□ACDE+□CBHI

➡ $a^2+b^2=c^2$

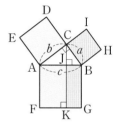

(2) 피타고라스의 방법

한 변의 길이가 $a+b$인 정사각형에서 [그림 1]의 합동인 직각삼각형 4개를 뺀 넓이와 [그림 2]의 합동인 직각삼각형 4개를 뺀 넓이는 서로 같으므로 $a^2+b^2=c^2$

① □EFCD, □AGHB는 정사각형

② □EFCD=4△ABC+□AGHB

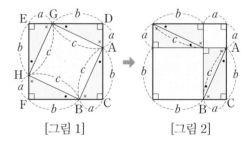

[그림 1]　　　　[그림 2]

(3) 바스카라의 방법

오른쪽 그림과 같이 직각삼각형 ABC와 합동인 3개의 직각삼각형을 맞추어 정사각형 ABDE를 그리면 [그림 3]과 [그림 4]의 넓이는 서로 같으므로 $a^2+b^2=c^2$

① □CFGH는 한 변의 길이가 $a-b$인 정사각형

② □ABDE=4△ABC+□CFGH

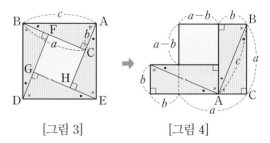

[그림 3]　　　　[그림 4]

③ 직각삼각형이 되기 위한 조건

세 변의 길이가 각각 a, b, c인 삼각형 ABC에서 $a^2+b^2=c^2$이면 이 삼각형은 빗변의 길이가 c인 직각삼각형이다.

참고 피타고라스 수 : 피타고라스 정리 $a^2+b^2=c^2$을 만족시키는 세 자연수 a, b, c를 피타고라스 수라 한다. 즉, 세 변의 길이가 피타고라스 수인 삼각형은 직각삼각형이다.

➡ $(3, 4, 5)$, $(5, 12, 13)$, $(6, 8, 10)$, $(7, 24, 25)$, ⋯

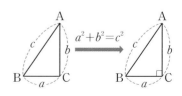

④ 삼각형의 변과 각 사이의 관계 심화 개념

(1) $\triangle ABC$에서 $\overline{AB}=c$, $\overline{BC}=a$, $\overline{CA}=b$일 때, c의 값 구하기

다음 (ⅰ), (ⅱ)를 모두 만족시키는 c의 값을 찾는다.

(ⅰ) $|a-b|<c<a+b$ (삼각형이 되기 위한 조건)

(ⅱ) ① $\angle C<90°$이면 $c^2<a^2+b^2$

　　② $\angle C=90°$이면 $c^2=a^2+b^2$

　　③ $\angle C>90°$이면 $c^2>a^2+b^2$

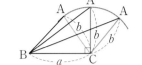

(2) 삼각형의 종류 판단하기

$\triangle ABC$에서 $\overline{AB}=c$, $\overline{BC}=a$, $\overline{CA}=b$이고 c가 가장 긴 변의 길이일 때

① $c^2<a^2+b^2$이면 $\angle C<90°$ ➡ $\triangle ABC$는 예각삼각형

② $c^2=a^2+b^2$이면 $\angle C=90°$ ➡ $\triangle ABC$는 직각삼각형

③ $c^2>a^2+b^2$이면 $\angle C>90°$ ➡ $\triangle ABC$는 둔각삼각형

⑤ 피타고라스 정리의 도형에의 활용

(1) **직각삼각형에서의 활용**

$\angle A=90°$인 직각삼각형 ABC에서 두 점 D, E가 각각 $\overline{AB}$, $\overline{AC}$ 위에 있을 때,
$$\overline{DE}^2+\overline{BC}^2=\overline{BE}^2+\overline{CD}^2$$

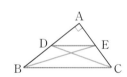

(2) **사각형에서의 활용**

① 사각형 ABCD에서 두 대각선이 직교할 때,
$$\overline{AB}^2+\overline{CD}^2=\overline{BC}^2+\overline{DA}^2$$

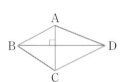

② 직사각형 ABCD의 내부에 있는 임의의 점 P에 대하여
$$\overline{AP}^2+\overline{CP}^2=\overline{BP}^2+\overline{DP}^2$$

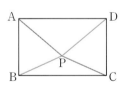

(3) **직각삼각형에서 세 반원 사이의 관계**

직각삼각형 ABC에서 직각을 낀 두 변을 지름으로 하는 반원의 넓이를 각각 S_1, S_2, 빗변을 지름으로 하는 반원의 넓이를 S_3이라 할 때,
$$S_3=S_1+S_2$$

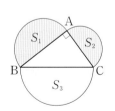

(4) **히포크라테스의 원의 넓이**

직각삼각형 ABC의 세 변을 각각 지름으로 하는 반원에서
$$(\text{색칠한 부분의 넓이})=\triangle ABC=\frac{1}{2}bc$$

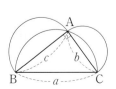

🎯 이것이 진짜 **출제율 100%** 문제

① 피타고라스 정리

01 대표문제

오른쪽 그림과 같이 ∠B=90°
인 직각삼각형 ABC에서 x의 값
은?

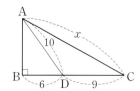

① 13   ② 14

③ 15   ④ 16

⑤ 17

02

오른쪽 그림과 같은 사다리꼴
ABCD에서 $\overline{CD}$의 길이는?

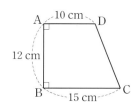

① 13 cm   ② 14 cm

③ 15 cm   ④ 16 cm

⑤ 17 cm

② 피타고라스 정리의 설명

03 대표문제

오른쪽 그림은 ∠C=90°인 직각삼
각형 ABC의 세 변을 각각 한 변으
로 하는 세 정사각형을 그린 것이다.
□ACDE=9 cm²,
□AFGB=25 cm²일 때, △BCG
의 넓이를 구하시오.

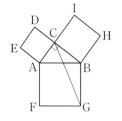

04

오른쪽 그림에서 □ABCD는 한
변의 길이가 10 cm인 정사각형이
고, $\overline{AF}=\overline{BG}=\overline{CH}=\overline{DE}=7$ cm
일 때, □EFGH의 넓이를 구하시
오.

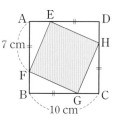

05

오른쪽 그림은 합동인 4개의 직각삼
각형 ABC, BDF, DEG, EAH를
이용하여 정사각형 ABDE를 만든
것이다. $\overline{AC}=5$ cm, $\overline{AB}=13$ cm
일 때, □CFGH의 둘레의 길이는?

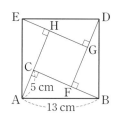

① 28 cm   ② 32 cm   ③ 36 cm

④ 40 cm   ⑤ 44 cm

06

오른쪽 그림에서
△ABE≡△ECD이고 세 점 B,
E, C는 한 직선 위에 있다.
$\overline{AB}=4$ cm, ∠B=∠C=90°

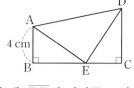

이고 △AED의 넓이가 26 cm²일 때, $\overline{BE}$의 길이를 구하
시오.

③ 직각삼각형이 되기 위한 조건

07 (대표문제)

세 변의 길이가 각각 다음과 같은 삼각형 중에서 직각삼각형인 것은?

① 3, 4, 6   ② 5, 11, 13   ③ 8, 15, 18

④ 7, 24, 25   ⑤ 9, 25, 26

④ 삼각형의 변과 각 사이의 관계 심화

08 (대표문제)

다음 중 세 변의 길이가 각각 6, 16, x인 삼각형이 예각삼각형이 되도록 하는 자연수 x의 값은? (단, $x > 16$)

① 17   ② 18   ③ 19

④ 20   ⑤ 21

09

오른쪽 그림과 같은 △ABC에서 $90° < ∠B < 180°$가 되도록 하는 모든 자연수 x의 값의 합은?

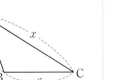

① 15   ② 17

③ 18   ④ 19

⑤ 27

⑤ 피타고라스 정리의 도형에의 활용

10 (대표문제) (실수多)

오른쪽 그림과 같이 $∠C = 90°$인 직각삼각형 ABC에서 두 점 D, E는 각각 $\overline{BC}$, $\overline{AC}$의 중점이다. $\overline{DE} = 5$일 때, $\overline{AD}^2 + \overline{BE}^2$의 값을 구하시오.

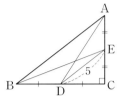

✍ 쌤의 오답 코칭 | $\overline{AB}$의 길이를 먼저 구한다.

11

오른쪽 그림과 같이 □ABCD의 두 대각선이 점 O에서 직교하고 $\overline{AB} = 10$, $\overline{AD} = 12$, $\overline{BO} = 4$, $\overline{CO} = 3$일 때, $\overline{CD}^2$의 값은?

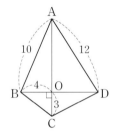

① 69   ② 74

③ 78   ④ 82

⑤ 96

12

오른쪽 그림과 같은 직사각형 ABCD의 내부에 있는 한 점 P에 대하여 $\overline{AP} = 9$, $\overline{BP} = 5$일 때, $\overline{DP}^2 - \overline{CP}^2$의 값을 구하시오.

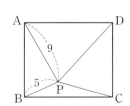

13

오른쪽 그림과 같이 ∠A＝90°이고 $\overline{BC}$＝12 cm인 직각삼각형 ABC의 각 변을 지름으로 하는 세 반원 P, Q, R의 넓이의 합은?

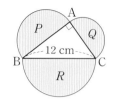

① 18π cm²   ② 24π cm²

③ 36π cm²   ④ 54π cm²

⑤ 72π cm²

14

오른쪽 그림은 ∠A＝90°인 직각삼각형 ABC의 세 변을 각각 지름으로 하는 세 반원을 그린 것이다.
$\overline{AC}$＝6 cm, $\overline{BC}$＝10 cm일 때, 색칠한 부분의 넓이를 구하시오.

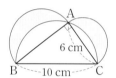

이것이 진짜 **교과서에서 뽑아온 문제**

15

| 동아 유사 |

오른쪽 그림과 같이 ∠A＝90°인 직각삼각형 ABC에서 $\overline{AD} \perp \overline{BC}$일 때, $x-y$의 값을 구하시오.

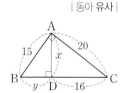

16

| 지학사 유사 |

가로의 길이와 세로의 길이의 비가 3 : 4인 직사각형의 대각선의 길이가 20 cm이다. 이 직사각형의 넓이는?

① 86 cm²   ② 96 cm²   ③ 136 cm²

④ 192 cm²   ⑤ 212 cm²

17

| 천재 유사 |

오른쪽 그림과 같이 반지름의 길이가 10 cm인 원 O에서 $\overline{PQ}$＝12 cm일 때, △OPQ의 넓이를 구하시오.

18

| 미래엔 유사 |

길이가 각각 16 cm, 12 cm인 빨대에 길이가 x cm인 빨대를 추가하여 직각삼각형을 만들려고 한다. 추가한 빨대의 길이는 몇 cm인지 구하시오. (단, $x > 16$)

01

오른쪽 그림에서
$\overline{OA_1}=\overline{A_1A_2}=\overline{A_2A_3}=\overline{A_3A_4}=\overline{A_4A_5}=\overline{A_5A_6}=x$,
$\overline{OA_6}^2=54$일 때, x의 값을 구하시오.

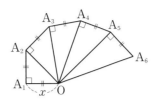

쌤의 출제 Point

02 신유형 서울|강남

오른쪽 그림은 $\angle C=90°$인 직각이등변삼각형 ABC를 6개의 직각
이등변삼각형으로 나눈 것이다. $\overline{FG}=5$일 때, $\overline{AB}$의 길이를 구하시
오.

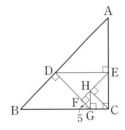

$\triangle HFG$, $\triangle HGC$, $\triangle EHC$, $\triangle DFE$, $\triangle ADE$, $\triangle BDG$는 모두 직각이등변삼각형이다.

03 복합 개념 서울|강남

오른쪽 그림과 같이 원점 O에서 직선 $4x-3y=60$에 내린 수선
의 발을 H라 할 때, $\overline{OH}$의 길이를 구하시오.

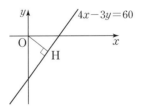

직선 $4x-3y=60$이 x축, y축과 만나는 점의 좌표를 먼저 구한다.

04

오른쪽 그림과 같이 한 변의 길이가 1인 정사각형 $OAA'O'$의 두
변 OA, $O'A'$의 연장선 위에 $\overline{OA'}=\overline{OB}$, $\overline{OB'}=\overline{OC}$, $\overline{OC'}=\overline{OD}$
를 만족시키는 세 점 B, C, D와 두 점 B′, C′을 잡았다. 다음 중 옳
지 않은 것을 모두 고르면? (정답 2개)

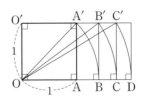

① $\overline{OB}^2=2$ ② $\overline{OB'}^2=3$ ③ $\overline{AD}=2$

④ $\overline{OC}^2=4$ ⑤ $\overline{OC'}=2$

05

오른쪽 그림과 같이 가로, 세로의 길이가 각각 40 cm, 30 cm인 직사각형 ABCD가 있다. 두 점 A, C에서 대각선 BD에 내린 수선의 발을 각각 E, F라 할 때, 색칠한 부분의 넓이를 구하시오.

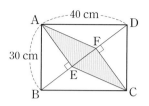

쌤의 출제 Point

△ABD에서 $\overline{AE}$와 $\overline{BD}$의 길이를 각각 구한다.

06 (교과서 **추론**) | 동아 유사 |

오른쪽 그림과 같이 ∠C=90°인 직각삼각형 ABC를 직선 l을 축으로 하여 1회전 시킬 때 생기는 입체도형의 부피를 구하시오.

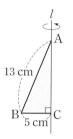

07 (교과서 **추론**) | 금성 유사 |

오른쪽 그림과 같이 ∠A=90°인 직각삼각형 ABC의 한 변 AB 위의 점 D에서 $\overline{BC}$에 내린 수선의 발을 E라 하자. $\overline{AC}$=15 cm, $\overline{AD}$=8 cm이고 △DBC의 넓이가 90 cm²일 때, $\overline{DE}$의 길이를 구하시오.

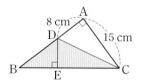

△DBC에서 $\overline{DB}$가 밑변이면 $\overline{AC}$가 높이이고, $\overline{BC}$가 밑변이면 $\overline{DE}$가 높이이다.

08

오른쪽 그림과 같이 ∠A=90°인 직각삼각형 ABC에서 점 M은 $\overline{BC}$의 중점이고 $\overline{AD}\perp\overline{BC}$, $\overline{DE}\perp\overline{AM}$이다. $\overline{AB}$=6 cm, $\overline{AC}$=8 cm일 때, $\overline{DE}$의 길이를 구하시오.

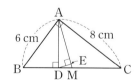

09 교과서 **추론** | 신사고 유사 |

오른쪽 그림은 두 개의 정사각형 ABCD와 CEFG를 이어 붙여 놓은 것이다. □ABCD의 넓이가 144, □CEFG의 넓이가 16이고 $\overline{AE}$와 $\overline{CD}$의 교점을 H라 할 때, $\overline{BH}^2$의 값을 구하시오.

(단, 세 점 B, C, E는 한 직선 위에 있다.)

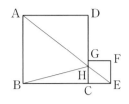

쌤의 출제 Point

두 정사각형의 한 변의 길이를 각각 구한 후 삼각형의 닮음을 이용하여 $\overline{HC}$의 길이를 구한다.

10 신유형 서울 | 강남

오른쪽 그림과 같이 세 정사각형 A, B, C를 한 변이 같은 직선 위에 있도록 이어 붙여 놓았다. 정사각형 A, B, C의 한 변의 길이의 비는 4 : 3 : 2이고 정사각형 A, B, C의 넓이의 합이 116일 때, $\overline{XY}^2$의 값을 구하시오.

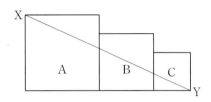

11 복합 개념 분당 | 서현 교과서 **추론** | 미래엔 유사 |

오른쪽 그림에서 점 G는 ∠C=90°인 직각삼각형 ABC의 무게중심이다. $\overline{AC}=6$ cm, $\overline{BC}=8$ cm일 때, $\overline{CG}$의 길이를 구하시오.

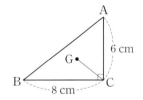

삼각형의 무게중심은 세 중선의 교점이고, 직각삼각형의 빗변의 중점은 외심이다.

12 만점 **KILL** 부산 | 해운대

오른쪽 그림과 같이 x축 위의 점 P와 두 점 A(2, 5), B(8, 2)를 연결한 두 선분 AP, BP가 있다. $\overline{AP}+\overline{BP}$의 길이 중 가장 짧은 길이를 a, 그 때의 점 P의 x좌표를 b라 할 때, a^2+7b의 값을 구하시오.

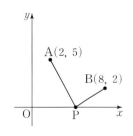

13

오른쪽 그림과 같이 한 모서리의 길이가 20인 정육면체에서 점 M이 $\overline{GH}$의 중점일 때, $\overline{BM}$의 길이를 구하시오.

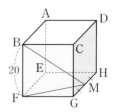

쌤의 출제 Point

$\overline{FM}$과 $\overline{BM}$을 빗변으로 하는 직각삼각형을 각각 찾는다.

14 신유형 〔 서울 | 강남 〕

오른쪽 그림과 같이 세 모서리의 길이가 각각 6, 3, 4인 직육면체가 있다. 꼭짓점 B에서 직육면체의 겉면을 따라 꼭짓점 H에 이르는 최단 거리를 l이라 할 때, l^2의 값을 구하시오.

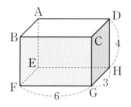

전개도에서 최단 거리를 빗변으로 하는 직각삼각형을 그려 본다.

15

오른쪽 그림과 같이 높이가 16 cm인 원기둥의 한 모선 AB에 대하여 점 A에서 점 B까지 옆면을 따라 최단 거리로 실을 두 바퀴 감았더니 실의 길이가 34 cm가 되었다. 이때 원기둥의 밑면의 둘레의 길이를 구하시오.

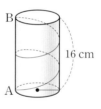

16

오른쪽 그림과 같이 ∠A=90°인 직각삼각형 ABC의 세 변을 각각 한 변으로 하는 세 정사각형을 그리고, 점 A에서 변 FG 위에 내린 수선의 발을 K, $\overline{AK}$와 $\overline{BC}$가 만나는 점을 J라 하자. 보기에서 △AEB와 넓이가 항상 같은 것을 모두 고르시오.

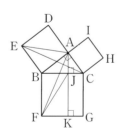

┤ 보기 ├
ㄱ. △ABC   ㄴ. △EBC
ㄷ. △ABF   ㄹ. △JFK

17 교과서 **창의사고력** | 신사고 유사 |

오른쪽 그림과 같이 ∠A＝90°이고 $\overline{AB}$＝4 cm, $\overline{AC}$＝3 cm인 직각삼각형 ABC의 세 변을 각각 한 변으로 하는 세 정사각형을 그린 후, 직각삼각형 과 정사각형을 반복하여 계속 이어 붙여 그렸다. 색 칠한 정사각형의 넓이의 합을 구하시오.

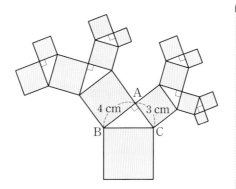

쌤의 출제 Point

18

오른쪽 그림은 정사각형 ABCD의 네 꼭짓점 A, B, C, D를 지나도록 정사각형 EFGH를 그리고, 정사각형 EFGH의 네 꼭짓점 E, F, G, H 를 지나도록 정사각형 IJKL을 그린 것이다. $\overline{AE}$＝10, $\overline{IH}$＝15, $\overline{HL}$＝8일 때, □ABCD의 넓이를 구하시오.

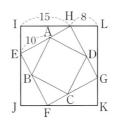

합동인 직각삼각형을 이용하여 $\overline{IE}$, $\overline{DH}$의 길이를 구하고 피타고라스 정 리를 이용하여 $\overline{EH}$, $\overline{AD}$의 길이를 구 한다.

19 교과서 **추론** | 지학사 유사 |

좌표평면 위의 세 점 A(3, 2), B(1, −1), C(−2, 1)을 꼭짓점으로 하는 △ABC는 어떤 삼 각형인지 보기에서 모두 고르시오.

◀ 보기 ▶

ㄱ. 이등변삼각형　　　　ㄴ. 예각삼각형　　　　ㄷ. 둔각삼각형
ㄹ. 직각삼각형　　　　　ㅁ. 정삼각형

20

세 변의 길이가 각각 6, 8, x인 삼각형에서 다음을 모두 구하시오.

(1) 직각삼각형이 되도록 하는 x^2의 값

(2) 둔각삼각형이 되도록 하는 자연수 x의 값

가장 긴 변의 길이가 x일 때와 x가 아 닐 때로 나누어 직각삼각형, 둔각삼각 형이 되는 조건을 생각한다.

21 만점 KILL 서울 | 목동

오른쪽 그림과 같이 ∠B=90°인 직각삼각형 ABC에서 두 점 D, F는 $\overline{AB}$의 삼등분점이고, 두 점 E, G는 $\overline{BC}$의 삼등분점이다. $\overline{DE}^2=10$, $\overline{EF}^2=37$일 때, $\overline{AC}^2+\overline{AG}^2$의 값을 구하시오.

22

오른쪽 그림과 같은 △ABC에서 두 점 D, E는 각각 $\overline{AB}$, $\overline{BC}$의 중점이고 $\overline{AE}\perp\overline{CD}$이다. $\overline{AB}=12$, $\overline{BC}=16$일 때, $\overline{AC}^2$의 값을 구하시오.

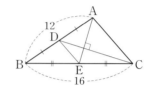

삼각형의 두 변의 중점을 연결한 선분의 성질과 두 대각선이 직교하는 사각형의 성질을 이용한다.

23

오른쪽 그림과 같이 ∠C=90°이고 $\overline{BC}=8$ cm인 직각삼각형 ABC의 세 변을 각각 지름으로 하는 세 반원을 그렸다. $\overline{AC}$를 지름으로 하는 반원의 넓이가 $\dfrac{9}{2}\pi$ cm²일 때, $\overline{AB}$를 지름으로 하는 반원의 넓이를 구하시오.

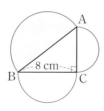

24 교과서 추론 | 신사고 유사 |

오른쪽 그림과 같이 가로의 길이가 12, 세로의 길이가 6인 직사각형 ABCD의 각 변을 지름으로 하는 네 반원과 직사각형 ABCD의 대각선을 지름으로 하는 원을 그렸다. 색칠한 부분의 넓이를 구하시오.

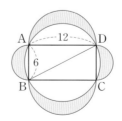

01 오른쪽 그림과 같이 ∠A=90°인 직각삼각형 ABC의 세 변 AB, BC, CA 위에 □ADEF가 직사각형이 되도록 세 점 D, E, F를 각각 잡았다. $\overline{AB}=8$ cm, $\overline{AC}=6$ cm이고, $\overline{DE}:\overline{AD}=1:2$일 때, □ADEF의 둘레의 길이를 구하시오.

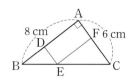

02 오른쪽 그림과 같은 원뿔대에서 작은 밑면인 원의 반지름의 길이는 4 cm, 큰 밑면인 원의 반지름의 길이는 8 cm이다. 점 A에서 모선 AB의 중점 M까지 옆면을 따라 최단 거리로 실을 한 바퀴 감았다. $\overline{AB}=16$ cm일 때, 이 실의 길이를 구하시오.

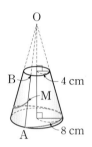

Challenge

03 오른쪽 그림은 ∠C=90°이고 $\overline{AB}=5$, $\overline{AC}=4$인 직각삼각형 ABC의 세 변을 각각 한 변으로 하는 세 정사각형을 그린 것이다. 이때 육각형 DEFGHI의 넓이를 구하시오.

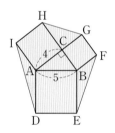

04 오른쪽 그림과 같은 직사각형 ABEF에서 $\overline{CD}$, $\overline{PQ}$는 직사각형의 가로 또는 세로에 평행할 때, 보기에서 옳은 것을 모두 고르시오.

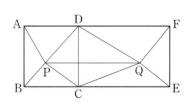

◀ 보기 ▶
ㄱ. $\overline{AP}^2+\overline{CP}^2=\overline{BP}^2+\overline{DP}^2$
ㄴ. $\overline{CP}^2+\overline{DP}^2=\overline{CQ}^2+\overline{DQ}^2$
ㄷ. $\overline{AP}^2+\overline{EQ}^2=\overline{BP}^2+\overline{FQ}^2$
ㄹ. $\overline{AP}^2+\overline{CQ}^2=\overline{BP}^2+\overline{DQ}^2$

같은 문제

선배들의

다른 풀이

본책 79쪽 ● **02**번 문제

오른쪽 그림은 ∠C＝90°인 직각이등변삼각형 ABC를 6개의 직각이등변삼각형으로 나눈 것이다. $\overline{FG}=5$일 때, $\overline{AB}$의 길이를 구하시오.

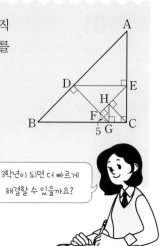

이 문제는 '피타고라스 정리'를 이용하여 직각이등변삼각형의 빗변의 길이를 구하고 구한 빗변이 다른 직각이등변삼각형의 한 변이 됨을 반복하여 $\overline{AB}$의 길이를 구하는 문제야. 그런데 모든 직각이등변삼각형은 닮음이라는 것을 배웠어. 이를 이용하고 싶지만 직각이등변삼각형들의 세 변 사이의 길이의 비를 우리가 배운 수의 범위로는 표현할 수가 없지. 하지만 중학교 3학년 때 '제곱근과 실수'를 배우면 다른 방법으로 풀 수 있어.

어떤 수 x를 제곱하여 a가 될 때, x를 a의 제곱근이라 하며 제곱근 a는 $\sqrt{a}$(루트 a)로 나타내.

즉, 오른쪽 그림과 같이 직각이등변삼각형의 세 변의 길이를 각각 1, 1, x라 하면 피타고라스 정리에 의하여 $x^2=1^2+1^2=2$이고 $x>0$이므로 $x=\sqrt{2}$라 할 수 있어.

이때 모든 직각이등변삼각형은 닮음이므로

세 변의 길이의 비는 $1:1:\sqrt{2}$야.

이 성질을 이용하여 문제를 풀어 볼까?

오른쪽 그림과 같이 $\overline{FG}=1$로 두고 직각이등변삼각형의 세 변의 길이의 비를 이용하여 변의 길이를 차례대로 구하면 $\overline{AB}=10$임을 알 수 있어.

따라서 $\overline{FG}=5$일 때, $\overline{AB}$의 길이는 $1:10=5:\overline{AB}$에서 $\overline{AB}=50$이야.

이와 같이 직각이등변삼각형은 피타고라스 정리를 이용하면 세 변의 길이의 비가 일정함을 알 수 있으므로 그 특징을 잘 기억하도록 해.

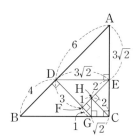

IV

확률

08 경우의 수

09 확률

현직 교사의 학교 시험 고난도 킬러 강의

이 단원에서는 합의 법칙과 곱의 법칙을 이용하여 경우의 수를 구하고 이를 토대로 확률을 구하는 문제를 출제해요. 그 과정에서 이전에 배운 자연수, 정수의 성질, 삼각형과 사각형 등의 도형의 성질을 이용하는 복합 문제를 꼭 출제해요. 특히, 주사위를 던지거나 카드를 뽑아 만든 세 자리 자연수가 특정 수의 배수가 될 확률을 구하는 문제나 임의로 점을 선택해 특정 도형을 만드는 문제는 이 단원에서의 kill 문제죠.

08 경우의 수

① 사건과 경우의 수

(1) **사건** : 같은 조건에서 반복할 수 있는 실험이나 관찰의 결과

(2) **경우의 수** : 사건이 일어날 수 있는 경우의 가짓수

예	실험, 관찰	사건	경우	경우의 수
	동전 두 개를 던진다.	같은 면이 나온다.	(앞, 앞), (뒤, 뒤)	2
	주사위 한 개를 던진다.	소수의 눈이 나온다.	⚁ ⚄ ⚄	3

(참고) 순서쌍, 나뭇가지 모양의 그림, 표 등을 이용하면 경우의 수를 중복되지 않게 빠짐없이 구할 수 있다.

② 사건 A 또는 사건 B가 일어나는 경우의 수

두 사건 A와 B가 동시에 일어나지 않을 때, 두 사건 A, B가 일어나는 경우의 수가 각각 m, n이면

$$(\text{사건 } A \text{ 또는 사건 } B \text{가 일어나는 경우의 수}) = m + n$$

(예) 1부터 10까지의 자연수가 각각 하나씩 적힌 10장의 카드 중에서 한 장을 뽑을 때

4의 배수가 나오는 경우 : 4, 8의 2가지

7의 배수가 나오는 경우 : 7의 1가지

➡ 4의 배수 또는 7의 배수가 나오는 경우의 수 : 2+1=3

(참고) 두 사건이 동시에 일어나는 경우가 있다면, 경우의 수를 셀 때 중복되는 경우의 수를 뺀다.

예를 들어 한 개의 주사위를 던졌을 때

짝수의 눈이 나오는 경우 : 2, 4, 6의 3가지

소수의 눈이 나오는 경우 : 2, 3, 5의 3가지

➡ 2가 중복되므로 짝수의 눈 또는 소수의 눈이 나오는 경우의 수 : 3+3-1=5

③ 두 사건 A와 B가 동시에 일어나는 경우의 수

사건 A가 일어나는 경우의 수가 m이고 그 각각에 대하여 사건 B가 일어나는 경우의 수가 n이면

$$(\text{두 사건 } A \text{와 } B \text{가 동시에 일어나는 경우의 수}) = m \times n$$

(예) 한 개의 주사위를 두 번 던졌을 때

첫 번째에는 6의 약수의 눈이 나오는 경우 : 1, 2, 3, 6의 4가지

두 번째에는 소수의 눈이 나오는 경우 : 2, 3, 5의 3가지

➡ 첫 번째에는 6의 약수의 눈이 나오고, 두 번째에는 소수의 눈이 나오는 경우의 수 : 4×3=12

④ 최단 거리로 가는 경우의 수 (심화 개념)

A 지점에서 B 지점을 거쳐 C 지점으로 갈 때, 최단 거리로 가는 경우의 수는

$$(\text{A 지점에서 B 지점까지 최단 거리로 가는 경우의 수})$$
$$\times (\text{B 지점에서 C 지점까지 최단 거리로 가는 경우의 수})$$

(예) 오른쪽 그림과 같이 A 지점에서 B 지점을 거쳐 C 지점까지 최단 거리로 가는 경우의 수 : 2×3=6

쌤의 활용 꿀팁

길을 선택하는 경우에도 A 지점에서 B 지점까지 가는 길이 m가지, B 지점에서 C 지점까지 가는 길이 n가지일 때, A 지점에서 B 지점을 거쳐 C 지점까지 가는 경우의 수는 $m \times n$이에요.

⑤ 한 줄로 세우는 경우의 수

(1) n명을 한 줄로 세우는 경우의 수

➡ $n \times (n-1) \times (n-2) \times \cdots \times 2 \times 1$

(2) n명 중 $r\,(r \leq n)$명을 뽑아 한 줄로 세우는 경우의 수

➡ $n \times (n-1) \times (n-2) \times \cdots \times \{n-(r-2)\} \times \{n-(r-1)\}$

예 n명 중 3명을 뽑아 한 줄로 세우는 경우의 수는

$$\boxed{n} \times \boxed{n-1} \times \boxed{n-2}$$

첫 번째 자리에 온 한 명 제외 ┘   └ 첫 번째와 두 번째 자리에 온 두 명 제외

(3) **이웃하여 한 줄로 세우는 경우의 수**

이웃하는 것을 하나의 묶음으로 생각하여 경우의 수를 구한 후 묶음 안에서 자리를 바꾸는 경우의 수를 곱한다.

예 6명 중 특정한 2명을 이웃하게 하여 한 줄로 세우는 경우의 수는 2명을 한 묶음으로 보고 5명을 한 줄로 세운 후 2명이 자리를 바꾸는 경우의 수를 곱한다.

➡ $(5 \times 4 \times 3 \times 2 \times 1) \times 2 = 240$

⑥ 자연수의 개수

(1) **0을 포함하지 않는 경우** : 0이 아닌 서로 다른 한 자리 숫자가 각각 적힌 n장의 카드 중에서

① 서로 다른 2장을 뽑아 만들 수 있는 두 자리 자연수의 개수 : $n \times (n-1)$

② 서로 다른 3장을 뽑아 만들 수 있는 세 자리 자연수의 개수 : $n \times (n-1) \times (n-2)$

(2) **0을 포함하는 경우** : 0을 포함한 서로 다른 한 자리 숫자가 각각 적힌 n장의 카드 중에서

① 서로 다른 2장을 뽑아 만들 수 있는 두 자리 자연수의 개수 : $\underline{(n-1) \times (n-1)}$

                                                └ 맨 앞 자리에는 0이 올 수 없다.

② 서로 다른 3장을 뽑아 만들 수 있는 세 자리 자연수의 개수 : $(n-1) \times (n-1) \times (n-2)$

⑦ 대표를 뽑는 경우의 수   심화 개념

(1) n명 중에서 자격이 다른 r명의 대표를 뽑는 경우의 수

$n \times (n-1) \times (n-2) \times \cdots \times \{n-(r-2)\} \times \{n-(r-1)\}$

(2) n명 중에서 자격이 같은 2명의 대표를 뽑는 경우의 수 : $\dfrac{n \times (n-1)}{2}$

(3) n명 중에서 자격이 같은 3명의 대표를 뽑는 경우의 수 : $\dfrac{n \times (n-1) \times (n-2)}{3 \times 2 \times 1}$

(4) **선분 또는 삼각형의 개수**

어느 세 점도 한 직선 위에 있지 않은 $n\,(n \geq 3)$개의 점 중에서

① 두 점을 연결하여 만들 수 있는 선분의 개수 : $\dfrac{n \times (n-1)}{2}$

② 세 점을 연결하여 만들 수 있는 삼각형의 개수 : $\dfrac{n \times (n-1) \times (n-2)}{3 \times 2 \times 1}$

참고 두 점을 연결하여 만들 수 있는 반직선의 개수 : $n \times (n-1)$

이것이 진짜 출제율 100% 문제

① 사건과 경우의 수

01 (대표문제)

1부터 10까지의 자연수가 각각 하나씩 적힌 10장의 카드 중에서 한 장을 뽑을 때, 다음 사건 중 일어나는 경우의 수가 가장 큰 것은?

① 짝수가 나온다.   ② 소수가 나온다.
③ 3의 배수가 나온다.   ④ 10의 약수가 나온다.
⑤ 7 미만의 수가 나온다.

02

지수가 문구점에서 6000원짜리 필통을 사려고 한다. 지수가 500원짜리 동전을 6개, 1000원짜리 지폐를 6장, 5000원짜리 지폐를 1장 가지고 있을 때, 필통 값을 지불하는 경우의 수를 구하시오.

② 사건 *A* 또는 사건 *B*가 일어나는 경우의 수

03 (대표문제)

서로 다른 두 개의 주사위를 동시에 던질 때, 나오는 눈의 수의 합이 3의 배수인 경우의 수는?

① 8   ② 9   ③ 10
④ 11   ⑤ 12

04 실수多

서로 다른 두 자리 자연수가 각각 하나씩 적힌 90장의 카드 중에서 한 장을 뽑을 때, 4의 배수 또는 5의 배수가 나오는 경우의 수를 구하시오.

✎쌤의 오답 코칭 | 4의 배수와 5의 배수 중에서 중복되는 수가 있는지 확인한다.

③ 두 사건 *A*와 *B*가 동시에 일어나는 경우의 수

05 (대표문제)

다음 그림과 같이 세 지점 A, B, C를 연결하는 도로가 있다. 이때 A 지점에서 출발하여 C 지점까지 가는 경우의 수는?
(단, 한 번 지나간 지점은 다시 지나가지 않는다.)

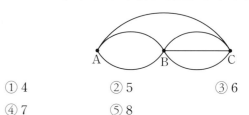

① 4   ② 5   ③ 6
④ 7   ⑤ 8

06

서로 다른 동전 2개와 서로 다른 주사위 2개를 동시에 던질 때, 동전은 서로 다른 면이 나오고 주사위는 모두 짝수의 눈이 나오는 경우의 수를 구하시오.

④ 최단 거리로 가는 경우의 수 심화

07 대표문제

오른쪽 그림과 같은 모양의 길이 있을 때, A 지점에서 B 지점까지 최단 거리로 가는 경우의 수는?

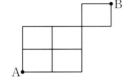

① 6   ② 8

③ 12   ④ 20

⑤ 24

⑤ 한 줄로 세우는 경우의 수

08 대표문제

어느 박물관에는 총 8개의 전시관이 있다고 한다. 이 중 3개의 전시관을 택하여 관람하는 순서를 정하는 경우의 수는?

① 24   ② 60   ③ 120

④ 210   ⑤ 336

09

긴 의자에 중학생 2명과 초등학생 4명이 나란히 앉을 때, 중학생 2명이 양 끝에 앉는 경우의 수를 구하시오.

10

여학생 4명과 남학생 2명이 한 줄로 서서 단체 사진을 찍을 때, 남학생끼리 이웃하여 서는 경우의 수는?

① 24   ② 120   ③ 240

④ 360   ⑤ 720

⑥ 자연수의 개수

11 대표문제

1부터 5까지의 자연수가 각각 하나씩 적힌 5장의 카드 중에서 2장을 뽑아 만들 수 있는 두 자리 자연수 중 30보다 큰 수의 개수를 구하시오.

12

0부터 9까지의 10개의 숫자가 각각 적힌 10장의 카드 중에서 3장을 뽑아 만들 수 있는 세 자리 자연수 중 5의 배수의 개수는?

① 128   ② 136   ③ 144

④ 288   ⑤ 648

⑦ 대표를 뽑는 경우의 수 심화

13 대표문제

여학생 4명과 남학생 5명 중 회장 1명과 여자 부회장 1명, 남자 부회장 1명을 뽑는 경우의 수를 구하시오.

14

6명의 후보 A, B, C, D, E, F 중에서 대표 3명을 뽑을 때, B는 뽑히고 D는 뽑히지 않는 경우의 수를 구하시오.

15 실수多

오른쪽 그림과 같이 한 원 위에 7개의 점이 있다. 이 중에서 세 점을 연결하여 만들 수 있는 삼각형의 개수는?

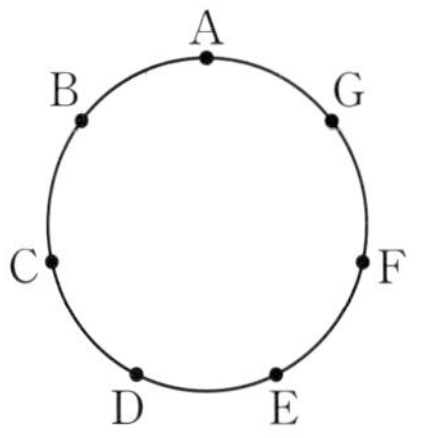

① 20 ② 35
③ 72 ④ 120
⑤ 210

쌤의 오답 코칭 | △ABC와 △ACB는 같은 삼각형이다.

이것이 진짜 교과서에서 뽑아온 문제

16 | 신사고 유사 |

1부터 6까지의 자연수가 각각 하나씩 적힌 6장의 카드 중에서 2장을 뽑아 만들 수 있는 두 자리 자연수 중 12번째로 큰 수를 구하시오.

17 | 비상 유사 |

서로 다른 두 개의 주사위를 동시에 던져서 나오는 눈의 수를 각각 a, b라 하자. 방정식 $ax-b=0$의 해가 짝수인 경우의 수를 구하시오.

18 | 교학사 유사 |

다음 그림은 어느 해 6월의 달력이다. 이 달에 은찬이는 목요일 중 하루를 선택하고, 민서는 6의 배수인 날 중 하루를 선택하고, 예빈이는 수요일 중 하루를 선택하여 봉사 활동을 하려고 한다. 일요일과 공휴일에는 봉사 활동을 하지 않을 때, 세 사람이 봉사 활동하는 날짜를 선택하는 경우의 수를 구하시오.

6월

일	월	화	수	목	금	토
					1	2
3	4	5	6	7	8	9
10	11	12	13	14	15	16
17	18	19	20	21	22	23
24	25	26	27	28	29	30

01 교과서 **추론** | 신사고 유사 |

쌤의 출제 Point

A, B, C, D 네 명의 학생이 자신의 증명사진을 한 장씩 상자에 넣고 뽑는 방법으로 증명사진을 교환하려고 한다. 이때 어느 누구도 자신의 사진을 뽑지 않는 경우의 수를 구하시오.

02

오른쪽 그림과 같이 한 변의 길이가 1인 정사각형 모양의 말판이 있다. 동전을 한 개 던질 때, 앞면이 나오면 시곗바늘이 도는 방향으로 1만큼 이동하고, 뒷면이 나오면 시곗바늘이 도는 반대 방향으로 2만큼 이동한다. 이 동전을 네 번 던졌을 때, 점 P가 점 A를 출발하여 점 B에 오는 경우의 수를 구하시오.

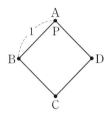

03 교과서 **창의사고력** | 천재 유사 |

지면 위에 6개의 계단이 있다. 한 걸음에 한 계단 또는 두 계단을 오른다고 할 때, 지면에서부터 시작하여 여섯 번째 계단까지 오르는 경우의 수를 구하시오.

04 **복합 개념** 대전 | 둔산

서로 다른 주사위 A, B를 동시에 던져서 나오는 눈의 수를 각각 a, b라 하자. 좌표평면 위의 점 P(a, b)가 직선 $x-y=0$ 또는 $y=-x+6$ 위에 있는 경우의 수는?

직선 $x-y=0$ 위에 있는 점과 직선 $y=-x+6$ 위에 있는 점이 중복되는지 확인한다.

① 9   ② 10   ③ 11
④ 12   ⑤ 13

05

쌤의 출제 Point

서로 다른 주사위 3개를 동시에 던졌을 때 하나만 다른 눈의 수가 나오는 경우의 수를 a, 서로 다른 주사위 2개를 동시에 던졌을 때 나오는 눈의 수의 곱이 짝수인 경우의 수를 b라 할 때, $a-b$의 값을 구하시오.

06

오른쪽 그림과 같은 길이 있다. A 지점에서 P 지점을 거쳐 B 지점까지 갔다가 다시 A 지점으로 돌아오는 경우의 수를 구하시오. (단, 한 번 지나간 길은 다시 지나갈 수 없다.)

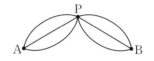

07 신유형 안양|평촌

오른쪽 그림과 같은 도로망이 있다. B 지점과 C 지점 사이에 몇 개의 도로를 새로 만들어 A 지점에서 출발하여 D 지점까지 가는 경우의 수가 75가 되도록 하려고 한다. 이때 새로 만들어야 하는 도로의 개수를 구하시오. (단, 한 번 지나간 지점은 다시 지나가지 않으며 네 지점을 제외한 다른 곳에서 도로끼리는 서로 만나지 않는다.)

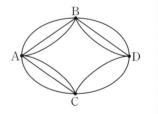

두 지점 B, C를 연결하면
A-B-C-D 또는 A-C-B-D
의 순서로도 갈 수 있게 된다.

08

오른쪽 그림과 같은 정사각형 모양의 길이 있다. A 지점에서 출발하여 변 p의 길을 지나 B 지점까지 갈 때, 최단 거리로 가는 경우의 수를 구하시오.

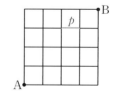

09

5명의 학생 A, B, C, D, E를 한 줄로 세울 때, 다음 조건을 모두 만족시키는 경우의 수는?

> (가) A와 B는 이웃하지 않게 세운다.
> (나) C는 4번째에 오도록 세운다.

① 8   ② 12   ③ 15

④ 16   ⑤ 24

쌤의 출제 Point

10

5개의 알파벳 A, B, C, D, E를 사전식으로 ABCDE에서 EDCBA까지 배열할 때, 58번째에 나오는 문자를 구하시오.

11

8개의 알파벳 q, u, e, s, t, i, o, n을 한 줄로 배열할 때, 양 끝에 모음이 오는 경우의 수를 a, 모음과 자음을 번갈아 배열하는 경우의 수를 b라 하자. 이때 $a-b$의 값을 구하시오.

모음과 자음을 번갈아 배열하는 경우의 수는 모음이 먼저 오는 경우와 자음이 먼저 오는 경우 2가지이다.

12

빨간색, 노란색, 초록색, 파란색, 보라색 물감을 사용하여 오른쪽 그림과 같은 도형을 칠하려고 한다. A, B, C, D, E의 영역에 같은 색을 여러 번 사용할 수 있으나 이웃하는 영역은 서로 다른 색으로 칠하는 경우의 수를 구하시오.

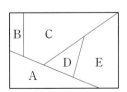

13 신유형 (서울 | 강남)

오른쪽 지도의 A~I 9개의 구역을 빨간색, 노란색, 초록색 색연필을 사용하여 칠하려고 한다. 서로 이웃하는 구역은 서로 다른 색으로 칠하는 경우의 수를 구하시오. (단, 강을 경계로 이웃하는 구역은 같은 색을 칠할 수 있다.)

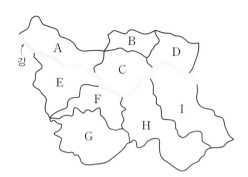

쌤의 출제 Point

14

1부터 9까지의 자연수가 각각 하나씩 적힌 9장의 카드 중에서 서로 다른 3장의 카드를 뽑아 세 자리 짝수를 만들려고 한다. 세 자리 짝수를 작은 수부터 차례대로 나열할 때, 416은 몇 번째에 오는 수인가?

① 78번째　　　　② 79번째　　　　③ 80번째
④ 85번째　　　　⑤ 86번째

15 신유형 (서울 | 강남)

1부터 9까지의 자연수를 이용하여 일의 자리의 숫자가 9인 네 자리 자연수를 만들려고 한다. 1299, 2129, …와 같이 각 자리의 숫자 중 두 개의 숫자만 같은 네 자리 자연수의 개수를 구하시오.

중복되는 숫자가 9인 경우와 9가 아닌 경우로 나누어 각각의 경우의 수를 구한다.

16

어느 동아리에 여학생 5명과 남학생 5명이 있다. 1학기와 2학기에 각각 회장 1명과 남자 부회장 1명, 여자 부회장 1명 총 6명의 동아리 임원을 뽑으려고 한다. 1학기에 동아리 임원을 한 학생은 2학기에 할 수 없을 때, 6명의 동아리 임원 중 여학생이 3명 포함되는 경우의 수를 구하시오.

17

○, ×를 표시하는 다섯 문제에 무작위로 ○, ×를 표시할 때, 적어도 두 문제 이상 맞히는 경우의 수를 구하시오.

18

배구 경기는 리그전과 토너먼트로 진행된다. 리그전은 조별로 경기에 참가한 팀이 돌아가면서 모두 한 번씩 경기하는 방식이고 토너먼트는 이긴 팀만 다음 경기를 하고 진 팀은 탈락하는 경기 방식이다. 16개 팀이 참가한 배구 경기의 진행 방식이 다음과 같을 때, 전체 경기의 수를 구하시오.

> (개) 16개 팀을 8개 팀씩 2개의 조로 나누어 각 조에서 리그전을 한다.
> (내) 각 조의 상위 4개 팀이 8강에 진출하여 토너먼트를 한다.
> (대) 준결승전에서 이긴 팀끼리 금메달 결정전을 하고 진 팀끼리 동메달 결정전을 한다.

19

오른쪽 그림은 서로 다른 네 숫자를 비밀번호로 사용하는 버튼식 자물쇠이다. 1부터 8까지의 숫자가 각각 적힌 8개의 버튼 중 4개를 눌렀을 때, 누른 순서에 상관없이 눌러진 버튼에 적힌 숫자가 모두 비밀번호와 일치하면 자물쇠를 열 수 있다고 한다. 만들 수 있는 비밀번호 중 홀수가 두 개 이상 들어 있는 비밀번호의 개수를 구하시오.

20 만점 **KILL** (대전 | 둔산)

오른쪽 그림은 정사각형의 각 변을 이등분하여 얻은 도형의 꼭짓점을 9개의 점으로 나타낸 것이다. 이 중에서 2개의 점을 연결하여 만들 수 있는 선분의 개수를 a, 2개의 점을 연결하여 만들 수 있는 직선의 개수를 b라 할 때, $a+b$의 값을 구하시오.

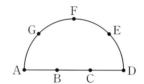

쌤의 출제 Point

세 점이 일직선 위에 있는 경우가 8가지임에 주의한다.

21

오른쪽 그림과 같이 반원 위에 서로 다른 7개의 점이 있다. 이 중 두 점을 연결하여 만들 수 있는 선분의 개수를 a, 세 점을 연결하여 만들 수 있는 삼각형의 개수를 b라 할 때, $b-a$의 값을 구하시오.

22

오른쪽 그림은 직사각형을 18개의 정사각형으로 나눈 것이다. 이 도형의 선분으로 만들 수 있는 직사각형의 개수를 a, 정사각형의 개수를 b라 할 때, $a-b$의 값을 구하시오.

2개의 세로선과 2개의 가로선이 만나면 한 직사각형이 만들어진다.

01 서로 다른 주사위 3개를 동시에 던질 때, 나오는 눈의 수의 곱이 30의 배수인 경우의 수를 구하시오.

Challenge

02 한 개의 주사위를 세 번 던져 나오는 눈의 수를 차례로 일의 자리의 숫자, 십의 자리의 숫자, 백의 자리의 숫자로 하는 세 자리 자연수를 만들 때, 그 자연수가 3의 배수가 되는 경우의 수를 구하시오.

03 오른쪽 그림과 같이 A, B, C, D, E로 5등분된 원을 빨간색, 노란색, 초록색, 파란색 네 개의 색을 사용하여 칠하려고 한다. 이웃하는 영역은 서로 다른 색으로 칠하고 같은 색을 여러 번 사용할 수 있을 때, 칠할 수 있는 모든 경우의 수를 구하시오.

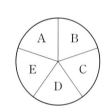

04 오른쪽 그림과 같이 원 위에 서로 다른 8개의 점이 있을 때, 어느 두 점도 이웃하지 않은 세 점을 연결하여 만들 수 있는 삼각형의 개수를 구하시오.

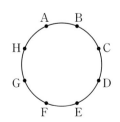

09 확률

① 확률의 뜻

(1) **확률** : 각 경우가 일어날 가능성이 모두 같은 어떤 실험이나 관찰을 같은 조건에서 여러 번 반복할 때, 어떤 사건이 일어나는 상대도수가 일정한 값에 가까워지면 이 값은 일어나는 모든 경우의 수에 대한 어떤 사건이 일어나는 경우의 수의 비율과 같으며 이 값을 그 사건이 일어날 확률이라 한다.

(2) **사건 A가 일어날 확률** : 어떤 실험이나 관찰에서 각 경우가 일어날 가능성이 모두 같을 때, 일어나는 모든 경우의 수를 n, 어떤 사건 A가 일어나는 경우의 수를 a라 하면 사건 A가 일어날 확률 p는

$$p = \frac{(\text{사건 } A\text{가 일어나는 경우의 수})}{(\text{일어나는 모든 경우의 수})} = \frac{a}{n}$$

② 확률의 성질

(1) **확률의 기본 성질**

① 어떤 사건이 일어날 확률을 p라 하면 $0 \le p \le 1$이다.

② 절대로 일어나지 않는 사건의 확률은 0이다.

③ 반드시 일어나는 사건의 확률은 1이다.

> **참고** 일어나는 모든 경우의 수를 n, 어떤 사건 A가 일어나는 경우의 수를 a라 하면
> $0 \le a \le n$이므로 $0 \le \dfrac{a}{n} \le 1$, 즉 $0 \le p \le 1$이다.

(2) **어떤 사건이 일어나지 않을 확률**

사건 A가 일어날 확률이 p일 때,

$$(\text{사건 } A\text{가 일어나지 않을 확률}) = 1 - p$$

> **참고** ① 문제에 '적어도 하나는 ~일 확률'이라는 표현이 있을 경우 '1−(모두 ~가 아닐 확률)'을 이용한다.
>
> ② 어떤 사건이 일어나는 경우보다 사건이 일어나지 않는 경우가 더 간단한 경우에는 '1−(사건이 일어나지 않을 확률)'을 이용한다.

③ 사건 A 또는 사건 B가 일어날 확률

사건 A와 사건 B가 동시에 일어나지 않을 때, 사건 A가 일어날 확률을 p, 사건 B가 일어날 확률을 q라 하면

$$(\text{사건 } A \text{ 또는 사건 } B\text{가 일어날 확률}) = p + q$$

> **예** 한 개의 주사위를 던질 때, 소수 또는 6의 눈이 나올 확률을 구해 보자.
>
> 소수는 2, 3, 5이므로 소수의 눈이 나올 확률은 $\dfrac{1}{2}$, 6의 눈이 나올 확률은 $\dfrac{1}{6}$이고
>
> 두 사건은 동시에 일어나지 않으므로
>
> 소수 또는 6의 눈이 나올 확률은 $\dfrac{1}{2} + \dfrac{1}{6} = \dfrac{4}{6} = \dfrac{2}{3}$

> **참고** 동시에 일어나지 않는 두 사건에 대하여 '또는', '~이거나' 등의 표현이 있으면 두 사건의 확률의 합을 이용한다.

④ 두 사건 A와 B가 동시에 일어날 확률

사건 A와 사건 B가 서로 영향을 끼치지 않을 때, 사건 A가 일어날 확률을 p, 사건 B가 일어날 확률을 q라 하면

$$（두 사건 A와 B가 동시에 일어날 확률）＝p \times q$$

예 서로 다른 두 개의 주사위 A, B를 동시에 던질 때, 두 주사위 모두 짝수의 눈이 나올 확률을 구해 보자.

주사위 A에서 짝수의 눈이 나올 확률은 $\dfrac{1}{2}$,

주사위 B에서 짝수의 눈이 나올 확률은 $\dfrac{1}{2}$이고

두 사건은 서로 영향을 끼치지 않으므로

두 주사위 모두 짝수의 눈이 나올 확률은 $\dfrac{1}{2} \times \dfrac{1}{2} = \dfrac{1}{4}$

참고 서로 영향을 끼치지 않는 두 사건에 대하여 '동시에', '~이고' 등의 표현이 있으면 두 사건의 확률의 곱을 이용한다.

⑤ 연속하여 꺼내는 경우의 확률 〔심화 개념〕

⑴ **꺼낸 것을 다시 넣고 연속하여 꺼내는 경우의 확률**

처음 일어난 사건이 이후 일어나는 사건에 영향을 주지 않는다.

① （처음 꺼낼 때의 전체 개수）＝（나중에 꺼낼 때의 전체 개수）

② （처음에 사건 A가 일어날 확률）＝（나중에 사건 A가 일어날 확률）

⑵ **꺼낸 것을 다시 넣지 않고 연속하여 꺼내는 경우의 확률**

처음 일어난 사건이 이후 일어나는 사건에 영향을 준다.

① （처음 꺼낼 때의 전체 개수）$\neq$（나중에 꺼낼 때의 전체 개수）

② （처음에 사건 A가 일어날 확률）$\neq$（나중에 사건 A가 일어날 확률）

〔쌤의 활용 꿀팁〕

꺼낸 것을 다시 넣지 않고 연속하여 꺼내는 경우 처음과 나중의 전체 개수 뿐만 아니라 어떤 사건이 일어나는 경우의 수도 달라질 수 있어요. 특히, 확률을 구하기 전에 꼭 전체 경우의 수를 주의하세요.

⑥ 도형에서의 확률

도형 전체의 넓이를 일어나는 모든 경우의 수로, 사건에 해당하는 부분의 넓이를 어떤 사건이 일어나는 경우의 수로 생각하여 확률을 구한다. 즉,

$$（도형에서의 확률）＝\dfrac{（사건에 해당하는 부분의 넓이）}{（도형의 전체 넓이）}$$

예 오른쪽 그림과 같이 3등분된 원판 위에서 바늘을 돌린 후 멈췄을 때, C 부분의 넓이가 전체 넓이

의 $\dfrac{1}{3}$이므로 바늘이 C 부분에 있게 될 확률은 $\dfrac{1}{3}$이다.

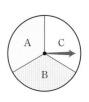

참고 '등분'은 똑같은 넓이로 나누었다는 뜻이므로 n등분한 도형에서 확률을 구할 때에는 도형의 전체 넓이인 분모를 n으로 한다.

학교 선생님이

LEVEL 1 시험에 꼭 내는 문제

이것이 진짜 **출제율 100%** 문제

① 확률의 뜻

01 대표문제

한 개의 주사위를 두 번 던져서 첫 번째에 나온 눈의 수를 a, 두 번째에 나온 눈의 수를 b라 할 때, $2a+b<8$일 확률은?

① $\frac{2}{9}$ ② $\frac{1}{4}$ ③ $\frac{5}{18}$
④ $\frac{11}{36}$ ⑤ $\frac{1}{3}$

02

다섯 개의 알파벳 a, b, c, d, e를 한 줄로 배열할 때, 모음끼리 이웃하게 배열할 확률을 구하시오.

② 확률의 성질

03 대표문제

사건 A가 일어날 확률을 p, 사건 A가 일어나지 않을 확률을 q라 할 때, 다음 중 옳지 않은 것은?

① p는 0 이상 1 이하의 수이다.
② $p=0$일 때, 사건 A는 절대로 일어나지 않는다.
③ $p=1$일 때, 사건 A는 반드시 일어난다.
④ $p=1-q$
⑤ $q=0$일 때, 사건 A는 절대로 일어나지 않는다.

04

1부터 9까지의 자연수가 각각 하나씩 적힌 9장의 카드 중 한 장을 뽑을 때, 다음 중 옳지 않은 것은?

① 소수가 나올 확률은 $\frac{4}{9}$이다.
② 두 자리 자연수가 나올 확률은 0이다.
③ 3의 배수가 나올 확률은 $\frac{1}{3}$이다.
④ 6의 약수가 나올 확률은 $\frac{1}{3}$이다.
⑤ 10 이하의 수가 나올 확률은 1이다.

05

여학생 2명과 남학생 4명을 한 줄로 세울 때, 양 끝에 선 사람 중 적어도 한 명은 여학생일 확률은?

① $\frac{2}{5}$ ② $\frac{3}{8}$ ③ $\frac{1}{2}$
④ $\frac{3}{5}$ ⑤ $\frac{5}{8}$

③ 사건 A 또는 사건 B가 일어날 확률

06 대표문제

다음은 어느 야구 선수가 120번 타석에 들어섰을 때의 기록을 나타낸 것이다. 이 선수가 타석에 들어섰을 때, 2루타 또는 홈런을 칠 확률을 구하시오.

단타	2루타	3루타	홈런
16	14	3	8

07

두 개의 주사위 A, B를 동시에 던져서 A 주사위에서 나온 눈의 수를 x, B 주사위에서 나온 눈의 수를 y라 할 때, $x+y=4$이거나 $x+2y=11$일 확률은?

① $\dfrac{1}{12}$ ② $\dfrac{1}{9}$ ③ $\dfrac{1}{6}$

④ $\dfrac{2}{9}$ ⑤ $\dfrac{1}{3}$

08

1부터 5까지의 자연수가 각각 하나씩 적힌 5장의 카드 중에서 2장의 카드를 한 장씩 뽑아 만든 두 자리 자연수가 4의 배수이거나 소수일 확률을 구하시오.

④ 두 사건 A와 B가 동시에 일어날 확률

09 대표문제

정우는 자유투를 던지면 5번에 3번 꼴로 성공하고 지훈이는 자유투를 던지면 8번에 5번 꼴로 성공한다고 한다. 이때 두 사람이 자유투를 한 번씩 던질 때, 두 사람 모두 성공할 확률을 구하시오. (단, 공을 던지는 순서는 생각하지 않는다.)

10

서로 다른 동전 세 개를 동시에 던질 때, 세 개 모두 같은 면이 나올 확률은?

① $\dfrac{1}{8}$ ② $\dfrac{1}{4}$ ③ $\dfrac{3}{8}$

④ $\dfrac{1}{2}$ ⑤ $\dfrac{5}{8}$

11 실수多

오른쪽 그림과 같은 전기 회로에서 두 스위치 A, B가 닫힐 확률이 각각 $\dfrac{1}{3}$, $\dfrac{3}{4}$이다. 이때 두 전구 중 한 전구에만 불이 들어올 확률을 구하시오.

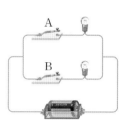

✏️ 쌤의 오답 코칭 | 전구 옆에 있는 스위치만 닫혀도 그 전구에 불이 들어온다.

⑤ 연속하여 꺼내는 경우의 확률 심화

12 대표문제

주머니에 모양과 크기가 같은 검정 바둑돌 7개와 흰 바둑돌 3개가 들어 있다. 연속하여 3개의 바둑돌을 꺼낼 때, 첫 번째와 세 번째에는 검정 바둑돌이 나오고, 두 번째에는 흰 바둑돌이 나올 확률을 구하시오.

(단, 꺼낸 바둑돌은 다시 넣지 않는다.)

13

당첨 제비 3개를 포함하여 모양과 크기가 같은 15개의 제비가 들어 있는 상자에서 지은이가 먼저 한 개를 뽑고 소연이가 나중에 한 개를 뽑을 때, 둘 중 한 사람만 당첨 제비를 뽑을 확률을 구하시오. (단, 뽑은 제비는 다시 넣지 않는다.)

⑥ 도형에서의 확률

14 대표문제

오른쪽 그림과 같은 과녁에 화살을 쏘아서 맞힌 부분에 적힌 숫자만큼 점수를 받는다고 할 때, 화살을 한 번 쏘아서 4점을 얻을 확률을 구하시오. (단, 화살이 과녁을 벗어나거나 경계선에 맞는 경우는 없다.)

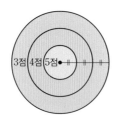

15

오른쪽 그림과 같이 크기가 같은 정사각형 25개로 나뉘어진 과녁에서 색칠한 부분에 화살이 꽂히면 상품을 받는다. 두 번 화살을 쏘았을 때, 첫 번째에는 실패하고 두 번째에는 상품을 받을 확률을 구하시오. (단, 화살이 과녁을 벗어나거나 경계선에 맞는 경우는 없다.)

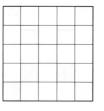

📖 이것이 진짜 **교과서에서 뽑아온** 문제

16 실수多

| 신사고 유사 |

오른쪽 그림과 같이 두 점 P(2, 3), Q(4, 5)를 지나는 직선이 있다. 서로 다른 두 개의 주사위를 동시에 던져서 나오는 눈의 수를 각각 a, b라 할 때, 직선 $y = \dfrac{b}{a}x$가 직선 PQ와 만날 확률을 구하시오.

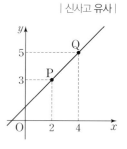

✏️ 쌤의 오답 코칭 | 두 직선이 만나지 않는 경우를 생각한다.

17

| 비상 유사 |

일기 예보에 따르면 어느 지역에서 토요일에 비가 올 확률은 $\dfrac{2}{5}$, 일요일에 비가 오지 않을 확률은 $\dfrac{3}{8}$이라 한다. 토요일과 일요일에 모두 비가 올 확률을 구하시오.

18

| 동아 유사 |

다음 그림과 같이 수직선 위의 원점에 점 P가 있다. 주사위를 던져서 짝수의 눈이 나오면 오른쪽으로 1만큼, 홀수의 눈이 나오면 왼쪽으로 1만큼 이동한다고 할 때, 주사위를 4회 던져서 점 P가 2에 위치할 확률을 구하시오.

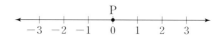

01

유나는 계단 중간 부분에서 주사위를 던져 짝수의 눈이 나오면 그 수만큼 내려가고 홀수의 눈이 나오면 그 수만큼 올라간다고 한다. 유나가 주사위를 두 번 던져서 처음보다 한 계단 내려갈 확률을 구하시오.

(단, 계단의 개수는 유나가 서 있는 부분을 기준으로 위, 아래로 6개 이상씩 있다.)

쌤의 출제 Point

처음보다 한 계단 내려간 위치를 -1이라 생각하고 조건을 만족시키는 경우를 찾는다.

02

길이가 3 cm, 4 cm, 6 cm, 8 cm, 9 cm인 막대가 하나씩 있다. 이 중에서 3개의 막대를 택할 때, 세 막대로 삼각형이 만들어질 확률을 구하시오.

삼각형이 만들어지는 세 변의 길이 사이의 조건을 생각한다.

03

6명의 학생 예은, 수지, 소영, 효현, 채은, 하영 중에서 3명의 대표를 뽑을 때, 수지가 뽑히지 않을 확률을 구하시오.

04

모양과 크기가 같은 흰 구슬과 검은 구슬이 여러 개 들어 있는 주머니에서 구슬을 한 개 꺼낼 때, 검은 구슬일 확률은 $\frac{2}{5}$이다. 처음 주머니에 흰 구슬과 검은 구슬을 각각 2개씩 더 넣고 구슬을 한 개 꺼낼 때, 흰 구슬일 확률은 $\frac{4}{7}$이다. 처음 주머니에 들어 있는 검은 구슬의 개수를 구하시오.

05

두 개의 주사위 A, B를 동시에 던져 나오는 눈의 수를 각각 a, b라 할 때, x에 대한 부등식 $ax-b<0$의 자연수인 해의 개수가 2일 확률을 구하시오.

쌤의 출제 Point

06 복합 개념 서울 | 강남

두 개의 주사위 A, B를 동시에 던져 나오는 눈의 수를 각각 a, b라 하자. 좌표평면 위에서 일차방정식 $ax+by=36$의 그래프와 x축, y축으로 둘러싸인 도형의 넓이가 36 이하일 확률을 구하시오.

07 교과서 추론 | 천재 유사 |

크기가 같은 작은 정육면체 125개를 오른쪽 그림과 같이 쌓아서 큰 정육면체를 만들고 겉면에 색칠을 하였다. 이 정육면체를 다시 흩어놓은 다음 125개의 작은 정육면체 중에서 한 개를 택할 때, 적어도 한 면이 색칠된 정육면체일 확률을 구하시오.

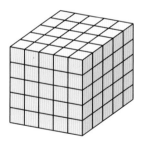

08

승환이는 실수로 주머니 속에 새 건전지 4개와 사용한 건전지 4개를 함께 넣었다. 이 주머니에서 3개의 건전지를 동시에 꺼낼 때, 적어도 한 개는 새 건전지가 나올 확률을 구하시오.
(단, 건전지는 모두 크기와 모양, 디자인이 같다.)

3개의 건전지를 동시에 뽑을 때, 모두 사용한 건전지가 나올 확률을 이용한다.

09 교과서 **창의사고력** | 동아 유사 |

쌤의 출제 Point

사건이 일어날 확률이 서로 같으면 공정한 규칙이다.

주사위 던지기를 이용하여 민정이와 소민이 중 술래 한 사람을 정하려고 한다. 다음 중 공정하게 술래를 정한 것을 모두 고르면? (정답 2개)

① 주사위를 한 번 던져 나온 눈의 수가 짝수이면 민정이가, 홀수이면 소민이가 술래를 한다.

② 주사위를 두 번 던져 처음 나온 눈의 수가 두 번째 나온 눈의 수보다 더 크면 민정이가, 그렇지 않으면 소민이가 술래를 한다.

③ 주사위를 두 번 던져 나온 두 눈의 수의 곱이 홀수이면 민정이가, 짝수이면 소민이가 술래를 한다.

④ 주사위를 두 번 던져 처음 나온 눈의 수가 두 번째 나온 눈의 수의 배수이면 민정이가, 그렇지 않으면 소민이가 술래를 한다.

⑤ 주사위를 두 번 던져 나온 두 눈의 수의 차가 1 또는 2이면 민정이가, 그렇지 않으면 소민이가 술래를 한다.

10

오른쪽 그림과 같이 한 변의 길이가 1인 정육각형 모양의 말판이 있다. 각 면에 1부터 12까지의 자연수가 각각 적힌 정십이면체 모양의 주사위를 던져 나오는 눈의 수만큼 말이 꼭짓점 A에서 출발하여 정육각형의 변을 따라 움직인다. 지윤이와 우진이가 이 주사위를 각각 한 번씩 던져 지윤이의 말은 시곗바늘이 도는 방향으로, 우진이의 말은 시곗바늘이 도는 반대 방향으로 움직일 때, 두 사람의 말이 점 C에서 만날 확률을 구하시오.

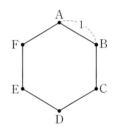

11 신유형 서울 | 강남

X_n의 값은 -1 또는 1이다.

한 주사위를 n번째에 던져 나온 눈의 수를 k라 하자. $X_n = (-1)^k$라 할 때, 다음을 구하시오.

(1) $X_1 + X_2 = 0$이 될 확률

(2) $X_1 + X_2 + X_3 = -1$이 될 확률

12

세 사람이 가위바위보를 할 때, 다음을 구하시오.

(1) 첫 번째에 승부가 결정될 확률

(2) 네 번째에 승부가 결정될 확률

쌤의 출제 Point

(승부가 결정될 확률)
＝1－(승부가 결정되지 않을 확률)
임을 이용한다.

13

흰 공 3개와 검은 공 5개가 들어 있는 주머니 A와 흰 공 6개와 검은 공 4개가 들어 있는 주머니 B가 있다. 주사위 1개를 던져 나온 눈의 수가 3의 배수이면 주머니 A를, 3의 배수가 아니면 주머니 B를 택해 1개의 공을 꺼낼 때, 흰 공이 나올 확률을 구하시오.

(단, 공의 모양과 크기는 모두 같다.)

A 주머니를 택할 확률과 B 주머니를 택할 확률을 생각한 후, 각각의 경우에 흰 공을 뽑을 확률을 구한다.

14

한 개의 동전을 한 번 던져 앞면이 나오면 주사위를 한 번 던지고 뒷면이 나오면 주사위를 두 번 던진다고 할 때, 주사위에서 6의 약수의 눈이 한 번만 나올 확률을 구하시오.

15

승아와 하연이는 토요일에 비가 오면 학교에서, 비가 오지 않으면 도서관, 카페, 독서실 중 한 곳에서 공부를 한다. 토요일에 비가 올 확률이 $\frac{1}{7}$일 때, 두 사람이 같은 곳에서 공부를 할 확률을 구하시오. (단, 도서관, 카페, 독서실에서 공부를 할 확률은 모두 같다.)

16 교과서 **추론** | 비상 유사 |

오른쪽 그림과 같은 전기 회로에서 세 스위치 A, B, C가 닫힐 확률이

각각 $\dfrac{2}{3}$, $\dfrac{1}{2}$, $\dfrac{1}{5}$일 때, 전구에 불이 들어오지 않을 확률을 구하시오.

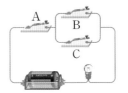

쌤의 출제 Point

17

1부터 6까지의 번호가 각각 하나씩 붙어 있는 6개의 전구가 있다. 주사위를 한 번 던져서 나온 눈의 수와 같은 번호의 전구에 불이 켜져 있으면 끄고, 꺼져 있으면 켠다고 한다. 6개의 전구 중 3개에 불이 켜져 있을 때, 주사위를 두 번 던진 후에도 불이 켜져 있는 전구가 3개일 확률을 구하시오.

불이 한 번 켜지고, 한 번 꺼져야 불이 켜져 있는 전구의 수가 그대로이다.

18

일기 예보에 따르면 어느 지역에서 비가 오지 않은 다음 날 비가 올 확률은 0.6, 비가 온 다음 날 비가 올 확률은 0.3이라 한다. 화요일에 비가 왔을 때, 그 주 목요일에 비가 올 확률을 구하시오.

19 만점 **KILL** 서울 | 목동

서로 다른 5개의 동전을 동시에 세 번 던질 때, 첫 번째, 두 번째, 세 번째에 앞면이 나온 동전의 개수를 각각 x, y, z라 하자. 이때 $(x+1)(y+2)(z+3)$이 짝수가 될 확률을 구하시오.

(단, x, y, z가 0이 되는 경우도 있다.)

$(x+1)(y+2)(z+3)$이 홀수가 되는 경우를 생각한다.

20 신유형 (서울 | 강남)

제비 뽑기를 통해 네 명의 학생 중에서 한 명의 청소 당번을 정하기로 했다. 상자에는 청소 당번 당첨 제비 1개를 포함하여 모양과 크기가 같은 4개의 제비가 들어 있다. 한 사람당 한 개씩 순서대로 제비를 뽑을 때, 청소 당번을 피하기 위해서는 몇 번째로 제비를 뽑는 것이 유리한 가? (단, 뽑은 제비는 다시 넣지 않는다.)

① 첫 번째   ② 두 번째   ③ 세 번째
④ 네 번째   ⑤ 뽑는 순서에 상관없이 청소 당번이 될 확률은 모두 같다.

21

흰 공이 2개, 검은 공이 6개 들어 있는 상자에서 한 개의 공을 꺼내 흰 공이 5개, 검은 공이 7개 들어 있는 주머니에 넣었다. 이 주머니에서 한 개의 공을 꺼낼 때, 그 공이 흰 공일 확률을 구하시오. (단, 공의 모양과 크기는 모두 같다.)

22 복합 개념 (안양 | 평촌)

오른쪽 그림과 같이 중심각의 크기가 150°인 부채꼴에 색칠이 되어 있는 원판 모양의 과녁에 화살을 두 번 쏠 때, 적어도 한 번은 색칠한 부분을 맞힐 확률을 구하시오.
             (단, 화살이 과녁을 벗어나거나 경계선에 맞는 경우는 없다.)

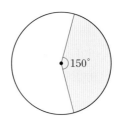

23 신유형 (서울 | 강남)

오른쪽 그림과 같이 한 변의 길이가 2인 정사각형 모양의 과녁에 다트를 던질 때, 다트가 꽂힌 위치가 정사각형의 네 꼭짓점에서 모두 1 이상 떨어져 있을 확률을 구하시오. (단, π는 3으로 계산하고, 다트가 과녁을 벗어나거나 경계선에 맞는 경우는 없다.)

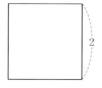

01 오른쪽 그림은 정삼각형의 각 변을 이등분하여 얻은 도형의 꼭짓점을 6개의 점으로 나타낸 것이다. 이 중에서 3개의 점을 연결하여 삼각형을 만들때, 정삼각형이 아닐 확률을 구하시오.

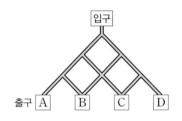

02 오른쪽 그림과 같이 입구에 공을 한 개 넣으면 아래쪽으로만 이동하여 출구로 공이 나오는 장치가 있다. A~D 네 사람이 오른쪽과 같이 본인의 바구니를 정하고 입구에 공을 하나씩 넣을 때, 바구니에 두 개의 공이 먼저 떨어지는 사람이 이기고 게임이 끝난다고 한다. 세 번째 공을 넣었을 때, B가 이길 확률을 구하시오. (단, 공이 각 갈림길에서 오른쪽이나 왼쪽으로 떨어질 확률은 같다.)

03 세희와 지원이가 배드민턴 경기를 5번 해서 3번 먼저 이긴 사람이 27개의 사탕을 가져가려고 한다. 한 번 경기를 할 때 세희가 이길 확률이 $\frac{2}{3}$라 한다. 현재까지 세희가 한 번, 지원이가 한 번 이긴 상태에서 경기가 중단되어 더 이상 경기를 할 수 없을 때, 세희가 가져갈 적절한 사탕의 개수를 구하시오. (단, 비기는 경우는 없다.)

🌐 **Challenge**

04 오른쪽 그림과 같이 밑면의 한 변의 길이가 10인 뚜껑이 없는 정육면체 모양의 상자에 반지름의 길이가 1인 원 모양의 동전을 던질 때, 동전이 떨어진 위치가 상자의 밑면의 네 변으로부터 3 이상 떨어져 있을 확률을 구하시오. (단, 동전은 항상 상자의 밑면에 붙게 떨어지고 비스듬히 떨어지거나 서는 경우는 없다.)

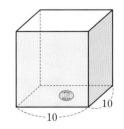

같은 문제
선배들의
다른 풀이

본책 97쪽 ● 19 번 문제

오른쪽 그림은 서로 다른 네 숫자를 비밀번호로 사용하는 버튼식 자물쇠이다. 1부터 8까지의 숫자가 각각 적힌 8개의 버튼 중 4개를 눌렀을 때, 누른 순서에 상관없이 눌러진 버튼에 적힌 숫자가 모두 비밀번호와 일치하면 자물쇠를 열 수 있다고 한다. 만들 수 있는 비밀번호 중 홀수가 두 개 이상 들어 있는 비밀번호의 개수를 구하시오.

고등학생이 되면 다른
방법으로 풀 수 있을까?

이 문제는 1부터 8까지의 자연수 중에서 순서를 생각하지 않고 4개를 뽑는 경우의 수에서 서로 다른 네 숫자로 이루어진 비밀번호 중 홀수가 1개만 들어 있거나 하나도 들어 있지 않은 경우의 수를 빼서 구할 수 있어. 그런데 고등학교 1학년 때 '조합'이라는 것을 배우면 순서를 생각하지 않고 뽑는 경우의 수를 좀더 편리하게 구할 수 있어.

서로 다른 n개에서 순서를 생각하지 않고 $r(r \leq n)$개를 택하는 것을 n개에서 r개를 택하는 조합이라 하고 그 조합의 수는

$$_n C_r = \frac{n(n-1)(n-2) \times \cdots \times (n-r+1)}{r(r-1)(r-2) \times \cdots \times 2 \times 1}$$ 로 나타낼 수 있어.

또한, $_n C_r = _n C_{n-r}$이라는 규칙도 있어.

위의 문제를 조합을 이용해서 풀면 전체 경우의 수는 $_8 C_4$이고

홀수가 1개만 들어 있는 비밀번호의 개수는 $_4 C_1 \times _4 C_3$이고 홀수가 없는 비밀번호의 개수는 $_4 C_4$야.

따라서 구하는 경우의 수는

$$_8 C_4 - (_4 C_1 \times _4 C_3 + _4 C_4) = \frac{8 \times 7 \times 6 \times 5}{4 \times 3 \times 2 \times 1} - (4 \times 4 + 1) = 70 - (16 + 1) = 53$$이야.

이 방법으로 구한 경우의 수가 우리가 구한 경우의 수와 같음을 확인할 수 있어. 이와 같이 조합을 활용하면 숫자가 더 많이 있는 자물쇠의 경우에도 쉽게 경우의 수를 구할 수 있어. 하지만 조합을 활용하기 위해서는 뽑는 순서를 생각하지 않아야 한다는 것을 잊지 않도록 해!

최상위의 절대 기준

절대등급

최상위의 절대 기준

최
상
위
의
절
대
기
준

절대등급

수는 만물의 근원

$a^2+b^2=c^2$

Pythagoras

피타고라스 정리 발견!

정답과 풀이
중학 수학 2-2

동아출판

절대등급 중학 수학 2-2 빠른 정답 안내

[모바일 빠른 정답]
QR 코드를 찍으면 **정답과 풀이**를 쉽고 빠르게 확인할 수 있습니다.

최상위의 절대기준

절대등급

중학 **수학 2-2**

정답과 풀이

빠른 정답	2~3
I. 삼각형의 성질	4
II. 사각형의 성질	20
III. 도형의 닮음과 피타고라스 정리	36
IV. 확률	64

I. 삼각형의 성질

01. 삼각형의 성질
| 본책 8쪽~15쪽

LEVEL 1 01 66° 02 28° 03 22° 04 12 cm 05 4 cm 06 4 cm
07 8 cm 08 42° 09 20 cm 10 10 11 32 cm² 12 30°

LEVEL 2 01 70° 02 96° 03 30° 04 50° 05 58° 06 128°
07 130° 08 6 cm 09 45 10 4 cm 11 28 cm 12 ① 13 12°
14 30 cm² 15 18 cm² 16 6 cm² 17 20° 18 27 cm² 19 10 cm
20 34 cm

LEVEL 3 01 2 cm 02 8 cm 03 24 cm² 04 72 cm²

02. 삼각형의 외심과 내심
| 본책 17쪽~25쪽

LEVEL 1 01 45° 02 25π cm² 03 ㄷ, ㄹ, ㅅ 04 110° 05 120°
06 ②, ⑤ 07 16° 08 180° 09 17 10 55° 11 45 cm² 12 15°
13 57 cm² 14 ④ 15 34° 16 165° 17 22 cm 18 8π m

LEVEL 2 01 14° 02 116° 03 120° 04 124 cm² 05 6° 06 108°
07 60° 08 46° 09 116° 10 42° 11 49° 12 4 cm 13 3 cm
14 $\frac{27}{5}$ cm 15 $\left(13 - \frac{3}{2}\pi\right)$ cm² 16 9π cm² 17 135° 18 50° 19 45°
20 45 cm²

LEVEL 3 01 30° 02 $\left(24 - \frac{32}{9}\pi\right)$ cm² 03 23° 04 100°

II. 사각형의 성질

03. 평행사변형
| 본책 29쪽~35쪽

LEVEL 1 01 102° 02 10 cm 03 10 cm² 04 16 cm 05 120°
06 ⑤ 07 12 cm² 08 32 cm² 09 48 cm² 10 7 cm 11 서연, 은서, 지호
12 64 cm²

LEVEL 2 01 90° 02 130° 03 4 cm 04 90° 05 100° 06 80°
07 17 cm 08 22° 09 99° 10 3 cm 11 2, 4, 10 12 25 cm 13 10초
14 10 cm² 15 12 cm² 16 40 cm²

LEVEL 3 01 40° 02 61° 03 75 cm² 04 22

04. 여러 가지 사각형
| 본책 38쪽~47쪽

LEVEL 1 01 60° 02 ④ 03 50° 04 56° 05 28 cm 06 70°
07 75° 08 38° 09 10 cm 10 ③ 11 ⑤ 12 ②, ⑤ 13 90 14 20 cm
15 14 cm² 16 10 cm² 17 65° 18 ③ 19 22 cm²

LEVEL 2 01 54° 02 45° 03 $\frac{96}{5}$ cm 04 ⑤ 05 $\frac{3}{2}$ cm² 06 40°
07 16π cm² 08 45° 09 13 cm² 10 $-\frac{16}{3}$ 11 63° 12 ㄱ, ㄷ
13 68 cm 14 8 cm 15 예인, 다영, 선우 16 2 17 ③ 18 9 cm²
19 90 cm² 20 14 cm² 21 4π cm² 22 16 cm² 23 32 cm² 24 18 cm²

LEVEL 3 01 10 cm 02 36 cm² 03 12 04 (1) 8초 (2) 32초

III. 도형의 닮음과 피타고라스 정리

05. 도형의 닮음
|본책 52쪽~61쪽

LEVEL 1 **01** ⑤ **02** ④ **03** (6, 9) **04** $24\pi\,\text{cm}^2$ **05** 8번 **06** $1\,\text{km}^2$

07 494 **08** 12 cm **09** 25 cm **10** $\dfrac{75}{8}$ cm **11** $\dfrac{75}{2}\,\text{cm}^2$ **12** $24\,\text{cm}^2$

13 12 cm **14** B : $35\,\text{cm}^3$, C : $95\,\text{cm}^3$ **15** ② **16** 48 cm **17** 12 cm

18 $\dfrac{27}{25}$ cm

LEVEL 2 **01** ㄱ, ㄷ, ㅁ, ㅂ **02** 4 : 1 **03** 25 cm **04** 9 : 6 : 4

05 케이크 B 1개 **06** 13 **07** 3 **08** 1 : 4 : 8 **09** 40° **10** 91 : 61

11 48 cm **12** 12 cm **13** $\dfrac{28}{5}$ cm **14** 4 m **15** 15 cm **16** $\dfrac{27}{2}$ cm

17 1 : 4 **18** $\dfrac{32}{5}$ cm **19** 25 : 16 **20** $\dfrac{72}{5}$ cm **21** 12

LEVEL 3 **01** $\dfrac{7}{4}$ **02** 4 cm **03** 23 % **04** 45 : 8

06. 닮음의 활용
|본책 64쪽~73쪽

LEVEL 1 **01** ㄱ, ㄷ, ㅂ **02** $\dfrac{25}{3}$ cm **03** 17 cm **04** 12 cm

05 $27\,\text{cm}^2$ **06** (1) $\dfrac{8}{3}$ cm (2) 5 cm **07** 288 **08** 17 cm **09** $\dfrac{40}{3}\,\text{cm}^2$

10 12 cm **11** 12 cm **12** 18 cm **13** 9 cm **14** 12 cm **15** $20\,\text{cm}^2$

16 8 cm **17** 6 cm **18** $4\,\text{cm}^2$

LEVEL 2 **01** 2 cm **02** $21\,\text{cm}^2$ **03** 8 cm **04** 8 cm **05** 10 cm

06 6 cm **07** (1) 10 cm (2) 4 cm **08** $20\,\text{cm}^2$ **09** 12 **10** 1

11 (1) $\overline{\text{OE}}=8\,\text{cm}$, $\overline{\text{OF}}=8\,\text{cm}$, $\overline{\text{GH}}=6\,\text{cm}$ (2) 3 : 1 : 2 **12** 9 cm

13 14 cm **14** 3 : 2 **15** 15 cm **16** 5 : 4 **17** 5 cm **18** 5 cm **19** 4 cm

20 $21\,\text{cm}^2$ **21** 18배 **22** $20\,\text{cm}^2$ **23** $45\,\text{cm}^2$ **24** (1) 4 cm (2) $\dfrac{35}{2}\,\text{cm}^2$

LEVEL 3 **01** 5 : 2 **02** $45\,\text{cm}^2$ **03** 5 **04** 3 : 2 : 10

07. 피타고라스 정리
|본책 76쪽~85쪽

LEVEL 1 **01** ⑤ **02** ① **03** $8\,\text{cm}^2$ **04** $58\,\text{cm}^2$ **05** ① **06** 6 cm

07 ④ **08** ① **09** ⑤ **10** 125 **11** ① **12** 56 **13** ③ **14** $24\,\text{cm}^2$ **15** 3

16 ④ **17** $48\,\text{cm}^2$ **18** 20 cm

LEVEL 2 **01** 3 **02** 50 **03** 12 **04** ③, ④ **05** $336\,\text{cm}^2$ **06** $100\pi\,\text{cm}^3$

07 $\dfrac{36}{5}$ cm **08** $\dfrac{168}{125}$ cm **09** 153 **10** 388 **11** $\dfrac{10}{3}$ cm **12** 129

13 30 **14** 85 **15** 15 cm **16** ㄴ, ㄷ, ㄹ **17** $100\,\text{cm}^2$ **18** 149 **19** ㄱ, ㄹ

20 (1) 28, 100 (2) 3, 4, 5, 11, 12, 13 **21** 175 **22** 80 **23** $\dfrac{25}{2}\pi\,\text{cm}^2$

24 72

LEVEL 3 **01** $\dfrac{72}{5}$ cm **02** 40 cm **03** 74 **04** ㄱ, ㄷ, ㄹ

IV. 확률

08. 경우의 수
|본책 90쪽~99쪽

LEVEL 1 **01** ⑤ **02** 6 **03** ⑤ **04** 36 **05** ④ **06** 18 **07** ③ **08** ⑤

09 48 **10** ③ **11** 12 **12** ② **13** 140 **14** 6 **15** ② **16** 45 **17** 5 **18** 36

LEVEL 2 **01** 9 **02** 4 **03** 13 **04** ② **05** 63 **06** 36 **07** 4 **08** 20

09 ④ **10** CBDEA **11** 7488 **12** 360 **13** 288 **14** ② **15** 336

16 7200 **17** 26 **18** 64 **19** 53 **20** 56 **21** 10 **22** 94

LEVEL 3 **01** 42 **02** 72 **03** 240 **04** 16

09. 확률
|본책 102쪽~111쪽

LEVEL 1 **01** ② **02** $\dfrac{2}{5}$ **03** ⑤ **04** ④ **05** ④ **06** $\dfrac{11}{60}$ **07** ③ **08** $\dfrac{1}{2}$

09 $\dfrac{3}{8}$ **10** ② **11** $\dfrac{7}{12}$ **12** $\dfrac{7}{40}$ **13** $\dfrac{12}{35}$ **14** $\dfrac{1}{3}$ **15** $\dfrac{144}{625}$ **16** $\dfrac{5}{6}$ **17** $\dfrac{1}{4}$

18 $\dfrac{1}{4}$

LEVEL 2 **01** $\dfrac{1}{6}$ **02** $\dfrac{7}{10}$ **03** $\dfrac{1}{2}$ **04** 4 **05** $\dfrac{1}{12}$ **06** $\dfrac{5}{18}$ **07** $\dfrac{98}{125}$

08 $\dfrac{13}{14}$ **09** ①, ⑤ **10** $\dfrac{1}{36}$ **11** (1) $\dfrac{1}{2}$ (2) $\dfrac{3}{8}$ **12** (1) $\dfrac{2}{3}$ (2) $\dfrac{2}{81}$ **13** $\dfrac{21}{40}$

14 $\dfrac{5}{9}$ **15** $\dfrac{3}{7}$ **16** $\dfrac{3}{5}$ **17** $\dfrac{2}{3}$ **18** 0.51 **19** $\dfrac{7}{8}$ **20** ⑤ **21** $\dfrac{21}{52}$ **22** $\dfrac{95}{144}$

23 $\dfrac{1}{4}$

LEVEL 3 **01** $\dfrac{12}{17}$ **02** $\dfrac{45}{256}$ **03** 20 **04** $\dfrac{1}{16}$

I. 삼각형의 성질

01. 삼각형의 성질

LEVEL 1 **시험에 꼭 내는 문제** → 8쪽~9쪽

01	66°	02	28°	03	22°	04	12 cm
05	4 cm	06	4 cm	07	8 cm	08	42°
09	20 cm	10	10	11	32 cm²	12	30°

01

$\triangle$DBC에서 $\overline{BD}=\overline{CD}$이므로

$\angle DCB=\angle B=38°$

$\triangle$ABC에서 $\overline{AC}=\overline{BC}$이므로

$\angle ACB=180°-2\times38°=104°$

$\therefore \angle ACD=\angle ACB-\angle DCB=104°-38°=66°$ **目** 66°

02

$\triangle$ABC에서 $\overline{AB}=\overline{AC}$이므로

$\angle ABC=\angle ACB=\dfrac{1}{2}\times(180°-56°)=62°$

$\therefore \angle DBC=\dfrac{1}{2}\times62°=31°$

$\angle DCE=\dfrac{1}{2}\times(180°-62°)=59°$

따라서 $\triangle$BCD에서

$\angle x=\angle DCE-\angle DBC=59°-31°=28°$ **目** 28°

03

$\angle A=\angle x$라 하면 $\triangle$ABC에서 $\overline{AB}=\overline{BC}$이므로

$\angle BCA=\angle A=\angle x$

$\therefore \angle CBD=\angle A+\angle BCA=2\angle x$

$\triangle$CBD에서 $\overline{BC}=\overline{CD}$이므로

$\angle CDB=\angle CBD=2\angle x$

$\therefore \angle ECD=\angle A+\angle CDB=3\angle x$

$\triangle$CDE에서 $\overline{CD}=\overline{DE}$이므로

$\angle CED=\angle ECD=3\angle x$

또한, $\overline{CD}/\!/\overline{EF}$이므로 $\angle CDE=\angle FED=48°$ (엇각)

따라서 $48°+3\angle x+3\angle x=180°$이므로

$6\angle x=132°$ $\therefore \angle x=22°$

$\therefore \angle A=22°$ **目** 22°

쌤의 오답 피하기 특강

$\angle ECD=\angle CBD+\angle CDB$로 실수하지 않도록 주의한다.

$\angle ECD$는 $\triangle$CAD의 한 외각으로 $\angle ECD=\angle A+\angle CDB$이다.

04

$\triangle$ABC에서

$\angle A=180°-(90°+30°)=60°$

$\triangle$ABD에서 $\overline{AD}=\overline{BD}$이므로

$\angle DBA=\angle A=60°$

따라서 $\angle ADB=60°$이므로 $\triangle$ABD는 정삼각형이다.

$\therefore \overline{AD}=\overline{BD}=\overline{AB}=6$ cm

한편, $\angle DBC=90°-60°=30°$이므로

$\angle C=\angle DBC$

따라서 $\triangle$DBC는 $\overline{DB}=\overline{DC}$인 이등변삼각형이므로

$\overline{DC}=\overline{DB}=6$ cm

$\therefore \overline{AC}=\overline{AD}+\overline{DC}=12$ (cm) **目** 12 cm

05

$\angle GFE=\angle EFC$ (접은 각),

$\angle GEF=\angle EFC$ (엇각)

이므로 $\angle GFE=\angle GEF$

따라서 $\triangle$GFE는 $\overline{GF}=\overline{GE}$인 이등변삼각형이다.

$\therefore \overline{GE}=\overline{GF}=4$ cm

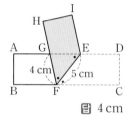

目 4 cm

06

$\triangle$ABC에서 $\overline{AB}=\overline{AC}$이므로

$\angle ACB=\angle B=\dfrac{1}{2}\times(180°-36°)=72°$

$\therefore \angle ACD=\angle BCD=\dfrac{1}{2}\times72°=36°$

즉, $\angle A=\angle ACD$이므로 $\triangle$ACD는 $\overline{AD}=\overline{CD}$인 이등변삼각형이다.

또한, $\angle CDB=\angle DAC+\angle DCA=36°+36°=72°$

즉, $\angle CBD=\angle CDB$이므로 $\triangle$BCD는 $\overline{CD}=\overline{BC}$인 이등변삼각형이다.

$\therefore \overline{AD}=\overline{CD}=\overline{BC}=4$ cm **目** 4 cm

07

$\triangle$ABD와 $\triangle$BCE에서

$\angle ADB=\angle BEC=90°$, $\overline{AB}=\overline{BC}$,

$\angle BAD=90°-\angle ABD=\angle CBE$

이므로 $\triangle$ABD$\equiv$$\triangle$BCE (RHA 합동)

$\therefore \overline{BE}=\overline{AD}=14$ cm, $\overline{BD}=\overline{CE}=6$ cm

$\therefore \overline{DE}=\overline{BE}-\overline{BD}=14-6=8$ (cm) **目** 8 cm

08

△ADM과 △BEM에서

∠ADM = ∠BEM = 90°, $\overline{AM} = \overline{BM}$, $\overline{DM} = \overline{EM}$

이므로 △ADM ≡ △BEM (RHS 합동)

∴ ∠A = ∠B = 21°

즉, △ABC가 $\overline{AC} = \overline{BC}$인 이등변삼각형이므로

∠C = 180° − 2 × 21° = 138°

따라서 사각형 MDCE에서

∠DME = 360° − 90° − 90° − 138° = 42°　　　답 42°

09

오른쪽 그림과 같이 점 D에서 $\overline{AB}$에 내린

수선의 발을 E라 하면

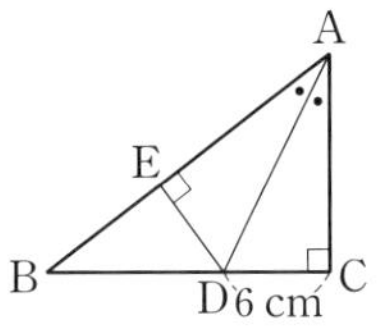

△ACD와 △AED에서

∠C = ∠AED = 90°,

$\overline{AD}$는 공통, ∠CAD = ∠EAD

이므로 △ACD ≡ △AED (RHA 합동)

∴ $\overline{DE} = \overline{DC} = 6$ cm

△ABD의 넓이가 60 cm²이므로

$\frac{1}{2} \times \overline{AB} \times 6 = 60$

∴ $\overline{AB} = 20$ (cm)　　　답 20 cm

10

$\overline{BD} = \overline{AB} - \overline{AD} = 5 - 3 = 2$ (m)이므로 $z = 2$

△AEF에서 $\overline{AE} = \overline{AF}$이므로

$∠AFE = \frac{1}{2} \times (180° − 28°) = 76°$　　∴ $x = 76$

△GFC에서 $\overline{GF} = \overline{GC}$이므로

$∠GFC = \frac{1}{2} \times (180° − 108°) = 36°$

따라서 ∠AFG = 180° − 76° − 36° = 68°이므로 $y = 68$

∴ $x − y + z = 76 − 68 + 2 = 10$　　　답 10

11

△ABD와 △CAE에서

∠ADB = ∠CEA = 90°, $\overline{AB} = \overline{CA}$,

∠ABD = 90° − ∠BAD = ∠CAE

이므로 △ABD ≡ △CAE (RHA 합동)

∴ $\overline{AD} = \overline{CE} = 3$ cm, $\overline{AE} = \overline{BD} = 5$ cm

따라서 사각형 BCED의 넓이는

$\frac{1}{2} \times (3 + 5) \times (3 + 5) = 32$ (cm²)　　　답 32 cm²

쌤의 특강

(사다리꼴의 넓이) $= \frac{1}{2} \times \{($윗변의 길이$) + ($아랫변의 길이$)\} \times ($높이$)$

12

△ADE와 △CDE에서

$\overline{AD} = \overline{CD}$, ∠ADE = ∠CDE, $\overline{DE}$는 공통

이므로 △ADE ≡ △CDE (SAS 합동)

∴ ∠DAE = ∠DCE = ∠x

△ABE와 △ADE에서

∠B = ∠ADE = 90°, $\overline{AE}$는 공통, $\overline{BE} = \overline{DE}$

이므로 △ABE ≡ △ADE (RHS 합동)

∴ ∠BAE = ∠DAE = ∠x

따라서 △ABC에서

$2∠x + 90° + ∠x = 180°$, $3∠x = 90°$

∴ ∠x = 30°　　　답 30°

LEVEL 2 필수 기출 문제　　→ 10쪽~14쪽

01 70°	02 96°	03 30°	04 50°	05 58°
06 128°	07 130°	08 6 cm	09 45	10 4 cm
11 28 cm	12 ①	13 12°	14 30 cm²	15 18 cm²
16 6 cm²	17 20°	18 27 cm²	19 10 cm	20 34 cm

01

[전략] 이등변삼각형의 두 밑각의 크기는 같음을 이용한다.

△BCD에서 $\overline{BC} = \overline{BD}$이므로

∠BCD = ∠BDC = ∠a라 하면

∠ABC = ∠a + ∠a = 2∠a

△ABC에서 $\overline{AB} = \overline{AC}$이므로

∠ACB = ∠ABC = 2∠a

∠ACD = 2∠a + ∠a = 180° − 75°이므로

$3∠a = 105°$　　∴ ∠a = 35°

△BCD에서 ∠x = 180° − 2 × 35° = 110°

△ABC에서 ∠y = 180° − 2 × 70° = 40°

∴ ∠x − ∠y = 110° − 40° = 70°　　　답 70°

참고 다음과 같이 ∠y의 크기를 구할 수도 있다.

△CAD에서 ∠y + 35° = 75°　　∴ ∠y = 40°

02

[전략] ∠BAD = ∠a라 하고 ∠ACE의 크기를 ∠a에 대한 식으로 나타낸다.

∠BAD = ∠a라 하면 ∠BAC = 4∠BAD = 4∠a

∴ ∠DAC = 4∠a − ∠a = 3∠a

△ABC에서 $\overline{AB}=\overline{AC}$이므로

$\angle ACB=\dfrac{1}{2}\times(180°-4\angle a)=90°-2\angle a$

$\therefore \angle ACE=(90°-2\angle a)-24°=66°-2\angle a$

△AEC에서 $3\angle a+(66°-2\angle a)+90°=180°$이므로

$\angle a+156°=180°$ $\quad\therefore \angle a=24°$

$\therefore \angle BAC=4\angle a=4\times24°=96°$ 🔲 96°

03

[전략] 이등변삼각형의 두 밑각의 크기는 같고, 정삼각형의 세 변의 길이와 세 내각의 크기가 같음을 이용한다.

△ABC에서 $\overline{AB}=\overline{AC}$이므로

$\angle ABC=\angle ACB=\dfrac{1}{2}\times(180°-20°)=80°$

△ACD가 정삼각형이므로 $\angle CAD=60°$

$\therefore \angle BAD=20°+60°=80°$

이때 $\overline{AB}=\overline{AC}=\overline{AD}$이므로 △ABD는 이등변삼각형이다.

$\therefore \angle ABD=\angle ADB=\dfrac{1}{2}\times(180°-80°)=50°$

$\therefore \angle EBC=80°-50°=30°$ 🔲 30°

04

[전략] 두 이등변삼각형 ADE와 CEF의 내각의 크기의 합을 이용하여 ∠AED와 ∠CEF의 크기의 합을 구한다.

△ABC에서 $\angle A+\angle C=180°-80°=100°$

$\angle AED=\angle a$, $\angle CEF=\angle b$라 하면

△ADE와 △CEF에서

$\angle ADE=\angle AED=\angle a$, $\angle CFE=\angle CEF=\angle b$이므로

$(\angle A+\angle a+\angle a)+(\angle C+\angle b+\angle b)=180°+180°=360°$

$\angle A+\angle C+2\angle a+2\angle b=360°$

$2\angle a+2\angle b=360°-100°=260°$

$\therefore \angle a+\angle b=130°$

$\therefore \angle x=180°-(\angle a+\angle b)=180°-130°=50°$ 🔲 50°

05

[전략] $\angle BFG=\angle a$라 하고 이등변삼각형의 성질과 평행선에서 엇각의 성질을 이용한다.

$\angle BFG=\angle a$라 하면

△GBF에서 $\overline{GB}=\overline{GF}$이므로 $\angle FBG=\angle BFG=\angle a$

$\therefore \angle BGD=\angle a+\angle a=2\angle a$

△BGD에서 $\overline{BG}=\overline{BD}$이므로

$\angle BDG=\angle BGD=2\angle a$

$\overline{FA}\,/\!/\,\overline{CD}$이므로 $\angle EDC=\angle BFG$ (엇각)

$\therefore \angle EDC=\angle a$

또한, $\overline{BA}\,/\!/\,\overline{CD}$이므로 $\angle BDC=\angle ABD=48°$ (엇각)

즉, $\angle BDC=2\angle a+\angle a=3\angle a=48°$이므로

$\angle a=16°$ $\quad\therefore \angle EDC=16°$

따라서 △ECD에서 $\angle CED=180°-90°-16°=74°$이고

$\angle GEB=\angle CED$(맞꼭지각)이므로

$\angle GEB=74°$

$\therefore \angle GEB-\angle EDC=74°-16°=58°$ 🔲 58°

쌤의 복합 개념 특강

평행선에서의 엇각

오른쪽 그림에서 $l\,/\!/\,m$이면 엇각의 크기는 서로 같다.

➡ $\angle a=\angle b$

06

[전략] 이등변삼각형의 꼭지각의 이등분선은 밑변을 수직이등분한다.

오른쪽 그림에서 $\overline{AF}$가 이등변삼각형 ABC의 꼭지각의 이등분선이므로 그 연장선이 $\overline{BC}$와 만나는 점을 H라 하면

$\overline{AH}\perp\overline{BC}$

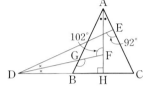

△FDH에서 $\angle FDH=102°-90°=12°$

△EDC에서 $\angle EDC=2\angle FDH=2\times12°=24°$이므로

$\angle ECD=180°-24°-92°=64°$

△ABC에서 $\overline{AB}=\overline{AC}$이므로

$\angle ABC=\angle ACB=64°$

따라서 △GDB에서

$\angle BGF=\angle GDB+\angle GBD=12°+(180°-64°)=128°$

🔲 128°

07

[전략] $\overline{AB}=\overline{BC}$, $\overline{BD}=\overline{BE}$임을 이용하여 합동인 삼각형을 찾는다.

△ABD와 △CBE에서

$\overline{AB}=\overline{CB}$, $\overline{BD}=\overline{BE}$,

$\angle ABD=50°+\angle CBD=\angle CBE$

이므로 △ABD≡△CBE (SAS 합동)

$\therefore \angle DAB=\angle ECB$

△ABC에서 $\overline{BA}=\overline{BC}$이므로

$\angle BAC=\angle BCA=\dfrac{1}{2}\times(180°-50°)=65°$

따라서 △CAH에서

$\angle x=\angle HCA+\angle CAH$

$\quad=(\angle ECB+65°)+(65°-\angle DAB)$

$\quad=130°$ 🔲 130°

08

[전략] 이등변삼각형이 되는 조건을 이용하여 변의 길이를 구한다.

△ABC에서 $\angle B=\angle C$이므로

$\overline{AC}=\overline{AB}=12\ cm$

오른쪽 그림과 같이 $\overline{AD}$를 그으면
$(\triangle ABC$의 넓이$)$
$=(\triangle ABD$의 넓이$)+(\triangle ACD$의 넓이$)$
$=\dfrac{1}{2}\times\overline{AB}\times\overline{DE}+\dfrac{1}{2}\times\overline{AC}\times\overline{DF}$
$=\dfrac{1}{2}\times12\times\overline{DE}+\dfrac{1}{2}\times12\times\overline{DF}$
$=6(\overline{DE}+\overline{DF})$
이때 $\triangle ABC$의 넓이가 $36\ \text{cm}^2$이므로
$6(\overline{DE}+\overline{DF})=36$ $\therefore \overline{DE}+\overline{DF}=6\ (\text{cm})$ 🔲 6 cm

09

[전략] 이등변삼각형에서 꼭지각의 이등분선은 밑변을 수직이등분함을 이용한다.

$\angle FDC=110°$이므로
$\angle CDA=180°-110°=70°$
이때 $\triangle CDA$는 $\overline{CA}=\overline{CD}$인 이등변삼각형이므로
$\angle CAD=\angle CDA=70°$
$\triangle CDA$에서 꼭지각 C의 이등분선은 밑변 AD를 수직이등분하므로 $\angle CEA=90°$
$\therefore \angle ACE=180°-90°-70°=20°$
또한, $\triangle EBC$에서
$\angle EBC=180°-90°-55°=35°$
$\therefore x=35$
한편, $\angle ACB=55°-20°=35°$이므로
$\triangle ABC$는 $\overline{AB}=\overline{AC}$인 이등변삼각형이다.
즉, $\overline{CD}=\overline{AC}=\overline{AB}=10\ \text{cm}$이므로 $y=10$
$\therefore x+y=35+10=45$ 🔲 45

쌤의 특강

각의 크기를 구할 때 자주 이용되는 성질
삼각형에서 각의 크기를 구할 때 자주 이용되는 도형의 성질은 다음과 같다.
(1) 평각의 크기는 $180°$이다.
(2) 삼각형의 세 내각의 크기의 합은 $180°$이다.
(3) 삼각형의 한 외각의 크기는 그와 이웃하지 않는 두 내각의 크기의 합과 같다.

10

[전략] 이등변삼각형과 맞꼭지각의 성질을 이용하여 서로 크기가 같은 각을 찾는다.

$\triangle ABC$에서 $\overline{AB}=\overline{AC}=8\ \text{cm}$이므로
$\angle ABC=\angle ACB$
두 직각삼각형 EDC, MDB에서
$\angle BMD=90°-\angle MBD$
$\qquad\quad\ =90°-\angle ACB$
$\qquad\quad\ =\angle CED$
이고 $\angle AME=\angle BMD$ (맞꼭지각)이므로
$\angle AME=\angle CED$
즉, $\triangle AEM$은 $\overline{AE}=\overline{AM}$인 이등변삼각형이므로
$\overline{AE}=\overline{AM}=\dfrac{1}{2}\times8=4\ (\text{cm})$ 🔲 4 cm

11

[전략] 평행선의 성질을 이용하여 크기가 같은 각을 찾는다.

$\triangle ABC$에서 $\overline{AB}=\overline{AC}$이므로 $\angle B=\angle C$
이때 $\overline{AB}/\!/\overline{EF}$이므로 $\angle B=\angle FEC$ (동위각)
또한, $\overline{AC}/\!/\overline{DE}$이므로 $\angle C=\angle DEB$ (동위각)
크기가 같은 각을 표시하면 오른쪽 그림과 같다.

즉, $\angle B=\angle DEB$이므로 $\triangle DBE$는 $\overline{DB}=\overline{DE}$인 이등변삼각형이고,
$\angle C=\angle FEC$이므로 $\triangle FEC$는 $\overline{FE}=\overline{FC}$인 이등변삼각형이다.
따라서 사각형 ADEF의 둘레의 길이는
$\overline{AD}+\overline{DE}+\overline{FE}+\overline{AF}=\overline{AD}+\overline{DB}+\overline{FC}+\overline{AF}$
$\qquad\qquad\qquad\qquad\qquad\ =\overline{AB}+\overline{AC}$
$\qquad\qquad\qquad\qquad\qquad\ =14+14$
$\qquad\qquad\qquad\qquad\qquad\ =28\ (\text{cm})$ 🔲 28 cm

쌤의 복합 개념 특강

평행선에서의 동위각
오른쪽 그림에서 $l/\!/m$이면 동위각의 크기는 서로 같다.
➡ $\angle a=\angle b$

12

[전략] 보조선을 그어 합동인 두 삼각형을 만든다.

오른쪽 그림과 같이 $\overline{BC}$ 위에 $\overline{AC}=\overline{EC}$가 되도록 점 E를 잡으면

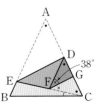

$\triangle ACD$와 $\triangle ECD$에서
$\overline{AC}=\overline{EC}$, $\overline{CD}$는 공통,
$\angle ACD=\angle ECD$
이므로 $\triangle ACD\equiv\triangle ECD$ (SAS 합동)
$\therefore \angle DEC=\angle DAC=100°$, $\overline{EC}=\overline{AC}=a$, $\overline{DE}=\overline{DA}=b$
이때 $\triangle DBE$에서
$\angle EDB=\angle DEC-\angle DBE=100°-50°=50°$
따라서 $\triangle DBE$는 $\overline{BE}=\overline{DE}$인 이등변삼각형이므로
$\overline{BE}=\overline{DE}=\overline{DA}=b$
$\therefore \overline{BC}=\overline{BE}+\overline{EC}=b+a$ 🔲 ①

13

[전략] $\angle A=\angle FCG=\angle FDG$임을 이용한다.

오른쪽 그림에서
$\angle A=\angle FCG=\angle FDG$ (접은 각)
또한, $\angle CFG=\angle DFG$ (접은 각)이므로
$\angle CFG=38°$
$\therefore \angle DFC=38°+38°=76°$
$\triangle FCD$는 $\overline{FC}=\overline{FD}$인 이등변삼각형이므로

$\angle FCD = \frac{1}{2} \times (180° - 76°) = 52°$　　　$\therefore \angle A = 52°$

$\triangle ABC$는 $\overline{AB} = \overline{AC}$인 이등변삼각형이므로

$\angle ACB = \frac{1}{2} \times (180° - 52°) = 64°$

$\therefore \angle ECB = \angle ACB - \angle FCD = 64° - 52° = 12°$　　　🖪 $12°$

14

[전략] $\triangle ABF$와 합동인 삼각형을 찾아 $\overline{BF}$의 길이를 구한다.

$\angle AFG = \angle GFC$ (접은 각),

$\angle AGF = \angle GFC$ (엇각)

이므로 $\angle AFG = \angle AGF$

따라서 $\triangle AFG$는 $\overline{AF} = \overline{AG}$인 이등
변삼각형이므로 $\overline{AF} = \overline{AG} = 13\,cm$

$\triangle ABF$와 $\triangle AEG$에서

$\angle ABF = \angle AEG = 90°$, $\overline{AF} = \overline{AG}$,

$\angle BAF = 90° - \angle FAG = \angle EAG$

이므로 $\triangle ABF \equiv \triangle AEG$ (RHA 합동)　　　$\therefore \overline{BF} = \overline{EG}$

한편, $\overline{AB} : \overline{AD} = 2 : 3$이므로

$12 : (13 + \overline{GD}) = 2 : 3$, $2(13 + \overline{GD}) = 36$

$13 + \overline{GD} = 18$　　　$\therefore \overline{GD} = 5\,(cm)$

즉, $\overline{EG} = \overline{GD}$이므로 $\overline{BF} = \overline{EG} = 5\,cm$

$\therefore (\triangle ABF의 넓이) = \frac{1}{2} \times 5 \times 12 = 30\,(cm^2)$　　　🖪 $30\,cm^2$

15

[전략] 합동인 두 직각삼각형을 찾는다.

$\triangle ABF$와 $\triangle BCG$에서

$\overline{AB} = \overline{BC}$, $\angle AFB = \angle BGC = 90°$,

$\angle ABF = 90° - \angle GBC = \angle BCG$

이므로 $\triangle ABF \equiv \triangle BCG$ (RHA 합동)

$\therefore \overline{BG} = \overline{AF} = 12\,cm$, $\overline{BF} = \overline{CG} = 9\,cm$

이때 $\overline{FG} = \overline{BG} - \overline{BF} = 12 - 9 = 3\,(cm)$이므로

$(\triangle AFG의 넓이) = \frac{1}{2} \times \overline{FG} \times \overline{AF}$

$= \frac{1}{2} \times 3 \times 12 = 18\,(cm^2)$　　　🖪 $18\,cm^2$

16

[전략] $\triangle ABC = \triangle ABE + \triangle AEC$임을 이용한다.

$\overline{AD} = \overline{AC} = 6\,cm$이므로 $\overline{DB} = \overline{AB} - \overline{AD} = 10 - 6 = 4\,(cm)$

$\triangle ADE$와 $\triangle ACE$에서

$\angle ADE = \angle ACE = 90°$, $\overline{AE}$는 공통, $\overline{AD} = \overline{AC}$

이므로 $\triangle ADE \equiv \triangle ACE$ (RHS 합동)

$\therefore \overline{DE} = \overline{CE}$

$\triangle ABC = \triangle ABE + \triangle AEC$이므로

$\frac{1}{2} \times 8 \times 6 = \frac{1}{2} \times 10 \times \overline{DE} + \frac{1}{2} \times \overline{CE} \times 6$

$24 = 8\overline{DE}$　　　$\therefore \overline{DE} = 3\,(cm)$

따라서 $\triangle BED$의 넓이는

$\frac{1}{2} \times \overline{DB} \times \overline{DE} = \frac{1}{2} \times 4 \times 3 = 6\,(cm^2)$　　　🖪 $6\,cm^2$

17

[전략] 합동인 두 직각삼각형을 찾은 후 각의 크기를 구한다.

$\triangle AED$와 $\triangle CFD$에서

$\angle DAE = \angle DCF = 90°$, $\overline{DE} = \overline{DF}$, $\overline{AD} = \overline{CD}$

이므로 $\triangle AED \equiv \triangle CFD$ (RHS 합동)

$\therefore \angle CDF = \angle ADE = 25°$

이때 $\angle EDC = 90° - 25° = 65°$이므로

$\angle EDF = \angle EDC + \angle CDF = 65° + 25° = 90°$

$\triangle DEF$에서 $\overline{DE} = \overline{DF}$이므로

$\angle DFE = \frac{1}{2} \times (180° - 90°) = 45°$

따라서 $\triangle CFD$에서 $\angle DFC = 180° - 90° - 25° = 65°$이므로

$\angle BFE = \angle DFC - \angle DFE = 65° - 45° = 20°$　　　🖪 $20°$

18

[전략] $\overline{DA}$의 연장선을 그은 후 $\overline{AC} = \overline{AE}$임을 이용하여 합동임을 보일 수 있는
직각삼각형을 만든다.

오른쪽 그림과 같이 점 E에서 $\overline{DA}$의 연장
선 위에 내린 수선의 발을 F라 하면

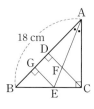

$\triangle ABC$와 $\triangle AFE$에서

$\angle ABC = \angle AFE = 90°$, $\overline{AC} = \overline{AE}$,

$\angle BAC = 90° - \angle FAC = \angle FAE$

이므로 $\triangle ABC \equiv \triangle AFE$ (RHA 합동)

$\therefore \overline{EF} = \overline{CB} = 6\,cm$

따라서 $\triangle EDA$의 넓이는

$\frac{1}{2} \times \overline{DA} \times \overline{EF} = \frac{1}{2} \times 9 \times 6 = 27\,(cm^2)$　　　🖪 $27\,cm^2$

쌤의 만점 특강

점 E에서 $\overline{DA}$의 연장선 위에 수선의 발 F를 내렸을 때, $\triangle EDA$의 넓이를 구
하려면 높이인 $\overline{EF}$의 길이를 알아야 한다. 이때 $\angle ABC = \angle AFE = 90°$이
고, $\overline{AC} = \overline{AE}$이므로 직각삼각형의 합동 조건을 이용한다.

19

[전략] 점 E에서 $\overline{AB}$에 수선을 그은 후 합동인 삼각형을 찾는다.

오른쪽 그림과 같이 점 E에서 $\overline{AB}$에 내린 수
선의 발을 G라 하면

$\triangle ABE$의 넓이가 $45\,cm^2$이므로

$\frac{1}{2} \times \overline{AB} \times \overline{EG} = 45$

$\frac{1}{2} \times 18 \times \overline{EG} = 45$　　　$\therefore \overline{EG} = 5\,(cm)$

△AGE와 △ACE에서

∠AGE＝∠ACE＝90°, $\overline{AE}$는 공통, ∠GAE＝∠CAE

이므로 △AGE≡△ACE (RHA 합동)

∴ ∠AEG＝∠AEC, $\overline{EG}＝\overline{EC}$

또한, $\overline{CD}$∥$\overline{EG}$이므로 ∠CFE＝∠FEG (엇각)

즉, △CFE에서 ∠CFE＝∠CEF이므로 $\overline{CF}＝\overline{CE}＝5\,cm$

∴ $\overline{CE}＋\overline{CF}＝5＋5＝10\,(cm)$ 🖹 10 cm

20

[전략] △PBD≡△PBF (RHA 합동), △PCE≡△PCF (RHA 합동)임을
이용한다.

△PBD와 △PBF에서

∠PDB＝∠PFB＝90°, $\overline{PB}$는 공통, ∠PBD＝∠PBF

이므로 △PBD≡△PBF (RHA 합동)

∴ $\overline{PD}＝\overline{PF}$, $\overline{BD}＝\overline{BF}$

△PCE와 △PCF에서

∠PEC＝∠PFC＝90°, $\overline{PC}$는 공통, ∠PCE＝∠PCF

이므로 △PCE≡△PCF (RHA 합동)

∴ $\overline{PE}＝\overline{PF}$, $\overline{CE}＝\overline{CF}$

오른쪽 그림과 같이 $\overline{AP}$를 그으면

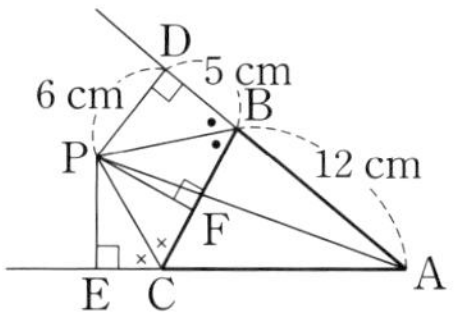

△ADP와 △AEP에서

∠ADP＝∠AEP＝90°,

$\overline{AP}$는 공통, $\overline{PD}＝\overline{PE}$

이므로 △ADP≡△AEP (RHS 합동)

∴ $\overline{AE}＝\overline{AD}＝\overline{AB}＋\overline{BD}＝12＋5＝17\,(cm)$

따라서 △ABC의 둘레의 길이는

$$\overline{AB}＋\overline{BC}＋\overline{CA}＝\overline{AB}＋\overline{BF}＋\overline{FC}＋\overline{CA}$$
$$＝\overline{AB}＋\overline{BD}＋\overline{EC}＋\overline{CA}$$
$$＝\overline{AD}＋\overline{AE}＝17＋17＝34\,(cm)$$ 🖹 34 cm

🔷 쌤의 특강

$\overline{PD}＝\overline{PE}$이므로 점 P는 ∠A를 이루는 두 변으로부터 같은 거리에 있다.
따라서 점 P는 ∠A의 이등분선 위에 있으므로 ∠PAD＝∠PAE임을 알
수 있다.

LEVEL 3 최고난도 문제   → 15쪽

| 01 2 cm | 02 8 cm | 03 24 cm² | 04 72 cm² |

01   solution 미리 보기

step ❶	평행선의 성질을 이용하여 크기가 같은 각 찾기
step ❷	이등변삼각형이 되는 조건을 이용하여 길이가 같은 선분 찾기
step ❸	$\overline{DG}$의 길이 구하기

$\overline{AE}$∥$\overline{BC}$이므로

∠FCG＝∠FAE (엇각), ∠FGC＝∠FEA (엇각)   ❶

이때 △ABC≡△ADE이므로 ∠ACB＝∠AED

∴ ∠FCG＝∠FGC, ∠FAE＝∠FEA

따라서 △FGC, △FEA는 모두 이등변삼각형이므로

$\overline{EF}＝\overline{AF}$, $\overline{FG}＝\overline{FC}$ ❷

$$∴ \overline{DG}＝\overline{DE}－(\overline{FG}＋\overline{EF})$$
$$＝\overline{BC}－(\overline{FC}＋\overline{AF})$$
$$＝\overline{BC}－\overline{AC}＝8－6＝2\,(cm)$$ ❸

🖹 2 cm

02   solution 미리 보기

step ❶	보조선을 그어 합동인 삼각형을 찾아 길이가 같은 선분 찾기
step ❷	평행선의 성질과 이등변삼각형이 되는 조건을 이용하여 길이가 같은 선분 찾기
step ❸	$\overline{AB}＋\overline{AC}$의 길이를 이용하여 $\overline{CE}$의 길이 구하기

오른쪽 그림과 같이 점 B에서 $\overline{AC}$와
평행한 선을 그어 $\overline{FM}$의 연장선과 만
나는 점을 G라 하자.

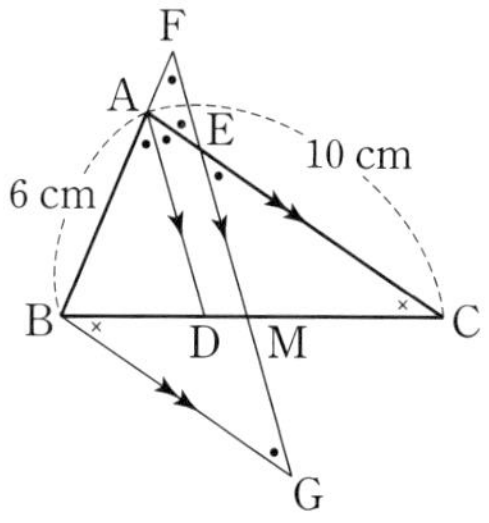

△MBG와 △MCE에서

$\overline{BM}＝\overline{CM}$,

∠BMG＝∠CME (맞꼭지각),

∠MBG＝∠MCE (엇각)

이므로 △MBG≡△MCE (ASA 합동)

∴ $\overline{BG}＝\overline{CE}$ ……㉠   ❶

이때 $\overline{AD}$∥$\overline{FM}$이므로

∠BAD＝∠BFG (동위각), ∠DAC＝∠AEF (엇각)

∠AEF＝∠MEC (맞꼭지각)

또한, $\overline{AC}$∥$\overline{BG}$이므로 ∠MEC＝∠MGB (엇각)

즉, ∠BFG＝∠AEF＝∠BGF이므로

$\overline{BG}＝\overline{BF}$, $\overline{AE}＝\overline{AF}$ ……㉡   ❷

㉠, ㉡에서 $\overline{CE}＝\overline{BF}$이므로

$$\overline{AB}＋\overline{AC}＝\overline{BF}－\overline{AF}＋\overline{AE}＋\overline{CE}$$
$$＝\overline{BF}－\overline{AE}＋\overline{AE}＋\overline{CE}$$
$$＝\overline{BF}＋\overline{CE}$$
$$＝\overline{CE}＋\overline{CE}$$
$$＝2\overline{CE}$$

$$∴ \overline{CE}＝\frac{1}{2}(\overline{AB}＋\overline{AC})＝\frac{1}{2}×(6＋10)＝8\,(cm)$$ ❸

🖹 8 cm

🔷 쌤의 특강

㉠, ㉡에서 $\overline{CE}＝\overline{BF}$임을 이용하여 다음과 같이 $\overline{CE}$의 길이를 구할 수도 있다.

$\overline{AF}＝\overline{AE}＝x\,cm$라 하면 $\overline{CE}＝10－x\,(cm)$, $\overline{BF}＝6＋x\,(cm)$

즉, 10－x＝6＋x, 2x＝4   ∴ x＝2

∴ $\overline{CE}＝10－2＝8\,(cm)$

03 solution 미리 보기

step ①	보조선을 그어 합동인 두 직각삼각형 찾기
step ②	$\overline{CG}$, $\overline{CF}$의 길이 각각 구하기
step ③	△FCG의 넓이 구하기

오른쪽 그림과 같이 점 D에서 $\overline{AC}$에 내린 수
선의 발을 H라 하면
△GFC와 △DGH에서
∠GCF=∠DHG=90°, $\overline{GF}=\overline{DG}$,
∠FGC=90°−∠DGH=∠GDH
이므로 △GFC≡△DGH (RHA 합동) ······ ①

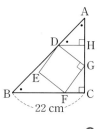

$\therefore \overline{CF}=\overline{HG}, \overline{CG}=\overline{HD}$
이때 △ADH에서 ∠A=∠B, ∠B=∠ADH (동위각)이므로
$\overline{AH}=\overline{DH}$ $\therefore \overline{AH}=\overline{DH}=\overline{GC}$
$\overline{CG}+\overline{GH}=\overline{CG}+\overline{FC}=14$ cm이므로
$\overline{AH}=\overline{AC}-(\overline{CG}+\overline{GH})$
$=22-14=8$ (cm)
$\therefore \overline{CG}=\overline{AH}=8$ cm, $\overline{CF}=14-8=6$ (cm) ······ ②
따라서 △FCG의 넓이는
$\dfrac{1}{2}\times 6\times 8=24$ (cm²) ······ ③

답 24 cm²

04 solution 미리 보기

step ①	△AED≡△AFD (RHA 합동), △BMD≡△CMD (SAS 합동)임을 이용하여 △CDF와 합동인 삼각형 찾기
step ②	$\overline{CF}$의 길이 구하기
step ③	△ADC의 넓이 구하기

△AED와 △AFD에서
∠AED=∠AFD=90°, $\overline{AD}$는 공통, ∠DAE=∠DAF
이므로 △AED≡△AFD (RHA 합동)
$\therefore \overline{DE}=\overline{DF}$ ······ ㉠
△BMD와 △CMD에서
∠BMD=∠CMD=90°, $\overline{MD}$는 공통, $\overline{BM}=\overline{CM}$
이므로 △BMD≡△CMD (SAS 합동)
$\therefore \overline{BD}=\overline{CD}$ ······ ㉡
한편, ∠BED=∠CFD=90° ······ ㉢
㉠, ㉡, ㉢에서 △BDE≡△CDF (RHS 합동) ······ ①
$\therefore \overline{CF}=\overline{BE}=\overline{AB}-\overline{AE}=\overline{AB}-\overline{AF}=20-16=4$ (cm) ······ ②

따라서 $\overline{AC}=\overline{AF}-\overline{CF}=16-4=12$ (cm)이고,
$\overline{DF}=\overline{DE}=12$ cm이므로 △ADC의 넓이는
$\dfrac{1}{2}\times \overline{AC}\times \overline{DF}=\dfrac{1}{2}\times 12\times 12=72$ (cm²) ······ ③

답 72 cm²

02. 삼각형의 외심과 내심

LEVEL 1 시험에 꼭 내는 문제 → 17쪽~19쪽

01 45°	02 25π cm²	03 ㄷ, ㄹ, ㅅ	04 110°	05 120°
06 ②, ⑤	07 16°	08 180°	09 17	10 55°
11 45 cm²	12 15°	13 57 cm²	14 ④	15 34°
16 165°	17 22 cm	18 8π m		

01

오른쪽 그림과 같이 $\overline{OA}$를 그으면
$\overline{OA}=\overline{OB}$이므로
∠OAB=∠OBA=14°
$\overline{OA}=\overline{OC}$이므로
∠OAC=∠OCA=31°
$\therefore$ ∠A=∠OAB+∠OAC
$=14°+31°=45°$

답 45°

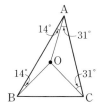

02

직각삼각형의 외심은 빗변의 중점이므로 △ABC의 외접원의 반
지름의 길이는 $\dfrac{1}{2}\times 10=5$ (cm)이다.
따라서 구하는 넓이는 $\pi\times 5^2=25\pi$ (cm²)이다. **답** 25π cm²

03

ㄱ. 삼각형의 외심에서 세 꼭짓점에 이르는 거리는 모두 같으므로
$\overline{OA}=\overline{OB}=\overline{OC}$
ㄴ, ㄷ. 점 O는 세 변의 수직이등분선의 교점이므로
$\overline{AD}=\overline{BD}, \overline{BE}=\overline{CE}, \overline{AF}=\overline{CF}$
ㄹ, ㅅ, ㅇ. △OAD≡△OBD (SAS 합동)이므로
∠OAD=∠OBD
ㅁ. △OFA≡△OFC (SAS 합동)
ㅂ. △OBE≡△OCE (SAS 합동)이므로 ∠BOE=∠COE
따라서 옳지 않은 것은 ㄷ, ㄹ, ㅅ이다. **답** ㄷ, ㄹ, ㅅ

04

오른쪽 그림과 같이 $\overline{OA}, \overline{OB}$를 그으면
$\overline{OB}=\overline{OC}$이므로
∠OBC=∠OCB=40°
$\overline{OA}=\overline{OB}$이므로
∠OAB=∠OBA=60°−40°=20°
$\overline{OA}=\overline{OC}$이므로
∠OAC=∠OCA=∠y
20°+40°+∠y=90°이므로 ∠y=30°
$\therefore$ ∠x=20°+30°=50°
$\therefore$ ∠x+2∠y=50°+2×30°=110° **답** 110°

다른 풀이

∠AOC=2∠B=2×60°=120°이므로

$\overline{OA}=\overline{OC}$인 이등변삼각형 AOC에서

$\angle y=\dfrac{1}{2}\times(180°-120°)=30°$

∠B=60°, ∠C=40°+30°=70°이므로 △ABC에서

∠x+60°+70°=180°   ∴ ∠x=50°

∴ ∠x+2∠y=50°+2×30°=110°

05

$\angle B=\dfrac{5}{4+5+6}\times180°=60°$이므로

∠AOC=2∠B=2×60°=120°   **답** 120°

06

② 삼각형의 내심은 세 내각의 이등분선의 교점이므로

　　∠IBD=∠IBF

③ △IBD와 △IBF에서

　　∠BDI=∠BFI=90°,

　　$\overline{BI}$는 공통, ∠IBD=∠IBF

　이므로 △IBD≡△IBF (RHA 합동)

　　∴ ∠BID=∠BIF

④, ⑤ 마찬가지로 △IAE≡△IAF (RHA 합동),

　　　△ICD≡△ICE (RHA 합동)이다.

따라서 옳은 것은 ②, ⑤이다.   **답** ②, ⑤

07

△ABC에서 $\overline{AB}=\overline{AC}$이므로

$\angle ABC=\dfrac{1}{2}\times(180°-52°)=64°$

점 I는 △ABC의 내심이므로

$\angle IBC=\dfrac{1}{2}\angle ABC=\dfrac{1}{2}\times64°=32°$

점 I′은 △IBC의 내심이므로

$\angle I'BC=\dfrac{1}{2}\angle IBC=\dfrac{1}{2}\times32°=16°$ **답** 16°

08

점 I는 △ABC의 내심이므로

∠BCI=∠ACI=40°

△IBC에서 ∠y=180°-20°-40°=120°

$\angle y=90°+\dfrac{1}{2}\angle x$이므로 $120°=90°+\dfrac{1}{2}\angle x$

$\dfrac{1}{2}\angle x=30°$ ∴ ∠x=60°

∴ ∠x+∠y=60°+120°=180°   **답** 180°

09

$\overline{AD}=\overline{AB}-\overline{BD}=18-10=8$이므로

$\overline{AF}=\overline{AD}=8$

∴ $\overline{CF}=\overline{AC}-\overline{AF}=15-8=7$

∴ $\overline{BC}=\overline{BE}+\overline{CE}=\overline{BD}+\overline{CF}$

　　　=10+7=17   **답** 17

10

점 I는 △ABC의 내심이므로 ∠ECI=∠BCI

$\overline{DE}/\!/\overline{BC}$이므로 ∠EIC=∠BCI (엇각)

∴ ∠EIC=∠ECI

따라서 △EIC는 $\overline{EI}=\overline{EC}$인 이등변삼각형이므로

$\angle EIC=\dfrac{1}{2}\times(180°-130°)=25°$

∴ ∠x=180°-30°-25°=125°

$\angle x=90°+\dfrac{1}{2}\angle y$이므로 $125°=90°+\dfrac{1}{2}\angle y$

$\dfrac{1}{2}\angle y=35°$ ∴ ∠y=70°

∴ ∠x-∠y=125°-70°=55°   **답** 55°

쌤의 오답 피하기 특강

오른쪽 그림에서 점 I가 △ABC의 내심이고

$\overline{DE}/\!/\overline{BC}$일 때

① △DBI, △ECI는 이등변삼각형이다.

② (△ADE의 둘레의 길이)

　=$\overline{AD}+(\overline{DI}+\overline{IE})+\overline{AE}$

　=$(\overline{AD}+\overline{DB})+(\overline{EC}+\overline{AE})$

　=$\overline{AB}+\overline{AC}$

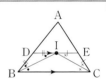

11

오른쪽 그림과 같이 $\overline{AI}$를 긋고 △ABC의 내접원의 반지름의 길이를 r cm라 하면

$\dfrac{1}{2}\times12\times r=18$ ∴ $r=3$

따라서 △ABC의 넓이는

△IAB+△IBC+△ICA

$=\dfrac{1}{2}\times r\times(\overline{AB}+\overline{BC}+\overline{CA})$

$=\dfrac{1}{2}\times3\times(11+12+7)=45\,(cm^2)$ **답** 45 cm²

12

점 O가 △ABC의 외심이므로

∠BOC=2∠A=2×70°=140°

△OBC에서 $\overline{OB}=\overline{OC}$이므로

$\angle OBC=\angle OCB=\dfrac{1}{2}\times(180°-140°)=20°$

점 I가 △ABC의 내심이므로

$\angle BIC = 90° + \dfrac{1}{2}\angle A = 90° + \dfrac{1}{2} \times 70° = 125°$

따라서 △IBC에서

$\begin{aligned} \angle IBO + \angle ICO &= 180° - \angle BIC - \angle OBC - \angle OCB \\ &= 180° - 125° - 20° - 20° \\ &= 15° \end{aligned}$

답 $15°$

> **쌤의 오답 피하기 특강**
>
> △OBC는 $\overline{OB} = \overline{OC}$인 이등변삼각형이지만
> △IBC는 이등변삼각형이 아님에 주의한다.

13

오른쪽 그림과 같이 △ABC와 내접원 I
의 접점을 D, E, F라 하고
$\overline{BD} = \overline{BE} = a$ cm, $\overline{AD} = \overline{AF} = b$ cm
라 하자.

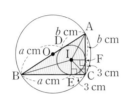

$\overline{AB} = 16$ cm이므로 $a + b = 16$

사각형 IECF는 한 변의 길이가 3 cm인 정사각형이므로

$\overline{EC} = \overline{FC} = 3$ cm

따라서 △ABC의 넓이는

$\begin{aligned} &\dfrac{1}{2} \times 3 \times \{(a+b) + (a+3) + (b+3)\} \\ &= \dfrac{1}{2} \times 3 \times \{2(a+b) + 6\} \\ &= \dfrac{1}{2} \times 3 \times 38 \\ &= 57 \ (\text{cm}^2) \end{aligned}$

답 $57 \ \text{cm}^2$

> **쌤의 특강**
>
> △ABC의 넓이를 구할 때 다음과 같이 구할 수도 있다.
> $\overline{AC} = x$ cm, $\overline{BC} = y$ cm라 하면
> $\overline{AD} = \overline{AF} = (x-3)$ cm, $\overline{BD} = \overline{BE} = (y-3)$ cm
> 이때 $\overline{AB} = \overline{AD} + \overline{BD}$이므로
> $16 = (x-3) + (y-3)$
> $\therefore x + y = 22$
> 따라서 △ABC의 넓이는
> $\dfrac{1}{2} \times 3 \times (x + y + 16) = \dfrac{1}{2} \times 3 \times 38 = 57 \ (\text{cm}^2)$

14

복원하기 위해 △ABC의 외심을 찾으면 된다.
이때 삼각형의 외심은 세 변의 수직이등분선의
교점이므로 오른쪽 그림과 같이 $\overline{AC}$와 $\overline{BC}$의
수직이등분선의 교점을 찾아 외심인 점 O를 찾
는다.

따라서 원의 중심을 찾는 방법으로 옳은 것은 ④이다.

답 ④

15

점 O가 △ABC의 외심이므로 $\overline{OA} = \overline{OB} = \overline{OC}$

△OAB에서 $\overline{OA} = \overline{OB}$이므로

$\angle AOB = 180° - 2 \times 56° = 68°$

△AOC에서 $\overline{OA} = \overline{OC}$이므로 $\angle OAC = \angle C$

$\therefore \angle C = \dfrac{1}{2}\angle AOB = \dfrac{1}{2} \times 68° = 34°$

답 $34°$

> **다른 풀이**
>
> △ABC의 외심 O가 $\overline{BC}$ 위에 있으므로 △ABC는 $\angle A = 90°$인
> 직각삼각형이다.
> $\therefore \angle C = 90° - 56° = 34°$

16

점 I가 △ABC의 내심이므로

$\angle BIC = 90° + \dfrac{1}{2}\angle A = 90° + \dfrac{1}{2} \times 50° = 115°$

오른쪽 그림과 같이
$\angle EBD = \angle DBC = \angle a$,
$\angle DCE = \angle ECB = \angle b$라 하면

△IBC에서
$\angle a + \angle b + 115° = 180°$이므로
$\angle a + \angle b = 65°$

이때 △BIE에서 $\angle x + \angle a = 115°$

△CID에서 $\angle y + \angle b = 115°$

따라서 $\angle x + \angle y + \angle a + \angle b = 230°$이므로

$\angle x + \angle y + 65° = 230°$

$\therefore \angle x + \angle y = 230° - 65° = 165°$

답 $165°$

> **다른 풀이**
>
> 점 I가 △ABC의 내심이므로
> $\angle ABD = \angle CBD$, $\angle ACE = \angle BCE$
> $\therefore \angle IBC + \angle ICB = \dfrac{1}{2}(\angle ABC + \angle ACB)$
> $\qquad\qquad\qquad\quad = \dfrac{1}{2}(180° - \angle A)$
> $\qquad\qquad\qquad\quad = \dfrac{1}{2} \times (180° - 50°) = 65°$
> △BCD에서
> $\angle y = 180° - (\angle DBC + \angle DCB)$
> $\quad = 180° - (\angle IBC + 2\angle ICB)$ ······ ㉠
> △BCE에서
> $\angle x = 180° - (\angle EBC + \angle ECB)$
> $\quad = 180° - (2\angle IBC + \angle ICB)$ ······ ㉡
> ㉠, ㉡에서
> $\angle x + \angle y$
> $= 360° - \{(2\angle IBC + \angle ICB) + (\angle IBC + 2\angle ICB)\}$
> $= 360° - 3(\angle IBC + \angle ICB)$
> $= 360° - 3 \times 65° = 165°$

17

오른쪽 그림과 같이 $\overline{BI}$, $\overline{CI}$를 그으면
점 I는 △ABC의 내심이므로
$\angle DBI = \angle IBC$, $\angle ECI = \angle ICB$
이때 $\overline{DE} /\!/ \overline{BC}$이므로
$\angle DIB = \angle IBC$ (엇각)
$\angle EIC = \angle ICB$ (엇각)
$\therefore \angle DBI = \angle DIB$, $\angle ECI = \angle EIC$
즉, △DBI와 △EIC는 각각 $\overline{DB} = \overline{DI}$, $\overline{EI} = \overline{EC}$인 이등변삼각형
이다.
따라서 △ADE의 둘레의 길이는
$$\begin{aligned}
\overline{AD} + \overline{DE} + \overline{EA} &= \overline{AD} + (\overline{DI} + \overline{EI}) + \overline{EA} \\
&= (\overline{AD} + \overline{DB}) + (\overline{EC} + \overline{EA}) \\
&= \overline{AB} + \overline{AC} \\
&= 12 + 10 = 22 \text{ (cm)}
\end{aligned}$$
답 22 cm

18

오른쪽 그림과 같이 $\angle B = 90°$인 직각삼각형 ABC에서 내접원 I의 반지름의 길이를 r m라 하면
$$\frac{1}{2} \times 12 \times 16 = \frac{1}{2} \times r \times (12 + 16 + 20)$$
$$96 = 24r \qquad \therefore r = 4$$
따라서 원 모양의 분수대의 둘레의 길이는
$$2\pi r = 2\pi \times 4 = 8\pi \text{ (m)}$$
답 8π m

LEVEL 2 필수 기출 문제
→ 20쪽~24쪽

01 14°	02 116°	03 120°	04 124 cm²	05 6°
06 108°	07 60°	08 46°	09 116°	10 42°
11 49°	12 4 cm	13 3 cm	14 $\frac{27}{5}$ cm	
15 $\left(13 - \frac{3}{2}\pi\right)$ cm²		16 9π cm²	17 135°	18 50°
19 45°	20 45 cm²			

01

[전략] $\angle OAH = \angle OAC - \angle CAH$임을 이용한다.
점 O는 △ABC의 외심이므로
$\angle BOC = 2\angle A = 2 \times 70° = 140°$
이때 △OBC는 $\overline{OB} = \overline{OC}$인 이등변삼각형이므로
$$\angle OCB = \frac{1}{2} \times (180° - 140°) = 20°$$
또한, △OCA도 $\overline{OA} = \overline{OC}$인 이등변삼각형이므로
$\angle OAC = \angle OCA = 62° - 20° = 42°$

따라서 직각삼각형 AHC에서
$\angle CAH = 90° - 62° = 28°$이므로
$$\begin{aligned}
\angle OAH &= \angle OAC - \angle CAH \\
&= 42° - 28° = 14°
\end{aligned}$$
답 14°

02

[전략] $\overline{OA}$를 그은 후 $\overline{OA} = \overline{OB} = \overline{OC}$임을 이용한다.
오른쪽 그림과 같이 $\overline{OA}$를 그으면 점 O는 △ABC의 외심이므로
$\overline{OA} = \overline{OB} = \overline{OC}$
△OAB에서
$\angle OAB = \angle OBA = 30° + 26° = 56°$
△OBC에서
$\angle OCB = \angle OBC = 26°$
이때 $\angle ACB = \angle x$라 하면
△OAC에서
$\angle OAC = \angle OCA = \angle x + 26°$
따라서 △ABC에서
$30° + 56° + \angle x + 26° + \angle x = 180°$이므로
$2\angle x = 68° \qquad \therefore \angle x = 34°$
$\therefore \angle BAC = 56° + 34° + 26° = 116°$
답 116°

03

[전략] $\overline{OA}$를 그은 후 $\angle AOB = 2\angle C$임을 이용한다.
오른쪽 그림과 같이 $\overline{OA}$를 그으면
점 O는 △ABC의 외심이므로
$\overline{OA} = \overline{OB}$, $\angle AOB = 2\angle C$
즉, $\angle OAB = \angle OBA = 50°$이므로
$\angle AOB = 180° - 2 \times 50° = 80°$
이고 $\angle C = \frac{1}{2}\angle AOB = \frac{1}{2} \times 80° = 40°$
또한, △ABC는 $\overline{AC} = \overline{BC}$인 이등변삼각형이므로
$\angle BAC = \frac{1}{2} \times (180° - 40°) = 70°$
따라서 △ABD에서
$\angle BDC = 50° + 70° = 120°$
답 120°

다른 풀이
오른쪽 그림과 같이 $\overline{OA}$, $\overline{OC}$를 긋고
$\angle OAC = \angle a$라 하면
$\angle OCA = \angle OCB = \angle OBC = \angle a$,
$\angle OAB = \angle OBA = 50°$
△ABC에서
$50° + 50° + 4\angle a = 180°$
$4\angle a = 80° \qquad \therefore \angle a = 20°$
따라서 △ABD에서

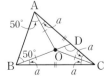

$$\angle BDC = \angle OBA + \angle BAD$$
$$= 50° + 50° + \angle a$$
$$= 50° + 50° + 20°$$
$$= 120°$$

쌤의 특강

이등변삼각형의 외심과 내심은 꼭지각의 이등분선, 즉 밑변의 수직이등분선 위에 있다.

△ABC가 $\overline{AC} = \overline{BC}$인 이등변삼각형이므로 외심과 내심은 모두 꼭지각인 ∠C의 이등분선 위에 있다.

(i) $\overline{OA} = \overline{OC}$이므로 ∠OAC = ∠OCA

(ii) 외심은 꼭지각의 이등분선 위에 있으므로

　　∠OCA = ∠OCB

(iii) $\overline{OB} = \overline{OC}$이므로 ∠OBC = ∠OCB

(i)～(iii)에서 ∠OAC = ∠a라 할 때

　　∠OAC = ∠OCA = ∠OCB = ∠OBC = ∠a

가 된다.

04

[**전략**] 합동인 두 삼각형의 넓이는 같음을 이용한다.

점 O가 △ABC의 외심이므로

△OAD ≡ △OBD, △OBE ≡ △OCE, △OAF ≡ △OCF

$$\therefore \triangle ABC = \triangle OAB + \triangle OBC + \triangle OCA$$
$$= 2(\triangle OBD + \triangle OBE + \triangle OAF)$$
$$= 2\{(사각형\ DBEO의\ 넓이) + \triangle OAF\}$$
$$= 2 \times \left(38 + \frac{1}{2} \times 6 \times 8\right)$$
$$= 124\ (\text{cm}^2)$$

📋 124 cm²

05

[**전략**] 점 O′이 △ABO의 외심임을 이용하여 ∠BAO의 크기를 구한다.

점 O′이 △ABO의 외심이므로

△O′BO에서 $\overline{O'B} = \overline{O'O}$

$$\therefore \angle BO'O = 180° - 2 \times 32° = 116°$$

$$\therefore \angle BAO = \frac{1}{2}\angle BO'O = \frac{1}{2} \times 116° = 58°$$

이때 △ABC의 외심 O가 $\overline{BC}$ 위에 있으므로

∠BAC = 90°

$$\therefore \angle OAC = 90° - 58° = 32°$$

또한, △OAC에서 $\overline{OA} = \overline{OC}$이므로

∠C = ∠OAC = 32°

따라서 △ABC에서

∠ABO′ + 32° + 90° + 32° = 180°이므로

∠ABO′ = 26°

$$\therefore \angle C - \angle ABO' = 32° - 26° = 6°$$

📋 6°

06

[**전략**] 점 O가 △ABC의 외심이므로 ∠AOC = 2∠B임을 이용한다.

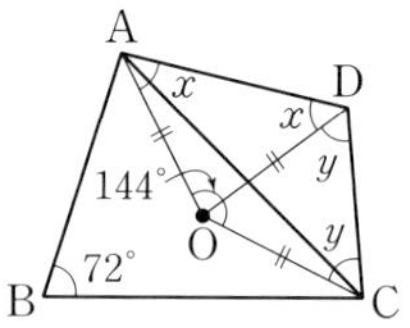

오른쪽 그림과 같이

$\overline{OD}$를 그으면

점 O가 △ABC의 외심이므로

$$\angle AOC = 2\angle B$$
$$= 2 \times 72°$$
$$= 144°$$

점 O가 △ACD의 외심이므로

∠OAD = ∠ODA = ∠x,

∠OCD = ∠ODC = ∠y라 하면

사각형 AOCD에서

$$\angle x + 144° + \angle y + (\angle x + \angle y) = 360°$$
$$2(\angle x + \angle y) = 216°$$
$$\therefore \angle x + \angle y = 108°$$
$$\therefore \angle ADC = \angle x + \angle y = 108°$$

📋 108°

다른 풀이

점 O가 △ABC의 외심이므로

∠AOC = 2∠B = 2 × 72° = 144°

또한, 점 O가 △ACD의 외심이므로

360° − ∠AOC = 2∠ADC에서

360° − 144° = 2∠ADC

$$\therefore \angle ADC = 108°$$

07

[**전략**] 점 O는 △ABC의 외심이므로 $\overline{OA} = \overline{OB} = \overline{OC}$임을 이용한다.

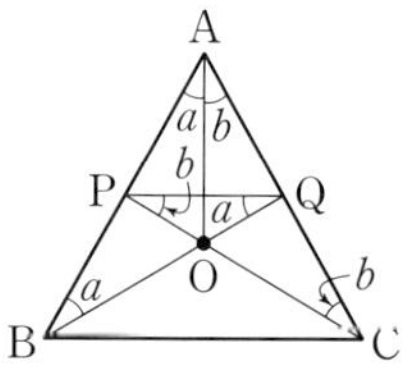

오른쪽 그림과 같이

$\overline{OA}$를 긋고

∠PBO = ∠a, ∠QCO = ∠b라 하면

△PBQ, △QPC는 모두 이등변삼각형이므로

∠PQB = ∠PBQ = ∠a

∠QPC = ∠QCP = ∠b

점 O는 △ABC의 외심이므로

$\overline{OA} = \overline{OB} = \overline{OC}$

즉, △OAB, △OAC는 모두 이등변삼각형이므로

∠OAB = ∠OBA = ∠a

∠OAC = ∠OCA = ∠b

한편, ∠POQ = ∠BOC = 2∠A = 2(∠a + ∠b)

이때 △POQ의 세 내각의 크기의 합은 180°이므로

∠a + ∠b + 2(∠a + ∠b) = 180°

3(∠a + ∠b) = 180°

$$\therefore \angle a + \angle b = 60°$$
$$\therefore \angle A = \angle a + \angle b = 60°$$

📋 60°

08

[전략] 내심은 삼각형의 세 내각의 이등분선의 교점이고
$\angle DAH = \angle CAI - \angle CAH$임을 이용한다.

$\triangle ABC$에서

$\angle A = 180° - (56° + 72°) = 52°$

$\therefore \angle BAI = \angle CAI = \dfrac{1}{2} \times 52° = 26°$

즉, $\triangle ABI$에서

$\angle BID = \angle BAI + \angle ABI$

$\qquad = 26° + 28° = 54°$

또한, 직각삼각형 AHC에서

$\angle CAH = 90° - 72° = 18°$이므로

$\angle DAH = \angle CAI - \angle CAH$

$\qquad = 26° - 18° = 8°$

$\therefore \angle BID - \angle DAH = 54° - 8° = 46°$ **답** 46°

09

[전략] 점 I가 $\triangle ABC$의 내심이므로 $\angle BIC = 90° + \dfrac{1}{2}\angle BAC$임을 이용한다.

점 I는 $\triangle ABC$의 내심이므로

$106° = 90° + \dfrac{1}{2}\angle BAC$

$\dfrac{1}{2}\angle BAC = 16°$ $\qquad \therefore \angle BAC = 32°$

이때 $\triangle ABC$는 $\overline{AC} = \overline{BC}$인 이등변삼각형이므로

$\angle ABC = \angle BAC = 32°$

$\therefore \angle ACD = 32° + 32° = 64°$

또한, $\triangle ACD$는 $\overline{AC} = \overline{AD}$인 이등변삼각형이므로

$\angle CAD = 180° - 2 \times 64° = 52°$

따라서 점 I′은 $\triangle ACD$의 내심이므로

$\angle CI'D = 90° + \dfrac{1}{2}\angle CAD$

$\qquad = 90° + \dfrac{1}{2} \times 52°$

$\qquad = 90° + 26° = 116°$ **답** 116°

10

[전략] 점 I가 $\triangle ABC$의 내심이므로 $\angle BIC = 90° + \dfrac{1}{2}\angle A$임을 이용한다.

점 I는 $\triangle ABC$의 내심이므로

$\angle BIC = 90° + \dfrac{1}{2}\angle A$

$\qquad = 90° + \dfrac{1}{2} \times 62°$

$\qquad = 90° + 31° = 121°$

또한, $\angle ICB = \angle ACD = 34°$이고, 점 I′은 $\triangle DBC$의 내심이므로

$\angle ICI' = \angle I'CB = \dfrac{1}{2}\angle ICB = \dfrac{1}{2} \times 34° = 17°$

따라서 $\triangle II'C$에서

$\angle II'C = 180° - 121° - 17° = 42°$ **답** 42°

다른 풀이

$\triangle ACD$에서

$\angle BDC = 62° + 34° = 96°$

점 I′이 $\triangle DBC$의 내심이므로

$\angle BI'C = 90° + \dfrac{1}{2}\angle BDC$

$\qquad = 90° + \dfrac{1}{2} \times 96°$

$\qquad = 90° + 48° = 138°$

$\therefore \angle II'C = 180° - \angle BI'C = 180° - 138° = 42°$

11

[전략] $\overline{AD} \parallel \overline{BC}$이므로 엇각의 크기가 같음을 이용하여 $\angle BAD$의 크기를 구한다.

$\overline{AD} \parallel \overline{BC}$이므로

$\angle ADB = \angle DBC = 16°$ (엇각)

$\triangle ABD$에서 $\overline{AB} = \overline{AD}$이므로

$\angle BAD = 180° - 2 \times 16° = 148°$

점 I는 $\triangle ABD$의 내심이므로

$\angle DAI = \dfrac{1}{2}\angle A = \dfrac{1}{2} \times 148° = 74°$

또한, $\triangle DBC$는 $\overline{BC} = \overline{BD}$인 이등변삼각형이므로

$\angle BDC = \dfrac{1}{2} \times (180° - 16°) = 82°$

이때 점 I′은 $\triangle DBC$의 내심이므로

$\angle ADE = \angle ADB + \angle BDI'$

$\qquad = 16° + \dfrac{1}{2} \times 82° = 57°$

따라서 $\triangle AED$에서

$\angle AED = 180° - 74° - 57° = 49°$ **답** 49°

다른 풀이

$\overline{AD} \parallel \overline{BC}$이므로

$\angle ADB = \angle DBC = 16°$ (엇각)

이등변삼각형 ABD에서 내심 I는 꼭지각의 이등분선, 즉 밑변의
수직이등분선 위에 있으므로 $\overline{AE} \perp \overline{BD}$

$\therefore \angle DAI = 90° - 16° = 74°$

이등변삼각형 DBC에서

$\angle BDC = \dfrac{1}{2} \times (180° - 16°) = 82°$이므로

$\angle BDE = \dfrac{1}{2} \times 82° = 41°$

$\therefore \angle AED = 180° - 74° - 16° - 41° = 49°$

12

[**전략**] 점 I는 △ABC의 내심이므로 ∠A, ∠C의 이등분선의 교점임을 이용한다.

오른쪽 그림과 같이 $\overline{IA}$, $\overline{IC}$를 그으면

∠BAC=60°이고 점 I는 △ABC의

내심이므로 ∠BAI=∠IAD=30°

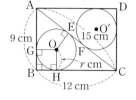

$\overline{AB}$∥$\overline{DI}$이므로

∠AID=∠BAI=30° (엇각)

즉, ∠IAD=∠AID이므로 $\overline{DA}=\overline{DI}$

마찬가지 방법으로 $\overline{EC}=\overline{EI}$

한편, ∠IDE=∠BAD=60° (동위각),

∠IED=∠BCE=60° (동위각)

이므로 △IDE는 정삼각형이다.

즉, $\overline{DA}=\overline{DI}=\overline{DE}=\overline{EI}=\overline{EC}$이므로

$$\overline{DE}=\frac{1}{3}\overline{AC}=\frac{1}{3}\times24=8\,(cm)$$

이때 △BCG에서 ∠GBC=30°이고

∠ACB=60°이므로 $\overline{BG}\perp\overline{AC}$

따라서 정삼각형 IDE의 점 I에서 $\overline{DE}$에 내린 수선은 $\overline{DE}$를 이등분하므로

$$\overline{DG}=\frac{1}{2}\overline{DE}=\frac{1}{2}\times8=4\,(cm)$$

目 4 cm

쌤의 복합 개념 특강

개념1 평행선에서의 동위각과 엇각

평행한 두 직선이 한 직선과 만날 때 동위각과 엇각의 크기는 각각 같다.

개념2 이등변삼각형이 되는 조건

두 내각의 크기가 같은 삼각형은 이등변삼각형이다.

➡ △ABC에서 ∠B=∠C이면 $\overline{AB}=\overline{AC}$

개념3 정삼각형의 성질

정삼각형의 한 꼭짓점에서 밑변에 내린 수선은 밑변을 수직이등분한다.

13

[**전략**] 점 O에서 삼각형의 세 변에 수선을 긋고, 길이가 같은 선분을 찾는다.

다음 그림과 같이 $\overline{OE}$를 긋고, 점 O에서 $\overline{AB}$, $\overline{BC}$에 내린 수선의 발을 각각 G, H라 하면 두 점 G, H는 접점이다.

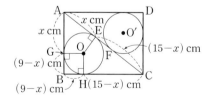

$\overline{AG}=x\,cm$라 하면

$\overline{GB}=\overline{AB}-\overline{AG}=9-x\,(cm)$

$\overline{AE}=\overline{AG}=x\,cm$이므로 $\overline{EC}=\overline{AC}-\overline{AE}=15-x\,(cm)$

즉, $\overline{BH}=\overline{BG}=9-x\,(cm)$, $\overline{HC}=\overline{EC}=15-x\,(cm)$

$\overline{BC}=\overline{BH}+\overline{HC}=12\,cm$이므로

$(9-x)+(15-x)=12$

$2x=12$ ∴ $x=6$

∴ $\overline{AE}=6\,cm$

마찬가지 방법으로 $\overline{CF}=6\,cm$이므로

$\overline{EF}=\overline{AC}-\overline{AE}-\overline{CF}$

$=15-6-6=3\,(cm)$

目 3 cm

다른 풀이

오른쪽 그림과 같이 △ABC의 내접원 O의 반지름의 길이를 $r\,cm$라 하면

$$\frac{1}{2}\times12\times9=\frac{1}{2}\times r\times(9+12+15)$$

$54=18r$ ∴ $r=3$

∴ $\overline{AE}=\overline{AG}=\overline{AB}-\overline{GB}$

$=9-3=6\,(cm)$

마찬가지 방법으로 $\overline{CF}=6\,cm$이므로 $\overline{EF}=3\,cm$

14

[**전략**] 이등변삼각형의 성질과 삼각형의 넓이를 이용하여 내접원 I의 반지름의 길이를 구한다.

$\overline{AH}\perp\overline{BC}$이므로

△ABC의 넓이는 $\frac{1}{2}\times16\times15=120\,(cm^2)$

오른쪽 그림과 같이 내접원 I와 $\overline{AB}$, $\overline{AC}$의 접점을 각각 F, G라 하고 $\overline{IF}$, $\overline{IG}$를 긋는다.

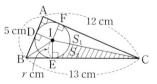

이때 내접원 I의 반지름의 길이를 $r\,cm$라 하면

(△ABC의 넓이)

$$=\frac{1}{2}\times r\times(17+16+17)$$

$$=25r\,(cm^2)$$

즉, $25r=120$이므로 $r=\frac{24}{5}$

∴ $\overline{EI}=\overline{IH}=\frac{24}{5}\,cm$

∴ $\overline{AE}=15-2\times\frac{24}{5}=15-\frac{48}{5}=\frac{27}{5}\,(cm)$

目 $\frac{27}{5}$ cm

15

[**전략**] 내접원 I의 반지름의 길이를 구한 후 삼각형의 넓이에서 부채꼴의 넓이를 뺀다.

다음 그림과 같이 내접원 I의 반지름의 길이를 $r\,cm$라 하면

△ABC의 넓이는

$$\frac{1}{2}\times5\times12=\frac{1}{2}\times r\times(5+12+13)$$

이므로 $30=15r$ ∴ $r=2$

이때 점 I는 $\triangle ABC$의 내심이므로

$\triangle IEC \equiv \triangle IFC$, 즉 S_1과 S_2의 넓이는 서로 같다.

또한, $\angle BIC = 90^\circ + \dfrac{1}{2} \angle A = 90^\circ + \dfrac{1}{2} \times 90^\circ = 135^\circ$이므로

색칠한 부분의 넓이는 $\triangle IBC$의 넓이에서 부채꼴의 넓이를 뺀 것과 같다.

따라서 구하는 넓이는

$\dfrac{1}{2} \times 13 \times 2 - \pi \times 2^2 \times \dfrac{135}{360} = 13 - \dfrac{3}{2}\pi \ (\text{cm}^2)$

답 $\left(13 - \dfrac{3}{2}\pi \right) \text{cm}^2$

16

[전략] $\overline{IB}$, $\overline{IC}$를 그은 후 오각형을 3개의 삼각형으로 나누어 넓이를 구한다.

다음 그림과 같이 내접원 I와 세 변의 접점을 각각 F, G, H라 하고 내접원 I의 반지름의 길이를 r cm라 하자.

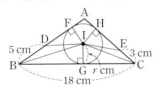

$\overline{IB}$, $\overline{IC}$를 그으면 오각형 IDBCE의 넓이는

$\triangle IBD + \triangle IBC + \triangle ICE$

$= \dfrac{1}{2} \times r \times (5 + 18 + 3)$

$= 13r \ (\text{cm}^2)$

즉, $13r = 39$이므로 $r = 3$

따라서 구하는 내접원 I의 넓이는

$\pi \times 3^2 = 9\pi \ (\text{cm}^2)$

답 $9\pi \text{ cm}^2$

17

[전략] $\angle x = \angle EAC + \angle ACE$, $\angle y = \angle DAE + \angle x$임을 이용한다.

점 I가 $\triangle ABC$의 내심이므로

$\angle BAD = \angle CAD$

$40^\circ = \angle DAE + 25^\circ$

$\therefore \angle DAE = 40^\circ - 25^\circ = 15^\circ$

다음 그림과 같이 $\overline{OB}$, $\overline{OC}$를 그으면 점 O는 $\triangle ABC$의 외심이므로

$\overline{OA} = \overline{OB} = \overline{OC}$

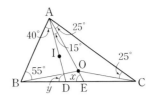

$\triangle OAB$에서

$\angle OBA = \angle OAB = 40^\circ + 15^\circ = 55^\circ$

$\triangle OCA$에서

$\angle OCA = \angle OAC = 25^\circ$

$\triangle OBC$에서

$\angle OCB = \angle OBC = 90^\circ - (55^\circ + 25^\circ) = 10^\circ$

따라서 $\triangle AEC$에서

$\angle x = \angle EAC + \angle ACE$

$\quad = 25^\circ + (25^\circ + 10^\circ)$

$\quad = 60^\circ$

$\triangle ADE$에서

$\angle y = \angle DAE + \angle x$

$\quad = 15^\circ + 60^\circ$

$\quad = 75^\circ$

$\therefore \angle x + \angle y = 60^\circ + 75^\circ = 135^\circ$

답 135°

18

[전략] 이등변삼각형의 외심과 내심은 꼭지각의 이등분선 위에 있음을 이용한다.

$\overline{AH}$는 이등변삼각형 ABC의 꼭지각 A의 이등분선이므로

$\angle CAH = \angle BAH = 40^\circ$이고 $\overline{AH} \perp \overline{BC}$

$\therefore \angle ACH = 90^\circ - 40^\circ = 50^\circ$

이때 점 I는 $\triangle ABC$의 내심이므로

$\angle ICD = \angle ICH = \dfrac{1}{2} \angle ACH = \dfrac{1}{2} \times 50^\circ = 25^\circ$

또한, 점 O는 $\triangle ABC$의 외심이므로

$\overline{OD} \perp \overline{AC}$

$\therefore \angle DEC = 90^\circ - 25^\circ = 65^\circ$

오른쪽 그림과 같이 $\overline{BO}$를 그으면

$\angle COH = \dfrac{1}{2} \angle BOC = \dfrac{1}{2} \times 2 \angle A = 80^\circ$

즉, $\triangle COH$에서

$\angle OCH = 90^\circ - 80^\circ = 10^\circ$이므로

$\angle ECO = \angle ICH - \angle OCH$

$\quad = 25^\circ - 10^\circ = 15^\circ$

$\therefore \angle DEC - \angle ECO = 65^\circ - 15^\circ = 50^\circ$

답 50°

19

[전략] $\overline{OD}$를 긋고 $\triangle OAD$가 어떤 삼각형인지 파악한다.

$\triangle ABC$와 $\triangle ADC$의 외심이 $\overline{AC}$ 위에 있으므로 $\triangle ABC$는 $\angle ABC=90°$인 직각삼각형이고, $\triangle ADC$는 $\angle ADC=90°$인 직각삼각형이다.

오른쪽 그림과 같이 $\overline{OD}$를 그으면
$\overline{OA}=\overline{OC}=\overline{OD}$이고
$\angle OAD=90°-30°=60°$,
$\angle ODA=\angle OAD=60°$
이므로 $\triangle OAD$는 정삼각형이다.

이때 $\overline{AI'}$, $\overline{DI'}$을 그으면
점 I'이 $\triangle ADC$의 내심이므로
$\angle ADI'=\dfrac{1}{2}\angle ADC=\dfrac{1}{2}\times 90°=45°$

한편, $\triangle AOI'$과 $\triangle ADI'$에서
$\angle OAI'=\angle DAI'$, $\overline{AI'}$은 공통, $\overline{AO}=\overline{AD}$
이므로 $\triangle AOI'\equiv\triangle ADI'$ (SAS 합동)
$\therefore \angle AOI'=\angle ADI'=45°$
$\therefore \angle x=180°-45°=135°$

또한, $\overline{BI}$를 그으면 $\triangle ABC$는 $\overline{AB}=\overline{BC}$인 이등변삼각형이므로 내심 I는 $\angle B$의 이등분선 위에 있고, $\overline{BO}$는 $\overline{AC}$를 수직이등분한다.
$\therefore \angle y=90°$
$\therefore \angle x-\angle y=135°-90°=45°$

답 45°

쌤의 만점 특강

세 점 B, I, O가 한 직선 위에 있으려면 $\triangle ABC$는 $\angle B$를 꼭지각으로 하는 이등변삼각형이어야 한다.

20

[전략] 직각삼각형의 외접원과 내접원의 반지름의 길이를 먼저 구한다.

$\triangle ABC$의 외접원의 반지름의 길이를 R cm라 하면
$\pi R^2=36\pi$이므로 $R=6$
즉, $\triangle ABC$의 외접원의 반지름의 길이가 6 cm이므로 빗변의 길이는
$\overline{AB}=12$ cm
내접원의 반지름의 길이를 r cm라 하면
$\pi r^2=9\pi$이므로 $r=3$
오른쪽 그림과 같이 $\triangle ABC$의 세 변 AB, BC, CA와 내접원의 접점을 각각 D, E, F라 하고, 내심을 I라 하면
$\overline{ID}=\overline{IE}=\overline{IF}=3$ cm
이때 $\overline{BE}=a$ cm, $\overline{AF}=b$ cm라 하면
$\overline{BD}=\overline{BE}=a$ cm, $\overline{AD}=\overline{AF}=b$ cm이므로
$\overline{AB}=\overline{AD}+\overline{BD}$에서 $a+b=12$

이때 사각형 IECF는 한 변의 길이가 3 cm인 정사각형이므로
$\overline{CE}=\overline{CF}=3$ cm
따라서 $\triangle ABC$의 넓이는
$\triangle IAB+\triangle IBC+\triangle ICA$
$=\dfrac{1}{2}\times 3\times(\overline{AB}+\overline{BC}+\overline{CA})$
$=\dfrac{1}{2}\times 3\times(12+a+3+b+3)$
$=\dfrac{1}{2}\times 3\times 30=45\ (\text{cm}^2)$

답 45 cm²

LEVEL 3 최고난도 문제

→ 25쪽

| 01 30° | 02 $\left(24-\dfrac{32}{9}\pi\right)$ cm² | 03 23° | 04 100° |

01 solution 미리 보기

step 1	$\triangle AEC$의 외심을 O라 할 때, $\overline{AB}$와 길이가 같은 선분 찾기
step 2	$\angle ABD$의 크기 구하기
step 3	$\angle BAD$의 크기 구하기

$\overline{AC}/\!/\overline{BD}$이므로
$\angle CAE=\angle BDE=90°$ (엇각)
다음 그림과 같이 $\overline{EC}$의 중점을 O라 하면 점 O는 직각삼각형 AEC의 외심이므로 $\overline{AO}=\overline{CO}=\overline{EO}$
$\triangle AOC$에서 $\angle AOB=20°+20°=40°$

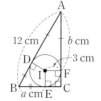

이때 $\overline{EC}=2\overline{AB}$이므로 $\overline{AB}=\overline{AO}$ ----①
즉, $\triangle ABO$는 $\overline{AB}=\overline{AO}$인 이등변삼각형이므로
$\angle ABO=\angle AOB=40°$
한편, $\angle EBD=\angle ACE=20°$ (엇각)이므로
$\angle ABD=\angle ABE+\angle EBD=40°+20°=60°$ ----②
따라서 $\triangle ABD$에서
$\angle BAD=90°-60°=30°$ ----③

답 30°

쌤의 만점 특강

$\angle ABO$의 크기를 구한 후에 다음과 같이 풀 수도 있다.
$\triangle AOE$는 $\overline{OA}=\overline{OE}$인 이등변삼각형이므로
$\angle AEO=\dfrac{1}{2}\times(180°-40°)=70°$
따라서 $\triangle ABE$에서
$\angle BAE=70°-40°=30°$이므로 $\angle BAD=30°$

02 solution 미리 보기

step ①	△ABC의 넓이 구하기
step ②	두 원의 반지름의 길이 구하기
step ③	색칠한 부분의 넓이 구하기

△ABC는 ∠C=90°인 직각삼각형이므로 그 넓이는

$\frac{1}{2} \times 8 \times 6 = 24 \, (\text{cm}^2)$ ················· ❶

다음 그림과 같이 접점을 각각 D, E, F라 하고 $\overline{OD}$, $\overline{OE}$, $\overline{OF}$를 긋는다.

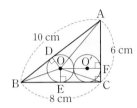

이때 두 원의 반지름의 길이를 r cm라 하면

$\overline{OF} = 3r$ cm

또한, 위의 그림과 같이 $\overline{OA}$, $\overline{OB}$, $\overline{OC}$를 그으면

$\triangle ABC = \triangle OAB + \triangle OBC + \triangle OCA$이므로

$24 = \frac{1}{2} \times (10r + 8r + 6 \times 3r)$

$24 = 18r$ ∴ $r = \frac{4}{3}$ ················· ❷

따라서 원 1개의 넓이는 $\pi \times \left(\frac{4}{3}\right)^2 = \frac{16}{9}\pi \, (\text{cm}^2)$이므로

색칠한 부분의 넓이는

$24 - 2 \times \frac{16}{9}\pi = 24 - \frac{32}{9}\pi \, (\text{cm}^2)$ ················· ❸

답 $\left(24 - \frac{32}{9}\pi\right)$cm²

03 solution 미리 보기

step ①	△ABC가 어떤 삼각형인지 알고, ∠OAC의 크기 구하기
step ②	∠DOC와 ∠EOC의 크기 각각 구하기
step ③	∠IOC의 크기 구하기

△ABC의 외심인 점 O가 $\overline{AB}$ 위에 있으므로

△ABC는 ∠C=90°인 직각삼각형이고

$\overline{OA} = \overline{OB} = \overline{OC}$

즉, △OBC에서 $\overline{OB} = \overline{OC}$이므로

∠OCB = ∠OBC = 68°

△OCA에서 $\overline{OA} = \overline{OC}$이므로

∠OAC = ∠OCA

  = 90° − 68° = 22° ················· ❶

두 점 D, E가 각각 이등변삼각형 OBC와 OCA의 내심이므로

$\angle DOC = \frac{1}{2} \times (180° - 2 \times 68°) = 22°$

$\angle EOC = \frac{1}{2} \times (180° - 2 \times 22°) = 68°$ ················· ❷

∴ ∠DOE = ∠DOC + ∠EOC = 22° + 68° = 90°

이때 점 I가 △ODE의 내심이므로

$\angle IOE = \frac{1}{2}\angle DOE = \frac{1}{2} \times 90° = 45°$

∴ ∠IOC = ∠EOC − ∠IOE = 68° − 45° = 23° ················· ❸

답 23°

04 solution 미리 보기

step ①	이등변삼각형의 성질과 외심의 성질을 이용하여 ∠OCB의 크기 구하기
step ②	∠ICE의 크기 구하기
step ③	∠OCI의 크기 구하기

다음 그림과 같이 $\overline{OB}$를 그으면

∠BOC = 2∠A = 2 × 40° = 80°

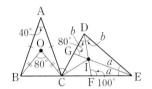

△OBC는 $\overline{OB} = \overline{OC}$인 이등변삼각형이므로

$\angle OCB = \frac{1}{2} \times (180° - 80°) = \frac{1}{2} \times 100° = 50°$ ················· ❶

한편, 점 I는 △DCE의 내심이므로

∠IEF = ∠IED = ∠a,

∠IDG = ∠IDE = ∠b라 하면

△DGE에서

∠a + 2∠b = 180° − 80° = 100° ······ ㉠

△DFE에서

2∠a + ∠b = 180° − 100° = 80° ······ ㉡

㉠+㉡을 하면

3∠a + 3∠b = 180°, 3(∠a + ∠b) = 180°

∴ ∠a + ∠b = 60°

즉, △DCE에서

∠DCE + 2(∠a + ∠b) = 180°이므로

∠DCE = 180° − 2(∠a + ∠b) = 180° − 2 × 60° = 60°

∴ $\angle ICE = \frac{1}{2}\angle DCE = \frac{1}{2} \times 60° = 30°$ ················· ❷

따라서

∠OCI = 180° − ∠OCB − ∠ICE

  = 180° − 50° − 30° = 100° ················· ❸

답 100°

II. 사각형의 성질

03. 평행사변형

LEVEL 1 시험에 꼭 내는 문제 → 29쪽~30쪽

01 $102°$	**02** $10\,cm$	**03** $10\,cm^2$	**04** $16\,cm$
05 $120°$	**06** ⑤	**07** $12\,cm^2$	**08** $32\,cm^2$
09 $48\,cm^2$	**10** $7\,cm$	**11** 서연, 은서, 지호	**12** $64\,cm^2$

01

$\triangle DFC$에서 $\angle CDF=90°-51°=39°$

$\therefore \angle ADC=39°+39°=78°$

따라서 평행사변형의 이웃하는 두 내각의 크기의 합은 $180°$이므로

$\angle A=180°-78°=102°$ 目 $102°$

다른 풀이

$\overline{AD} /\!/ \overline{BC}$이므로 $\angle CED=\angle ADE$ (엇각)

이때 $\triangle CDE$에서 $\angle CDE=\angle CED$이므로

$\triangle CDE$는 $\overline{CD}=\overline{CE}$인 이등변삼각형이다.

$\therefore \angle C=2\times 51°=102°$

따라서 평행사변형의 대각의 크기는 서로 같으므로

$\angle A=\angle C=102°$

02

$\triangle ABE$와 $\triangle FCE$에서

$\angle AEB=\angle FEC$ (맞꼭지각), $\overline{BE}=\overline{CE}$,

$\angle ABE=\angle FCE$ (엇각)

이므로 $\triangle ABE\equiv\triangle FCE$ (ASA 합동)

$\therefore \overline{FC}=\overline{AB}=5\,cm$

이때 평행사변형의 대변의 길이는 서로 같으므로

$\overline{CD}=\overline{AB}=5\,cm$

$\therefore \overline{DF}=\overline{CD}+\overline{FC}=5+5=10\,(cm)$ 目 $10\,cm$

03

$\overline{AP}=10-6=4\,(cm)$

$\triangle APO$와 $\triangle CQO$에서

$\angle APO=\angle CQO=90°$ (엇각), $\overline{AO}=\overline{CO}$,

$\angle AOP=\angle COQ$ (맞꼭지각)

이므로 $\triangle APO\equiv\triangle CQO$ (RHA 합동)

$\therefore \triangle OCQ=\triangle OAP=\dfrac{1}{2}\times 4\times 5=10\,(cm^2)$ 目 $10\,cm^2$

04

$\overline{AB} /\!/ \overline{DF}$, $\overline{AC} /\!/ \overline{EF}$이므로 $\square AEFD$는 평행사변형이다.

$\therefore \overline{AE}=\overline{DF}$, $\overline{AD}=\overline{EF}$

$\triangle ABC$에서 $\overline{AB}=\overline{AC}$이므로 $\angle B=\angle C$

이때 $\overline{AC} /\!/ \overline{EF}$이므로 $\angle C=\angle EFB$ (동위각)

$\therefore \angle B=\angle C=\angle EFB$

즉, $\triangle EBF$는 이등변삼각형이므로 $\overline{EB}=\overline{EF}$

따라서 $\square AEFD$의 둘레의 길이는

$\overline{AE}+\overline{EF}+\overline{FD}+\overline{DA}=\overline{AE}+\overline{EF}+\overline{AE}+\overline{EF}$

$\qquad =2(\overline{AE}+\overline{EF})$

$\qquad =2(\overline{AE}+\overline{EB})$

$\qquad =2\overline{AB}=2\times 8=16\,(cm)$ 目 $16\,cm$

05

$\angle BAD=\angle BCD$이므로

$\angle EAF=\dfrac{1}{2}\angle BAD=\dfrac{1}{2}\angle BCD=\angle FCE$

이때 $\angle AEB=\angle EAF$ (엇각)이므로

$\angle AEB=\angle FCE$, 즉 $\overline{AE} /\!/ \overline{FC}$

또한, $\overline{AD} /\!/ \overline{BC}$에서 $\overline{AF} /\!/ \overline{EC}$

즉, 두 쌍의 대변이 각각 평행하므로 $\square AECF$는 평행사변형이다.

이때 $\angle BAD+\angle B=180°$이므로

$\angle BAD=180°-60°=120°$

$\therefore \angle EAF=\dfrac{1}{2}\angle BAD=\dfrac{1}{2}\times 120°=60°$

따라서 $\angle EAF+\angle AFC=180°$이므로

$\angle AFC=180°-60°=120°$ 目 $120°$

06

① $\overline{AO}=\overline{CO}$, $\overline{EO}=\overline{FO}$이므로 $\square AECF$는 평행사변형이다.

　즉, $\overline{AF}=\overline{EC}$

② $\angle ACB=\angle CAD$ (엇각), $\angle ACE=\angle CAF$ (엇각)이므로

　$\angle BCE=\angle DAF$

③ $\angle AFC=\angle AEC=180°-(40°+25°)=115°$

④ $\triangle ABE$와 $\triangle CDF$에서

　$\overline{AB}=\overline{CD}$, $\overline{BE}=\overline{DF}$, $\overline{AE}=\overline{CF}$

　이므로 $\triangle ABE\equiv\triangle CDF$ (SSS 합동)

⑤ $\angle CDF=40°$인지는 알 수 없다.

따라서 옳지 않은 것은 ⑤이다. 目 ⑤

쌤의 오답 피하기 특강

평행사변형 $ABCD$의 두 대각선의 교점을 O라 할 때

$\triangle AOD\equiv\triangle COB$, $\triangle AOB\equiv\triangle COD$

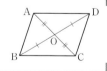

07

$\square EPFQ=\triangle EPF+\triangle EQF$

$\qquad =\dfrac{1}{4}\square ABFE+\dfrac{1}{4}\square EFCD$

$\qquad =\dfrac{1}{4}(\square ABFE+\square EFCD)$

$\qquad =\dfrac{1}{4}\square ABCD=\dfrac{1}{4}\times 48=12\,(cm^2)$ 目 $12\,cm^2$

08

$\triangle BCD = 2\triangle OAB = 2 \times 2 = 4\ (cm^2)$

이때 $\overline{BC} = \overline{CE}$, $\overline{DC} = \overline{CF}$이므로 □BFED는 평행사변형이다.

$\therefore \triangle DFE = 2\triangle BCD = 2 \times 4 = 8\ (cm^2)$

또한, $\overline{DE} = \overline{EH}$, $\overline{FE} = \overline{EG}$이므로 □DFHG는 평행사변형이다.

$\therefore \square DFHG = 4\triangle DFE$

$= 4 \times 8 = 32\ (cm^2)$

🔲 $32\ cm^2$

09

$\triangle PAB + \triangle PCD = \triangle PBC + \triangle PDA = \dfrac{1}{2}\square ABCD$이므로

$\triangle PAB + \triangle PCD = \dfrac{1}{2} \times 18 \times 12 = 108\ (cm^2)$

이때 $\triangle PAB : \triangle PCD = 5 : 4$이므로

$\triangle PCD = 108 \times \dfrac{4}{9} = 48\ (cm^2)$

🔲 $48\ cm^2$

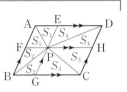

10

$\overline{AD} /\!/ \overline{BC}$이므로 $\angle DFC = \angle BCF$ (엇각)

따라서 $\triangle DFC$는 $\overline{DF} = \overline{DC}$인 이등변삼각형이므로

$\overline{DF} = \overline{DC} = 11\ cm$

$\therefore \overline{FE} = \overline{DF} - \overline{DE} = 11 - 4 = 7\ (cm)$

🔲 $7\ cm$

11

서연 : 두 쌍의 대변의 길이가 각각 같으므로 평행사변형이 된다.

윤우 : 오른쪽 그림과 같이 $\overline{AD} /\!/ \overline{BC}$이
고 $\overline{AB} = \overline{BC} = 5\ cm$이지만
□ABCD가 평행사변형이 아닐 수
도 있다.

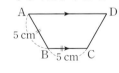

은서 : 한 쌍의 대변이 평행하고 그 길이가 같으므로 평행사변형이
된다.

지호 : 두 쌍의 대변이 각각 평행하므로 평행사변형이 된다.

지안 : 오른쪽 그림과 같이 $\overline{AB} /\!/ \overline{DC}$이고
$\overline{AB} \perp \overline{AD}$이지만 □ABCD가 평행
사변형이 아닐 수도 있다.

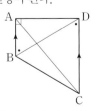

따라서 □ABCD가 평행사변형이 되는 조건
을 말한 학생은 서연, 은서, 지호이다.

🔲 서연, 은서, 지호

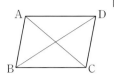

12

$\triangle BOE$와 $\triangle DOF$에서

$\angle OBE = \angle ODF$ (엇각), $\overline{OB} = \overline{OD}$,

$\angle BOE = \angle DOF$ (맞꼭지각)

이므로 $\triangle BOE \equiv \triangle DOF$ (ASA 합동)

즉, $\triangle BOE$의 넓이는 $\triangle DOF$의 넓이와 같으므로

$\triangle AEO + \triangle DOF = \triangle AEO + \triangle BOE$

$= \triangle ABO = 16\ (cm^2)$

$\therefore \square ABCD = 4\triangle ABO$

$= 4 \times 16 = 64\ (cm^2)$

🔲 $64\ cm^2$

LEVEL 2 필수 기출 문제 → 31쪽~34쪽

01 $90°$	**02** $130°$	**03** $4\ cm$	**04** $90°$
05 $100°$	**06** $80°$	**07** $17\ cm$	**08** $22°$
09 $99°$	**10** $3\ cm$	**11** $2, 4, 10$	**12** $25\ cm$
13 10초	**14** $10\ cm^2$	**15** $12\ cm^2$	**16** $40\ cm^2$

01

[전략] 평행사변형의 이웃하는 두 내각의 크기의 합은 180°임을 이용한다.

$\angle BEA = \angle a$, $\angle CEF = \angle b$라 하면

$\triangle ABE$에서 $\overline{AB} = \overline{BE}$이므로 $\angle BAE = \angle BEA = \angle a$

$\therefore \angle B = 180° - 2\angle a$

$\triangle CFE$에서 $\overline{EC} = \overline{CF}$이므로 $\angle CFE = \angle CEF = \angle b$

$\therefore \angle C = 180° - 2\angle b$

이때 $\angle B + \angle C = 180°$이므로

$(180° - 2\angle a) + (180° - 2\angle b) = 180°$

$2(\angle a + \angle b) = 180°$

$\therefore \angle a + \angle b = 90°$

따라서 점 E가 $\overline{BC}$ 위에 있으므로

$\angle a + \angle AEF + \angle b = 180°$

$\therefore \angle AEF = 180° - (\angle a + \angle b)$

$= 180° - 90° = 90°$

🔲 $90°$

02

[**전략**] 평행선에서의 엇각의 크기는 같으며, 평행사변형의 이웃하는 두 내각의 크기의 합은 180°임을 이용한다.

$\overline{AB} /\!/ \overline{GC}$이므로 $\angle ABG = \angle BGC = 40°$ (엇각)

이때 $\angle ABC = 2 \angle ABG = 2 \times 40° = 80°$

$\therefore \angle ADC = \angle ABC = 80°$

$\angle ABC + \angle BCD = 180°$이므로 $\angle BCD = 180° - 80° = 100°$

$\therefore \angle FCD = \dfrac{1}{2} \angle BCD = \dfrac{1}{2} \times 100° = 50°$

따라서 △CDF에서

$\angle AFC = \angle ADC + \angle FCD$
$\qquad = 80° + 50° = 130°$　　　　　 🔲 130°

03

[**전략**] 평행선에서의 엇각의 성질을 이용하여 크기가 같은 각을 찾는다.

$\overline{AD} /\!/ \overline{BC}$이므로 $\angle ADE = \angle DEC$ (엇각)

즉, $\angle CDE = \angle DEC$이므로 △CDE는 $\overline{CD} = \overline{CE}$인 이등변삼각형이다.

$\therefore \overline{CE} = \overline{CD} = 8\ cm$

한편, $\angle ADE = \angle a$라 하면

$\angle FAD = 90° - \angle a$　　　　 ……㉠

$\angle BAD + \angle CDA = 180°$이므로

$\angle BAF + (90° - \angle a) + 2\angle a = 180°$

$\therefore \angle BAF = 90° - \angle a$　　　 ……㉡

㉠, ㉡에서 $\angle BAF = \angle FAD$

또한, $\angle FAD = \angle BFA$ (엇각)

즉, $\angle BAF = \angle BFA$이므로 △ABF는 $\overline{BA} = \overline{BF}$인 이등변삼각형이다.

$\therefore \overline{BF} = \overline{BA} = 8\ cm$

이때 $\overline{BC} = \overline{BF} + \overline{CE} - \overline{EF}$이므로

$12 = 8 + 8 - \overline{EF}$　　$\therefore \overline{EF} = 4\ (cm)$　　 🔲 4 cm

다른 풀이

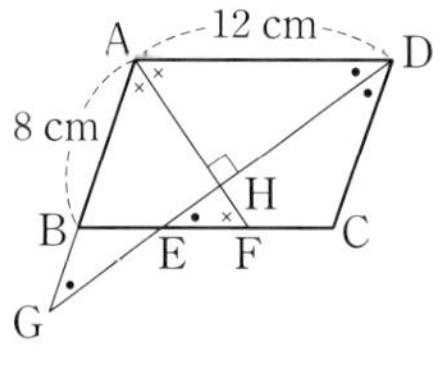

오른쪽 그림과 같이 $\overline{AB}$의 연장선과 $\overline{DE}$의 연장선의 교점을 G, $\overline{AF}$와 $\overline{DE}$의 교점을 H라 하면

$\angle ADE = \angle DEC$ (엇각),

$\angle CDE = \angle AGE$ (엇각)이므로

△AGD, △CDE는 모두 이등변삼각형이다.

$\therefore \overline{BE} = \overline{BC} - \overline{EC} = \overline{AD} - \overline{CD} = 12 - 8 = 4\ (cm)$

한편, $\overline{AH}$는 이등변삼각형 AGD의 꼭지각의 이등분선이므로

$\angle GAH = \angle DAH$

이때 $\angle DAH = \angle HFE$ (엇각)이므로 △ABF는 $\overline{BF} = \overline{BA}$인 이등변삼각형이다.

따라서 $\overline{BF} = \overline{BA} = 8\ cm$이므로

$\overline{EF} = \overline{BF} - \overline{BE}$
$\qquad = 8 - 4 = 4\ (cm)$

04

[**전략**] 평행사변형의 두 쌍의 대변은 각각 평행함을 이용한다.

$\angle BAG = \angle DAG = \angle a$, $\angle GCF = \angle ECF = \angle b$라 하면

$\angle D = \angle DCE = 2\angle b$ (엇각)

$\angle BAD + \angle D = 180°$이므로 $2\angle a + 2\angle b = 180°$

$\therefore \angle a + \angle b = 90°$

또한, $\angle DGA = \angle BAG = \angle a$(엇각)이므로

$\angle CGF = \angle DGA = \angle a$ (맞꼭지각)

따라서 △GCF에서

$\angle GFC = 180° - (\angle a + \angle b)$
$\qquad = 180° - 90° = 90°$　　　　 🔲 90°

05

[**전략**] 종이를 접기 전의 모양을 그려 본 후 크기가 같은 각을 찾는다.

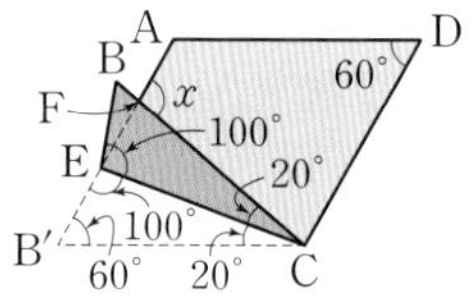

종이를 접기 전의 점 B를 점 B′이라 하면 오른쪽 그림과 같이

$\angle EB'C = \angle D = 60°$,

$\angle B'EC = \angle BEC = 100°$ (접은 각)

이므로

△EB′C에서

$\angle ECB' = 180° - (60° + 100°) = 20°$

이때 $\angle ECB = \angle ECB' = 20°$ (접은 각),

$\angle FEC = 180° - 100° = 80°$이므로

△FEC에서

$\angle x = 80° + 20° = 100°$　　　　 🔲 100°

쌤의 특강

사각형의 내각의 크기의 합을 이용해서 다음과 같이 풀 수도 있다.

평행사변형의 이웃하는 두 내각의 크기의 합은 180°이므로

$\angle A = \angle B'CD = 180° - 60° = 120°$

$\therefore \angle FCD = 120° - 2 \times 20° = 80°$

따라서 ▢AFCD의 내각의 크기의 합은 360°이므로

$\angle x = 360° - (120° + 60° + 80°) = 100°$

06

[**전략**] 평행사변형의 두 대각선이 서로 다른 것을 이등분한다는 성질과 직각삼각형에서의 외심의 성질을 이용한다.

평행사변형 ABCD에서 $\overline{OA} = \overline{OC}$

점 O는 $\angle AEC = 90°$인 직각삼각형 ACE의 외심이므로

$\overline{OE} = \overline{OA}$

이때 $\overline{AD} /\!/ \overline{BC}$이므로

$\angle DAC = \angle BCA = 50°$

따라서 △AOE는 $\overline{OA} = \overline{OE}$인 이등변삼각형이므로

$\angle AOE = 180° - 2 \times 50° = 80°$　　　 🔲 80°

07

[전략] 평행선에서의 엇각의 성질을 이용하여 크기가 같은 각을 찾는다.

$\overline{BC}=\overline{AD}=15$ cm

$\overline{AD}$ // $\overline{BF}$이므로 $\angle$CFA$=\angle$DAF (엇각)

즉, $\triangle$ACF에서 $\angle$CAF$=\angle$CFA이므로

$\overline{CF}=\overline{CA}=12$ cm

$\therefore \overline{BF}=\overline{BC}+\overline{CF}=15+12=27$ (cm)

또한, $\angle$AEB$=\angle$DAE (엇각)이므로

$\triangle$ABE에서 $\angle$BAE$=\angle$BEA

$\therefore \overline{BE}=\overline{BA}=10$ cm

$\therefore \overline{EF}=\overline{BF}-\overline{BE}=27-10=17$ (cm)

🔑 17 cm

08

[전략] $\overline{AE}$와 $\overline{BC}$의 연장선을 그린 후 합동인 삼각형을 찾는다.

오른쪽 그림과 같이 $\overline{AE}$의 연장선과 $\overline{BC}$의 연장선의 교점을 G라 하면

$\triangle$ADE와 $\triangle$GCE에서

$\angle$ADE$=\angle$GCE (엇각), $\overline{DE}=\overline{CE}$,

$\angle$AED$=\angle$GEC (맞꼭지각)

이므로 $\triangle$ADE$\equiv\triangle$GCE (ASA 합동)

$\therefore \overline{AD}=\overline{GC}$

이때 직각삼각형 FBG에서 $\angle$FGB$=90°-68°=22°$

또한, $\overline{AD}=\overline{BC}=\overline{GC}$이므로 직각삼각형 FBG의 외심은 점 C이다.

즉, $\overline{BC}=\overline{FC}=\overline{GC}$

따라서 $\triangle$CGF에서 $\overline{FC}=\overline{GC}$이므로

$\angle$EFC$=\angle$CGE$=22°$

🔑 22°

09

[전략] $\overline{EF}$와 $\overline{DC}$의 연장선을 그은 후 합동인 삼각형을 찾는다.

오른쪽 그림과 같이 $\overline{EF}$의 연장선과 $\overline{DC}$의 연장선의 교점을 G라 하면

$\overline{EB}$ // $\overline{DG}$이므로

$\angle$FGD$=\angle$BEF$=33°$ (엇각)

$\triangle$EBF와 $\triangle$GCF에서

$\overline{BF}=\overline{CF}$, $\angle$EFB$=\angle$GFC (맞꼭지각),

$\angle$EBF$=\angle$GCF (엇각)

이므로 $\triangle$EBF$\equiv\triangle$GCF (ASA 합동)

$\therefore \overline{EF}=\overline{GF}$

이때 $\triangle$DEG는 $\angle$EDG$=90°$인 직각삼각형이므로 점 F는 $\triangle$DEG의 외심이다.

즉, $\triangle$DFG에서 $\overline{FD}=\overline{FG}$이므로

$\angle$FDG$=\angle$FGD$=33°$

또한, $\triangle$CDF에서 $\overline{CF}=\overline{CD}$이므로 $\angle$CFD$=\angle$CDF$=33°$

$\therefore \angle$EFC$=\angle$EFD$+\angle$DFC

$=(\angle$FGD$+\angle$FDG)$+33°$

$=33°+33°+33°=99°$

🔑 99°

다른 풀이

오른쪽 그림과 같이 직각삼각형 ADE의 외심을 O라 하면

$\overline{OA}=\overline{OD}=\overline{OE}=\overline{OF}$

$\overline{BE}$ // $\overline{FO}$이므로

$\angle$EFO$=\angle$BEF$=33°$ (엇각)

$\triangle$OEF에서 $\overline{OE}=\overline{OF}$이므로 $\angle$OEF$=\angle$OFE$=33°$

$\angle$OFC$=\angle$ABF$=\angle$EAO (동위각)이고

$\angle$EAO$=\angle$AEO$=33°+33°=66°$

즉, $\angle$OFC$=\angle$AEO$=66°$이므로

$\angle$EFC$=\angle$OFE$+\angle$OFC

$=33°+66°=99°$

10

[전략] 한 쌍의 대변이 평행하고, 그 길이가 같은 사각형은 평행사변형임을 이용한다.

$\angle$ADC$=\angle$B$=65°$이므로

$\angle$EDF$=\angle$EDC$-\angle$ADC

$=110°-65°$

$=45°$

이때 $\angle$EDA$=\angle$OAD (엇각)이므로

$\overline{ED}$ // $\overline{AO}$

$\therefore \angle$DEF$=\angle$AOF (엇각)

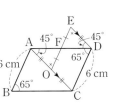

즉, △DEF≡△AOF (ASA 합동)이므로
$\overline{EF}=\overline{OF}$
□EOCD에서 $\overline{ED}$∥$\overline{OC}$이고 $\overline{ED}=\overline{OC}$이므로
□EOCD는 평행사변형이다.
즉, $\overline{EO}=\overline{CD}=6$ cm
$\therefore \overline{EF}=\frac{1}{2}\overline{EO}=\frac{1}{2}\times6=3$ (cm) 　　　　답 3 cm

11

[전략] 두 쌍의 대변이 각각 평행한 사각형은 평행사변형임을 이용한다.

점 A를 지나고 $\overline{BC}$에 평행한 직선, 점 B
를 지나고 $\overline{AC}$에 평행한 직선, 점 C를 지
나고 $\overline{AB}$에 평행한 직선을 각각 긋는다.
세 직선이 다른 직선과 만나는 점을 각각
D_1, D_2, D_3이라 하면

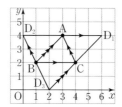

□ABCD₁, □AD₂BC, □ABD₃C는
모두 평행사변형이다.
세 점의 좌표는 각각 A(3, 4), B(1, 2), C(4, 2)이고
□ABCD₁에서 $\overline{AD_1}=\overline{BC}$이므로 D_1의 좌표는 (6, 4)
□AD₂BC에서 $\overline{D_2A}=\overline{BC}$이므로 D_2의 좌표는 (0, 4)
□ABD₃C에서 $D_3(x, y)$라 하면
$\overline{AB}$∥$\overline{D_3C}$이므로 $\frac{y-2}{x-4}=\frac{4-2}{3-1}=1$
즉, $x-4=y-2$이므로 $x-y=2$ 　　　　……㉠
$\overline{AC}$∥$\overline{BD_3}$이므로 $\frac{y-2}{x-1}=\frac{2-4}{4-3}=-2$
즉, $-2(x-1)=y-2$이므로 $2x+y=4$ 　　……㉡
㉠, ㉡을 연립하여 풀면 $x=2$, $y=0$ 　　$\therefore D_3(2, 0)$
따라서 구하는 모든 $a+b$의 값은 2, 4, 10이다. 　답 2, 4, 10

12

[전략] 두 쌍의 대변이 각각 평행한 사각형은 평행사변형이고, 평행사변형의 두 쌍
의 대변의 길이는 각각 같음을 이용한다.

□AFDE, □FIGJ, □EKHL은 두 쌍의 대변이 각각 평행하므
로 모두 평행사변형이다.
□FIGJ에서 $\overline{IF}=\overline{GJ}$, $\overline{FJ}=\overline{IG}$
□EKHL에서 $\overline{EL}=\overline{KH}$, $\overline{KE}=\overline{HL}$
이므로
□AFDE에서 $\overline{AF}=\overline{ED}=\overline{LH}+\overline{KD}$, $\overline{AE}=\overline{FD}=\overline{IG}+\overline{JD}$
따라서 색칠한 부분의 둘레의 길이의 합은
$(\overline{LH}+\overline{KD})+\overline{JG}+\overline{IB}+(\overline{IG}+\overline{JD})+\overline{KH}+\overline{LC}+\overline{BC}$
$=(\overline{AF}+\overline{FI}+\overline{IB})+(\overline{AE}+\overline{EL}+\overline{LC})+\overline{BC}$
$=\overline{AB}+\overline{AC}+\overline{BC}$
$=9+6+10=25$ (cm) 　　　　　　　答 25 cm

13

[전략] $\overline{AP}$∥$\overline{QC}$일 때 □APCQ가 평행사변형이 되기 위한 조건을 이용한다.

□ABCD가 평행사변형이므로 $\overline{AP}$∥$\overline{QC}$
즉, $\overline{AP}=\overline{QC}$이면 □APCQ는 평행사변형이 된다.
점 Q가 점 D를 출발한 지 x초 후에 $\overline{AP}=\overline{QC}$가 된다고 하면
$\overline{AP}=3(x+2)$ cm, $\overline{QC}=62-4x$ (cm)
이므로 $3(x+2)=62-4x$
$3x+6=62-4x$, $7x=56$ 　　$\therefore x=8$
따라서 □APCQ가 평행사변형이 되는 것은 점 Q가 출발한 지 8초
후, 즉 점 P가 출발한 지 $8+2=10$(초) 후이다. 　　答 10초

쌤의 특강

점 P가 출발한 지 2초 후에 점 Q가 출발하므로 점 Q가 x초 동안 움직일 때 점
P는 $(x+2)$초 동안 움직였다.

14

[전략] △ABF와 △ABE가 이등변삼각형임을 이용한다.

오른쪽 그림과 같이 $\overline{EF}$를 그으면
$\angle AFB=\angle EBF=\angle ABF$
즉, △ABF는 $\overline{AB}=\overline{AF}$인 이등변삼각
형이므로 $\overline{AF}=\overline{AB}=6$ cm
또한, $\angle BEA=\angle FAE=\angle BAE$에서
△ABE는 $\overline{AB}=\overline{BE}$인 이등변삼각형이므로
$\overline{BE}=\overline{AB}=6$ cm

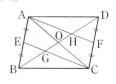

따라서 $\overline{AF}$∥$\overline{BE}$, $\overline{AF}=\overline{BE}$이므로 □ABEF는 평행사변형이다.
□ABEF$=\frac{6}{9}$□ABCD$=\frac{2}{3}$□ABCD
$\quad\quad\quad\;=\frac{2}{3}\times60=40$ (cm²)
$\therefore △AGF=\frac{1}{4}$□ABEF
$\quad\quad\quad\;=\frac{1}{4}\times40=10$ (cm²) 　　　　答 10 cm²

15

[전략] $\overline{AC}$를 긋고 합동인 삼각형을 찾는다.

□ABCD가 평행사변형이므로 $\overline{AE}$∥$\overline{FC}$이고 $\overline{AB}=\overline{DC}$에서
$\overline{AE}=\overline{FC}$이므로 □AECF는 평행사변형이다.
한편, 오른쪽 그림과 같이 $\overline{AC}$와 $\overline{BD}$의 교
점을 O라 하면
△AOH와 △COG에서
$\overline{OA}=\overline{OC}$, $\angle OAH=\angle OCG$ (엇각),
$\angle AOH=\angle COG$ (맞꼭지각)
이므로 △AOH≡△COG (ASA 합동)

$$\therefore \square AEGH = \square AEGO + \triangle AOH$$
$$= \square AEGO + \triangle COG$$
$$= \triangle AEC = \frac{1}{2} \triangle ABC$$
$$= \frac{1}{2} \times \frac{1}{2} \square ABCD$$
$$= \frac{1}{4} \square ABCD$$
$$= \frac{1}{4} \times 48 = 12 \, (\text{cm}^2)$$

답 $12 \, \text{cm}^2$

16

[전략] □ABCD의 넓이는 △BCQ의 넓이의 2배임을 이용한다.

$\triangle PBC = x \, \text{cm}^2$라 하면 $\triangle BPQ = \frac{3}{2}x \, \text{cm}^2$

이므로

$$\triangle BCQ = \triangle PBC + \triangle BPQ = x + \frac{3}{2}x = \frac{5}{2}x \, (\text{cm}^2)$$

$$\therefore \square ABCD = 2\triangle BCQ$$
$$= 2 \times \frac{5}{2}x = 5x \, (\text{cm}^2)$$

또한, $\triangle PBC + \triangle PDA = \frac{1}{2}\square ABCD$이므로

$$x + 12 = \frac{1}{2} \times 5x, \quad \frac{3}{2}x = 12 \quad \therefore x = 8$$

따라서 □ABCD의 넓이는

$$5x = 5 \times 8 = 40 \, (\text{cm}^2)$$

답 $40 \, \text{cm}^2$

쌤의 특강

점 Q에서 $\overline{BC}$에 내린 수선의 발을 H라 하면
$\square ABCD = \overline{BC} \times \overline{QH}$

$\triangle BCQ = \frac{1}{2} \times \overline{BC} \times \overline{QH}$

$\therefore \square ABCD = 2\triangle BCQ$

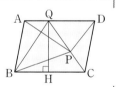

LEVEL 3 최고난도 문제 → 35쪽

| 01 40° | 02 61° | 03 75 cm² | 04 22 |

01 solution 미리 보기

step ❶	△ABC≡△DBE임을 보이고 길이가 같은 변 찾기
step ❷	△ABC≡△FEC임을 보이고 길이가 같은 변 찾기
step ❸	□AFED가 평행사변형임을 이용하여 ∠ADE+∠AFE의 크기 구하기

△ABC와 △DBE에서
$\overline{BC} = \overline{BE}$, $\overline{AB} = \overline{DB}$, $\angle ABC = 60° - \angle EBA = \angle DBE$
이므로 △ABC≡△DBE (SAS 합동)

$\therefore \overline{AC} = \overline{DE} = \overline{AF}$ ……㉠ ❶

△ABC와 △FEC에서
$\overline{BC} = \overline{EC}$, $\overline{AC} = \overline{FC}$, $\angle ACB = 60° + \angle ACE = \angle FCE$
이므로 △ABC≡△FEC (SAS 합동)

$\therefore \overline{AB} = \overline{FE} = \overline{AD}$ ……㉡ ❷

㉠, ㉡에서 □AFED는 두 쌍의 대변의 길이가 각각 같으므로 평행사변형이다.

이때 ∠EDB=∠CAB=80°이므로

∠AFE=∠ADE=80°−60°=20°

$\therefore \angle ADE + \angle AFE = 20° + 20° = 40°$ ❸

답 40°

02 solution 미리 보기

step ❶	□BCED가 평행사변형임을 보이기
step ❷	△DOE가 이등변삼각형임을 알기
step ❸	△AOD가 이등변삼각형임을 이용하여 ∠ACB의 크기 구하기

□ABCD는 평행사변형이므로 $\overline{AD} /\!/ \overline{BC}$, $\overline{AD} = \overline{BC}$

$\therefore \overline{DE} /\!/ \overline{BC}$, $\overline{DE} = \overline{BC}$

즉, □BCED는 평행사변형이다. ❶

∠DBC=∠DEC=29°+29°=58°이므로

∠ADB=∠DBC=58° (엇각)

△DOE에서 ∠DOE=58°−29°=29°이므로

△DOE는 $\overline{DO} = \overline{DE}$인 이등변삼각형이다. ❷

즉, △AOD는 $\overline{DA} = \overline{DO}$이므로

$$\angle AOD = \frac{1}{2} \times (180° - 58°) = 61°$$

$\therefore \angle BOC = \angle AOD = 61°$ (맞꼭지각)

따라서 △OBC에서

∠OCB=180°−(61°+58°)=61°

이므로 ∠ACB=61° ❸

답 61°

03 solution 미리 보기

step ❶	△BCG의 넓이 구하기
step ❷	삼각형이 합동임을 이용하여 △BCE의 넓이 구하기
step ❸	□BEFG의 넓이 구하기

오른쪽 그림과 같이 $\overline{BA}$의 연장선 위에 $\overline{AD} /\!/ \overline{HG}$인 점 H를 잡으면 □HBCG는 평행사변형이고 그 넓이는 □ABCD의 2배이다.

$\overline{BG}$는 □HBCG의 대각선이므로

$$\triangle BCG = \frac{1}{2}\square HBCG$$
$$= \frac{1}{2} \times 2\square ABCD$$
$$= \frac{1}{2} \times 2 \times 30 = 30 \, (\text{cm}^2)$$ ❶

$\overline{BD}$를 그으면

△BCD와 △BCE에서

$\overline{BC}$는 공통, $\overline{CD}=\overline{CE}$, ∠BCD=∠BCE=120°

이므로 △BCD≡△BCE (SAS 합동)

∴ △BCE=△BCD

$\qquad = \frac{1}{2}\square ABCD$

$\qquad = \frac{1}{2}\times 30=15\,(\text{cm}^2)$ ················❷

따라서 □BEFG의 넓이는

△BCG+△BCE+□CEFG

$=30+15+30=75\,(\text{cm}^2)$ ················❸

🖺 75 cm²

---

04 solution 미리 보기

step ❶	△PCD의 넓이를 a라 하고 △ACP의 넓이 구하기
step ❷	△QAB의 넓이를 b라 하고 △AQC의 넓이 구하기
step ❸	□AQCP의 넓이 구하기

오른쪽 그림과 같이 $\overline{AC}$를 긋고

△PCD의 넓이를 a라 하면

$\triangle PAB + \triangle PCD = \frac{1}{2}\square ABCD$이므로

$15+a=\frac{1}{2}\square ABCD$

$\therefore \triangle ACD = \frac{1}{2}\square ABCD = a+15$

따라서 △ACP의 넓이는

$\triangle ACD - \triangle PAD - \triangle PCD$

$=a+15-4-a=11$ ················❶

마찬가지로 △QAB의 넓이를 b라 하면

$\triangle QAB + \triangle QCD = \frac{1}{2}\square ABCD$이므로

$b+15=\frac{1}{2}\square ABCD$

$\therefore \triangle ABC = \frac{1}{2}\square ABCD = b+15$

따라서 △AQC의 넓이는

$\triangle ABC - \triangle QAB - \triangle QBC$

$=b+15-b-4=11$ ················❷

그러므로 □AQCP의 넓이는

$\triangle ACP + \triangle AQC = 11+11=22$ ················❸

🖺 22

---

04. 여러 가지 사각형

LEVEL 1 시험에 꼭 내는 문제 → 38쪽~40쪽

01 60°	**02** ④	**03** 50°	**04** 56°	**05** 28 cm	**06** 70°	**07** 75°
08 38°	**09** 10 cm		**10** ③	**11** ⑤	**12** ②, ⑤	**13** 90
14 20 cm		**15** 14 cm²		**16** 10 cm²	**17** 65°	**18** ③
19 22 cm²						

01

∠BAE=∠EAC=∠a라 하면

△AEC에서 $\overline{AE}=\overline{EC}$이므로

$\qquad$∠ECA=∠EAC=∠a

△ABC에서 ∠B=90°이므로

3∠a=90° $\therefore$ ∠a=30°

따라서 △ABE에서

∠AEB=180°−(90°+30°)=60°

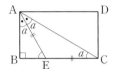

🖺 60°

02

① ∠ABC+∠BCD=180°에서 ∠ABC=∠BCD이면

$\qquad$∠ABC=∠BCD=90°이므로 □ABCD는 직사각형이다.

② $\overline{AC}$=6 cm이면 $\overline{AC}=\overline{BD}$이므로 □ABCD는 직사각형이다.

③ ∠OAB=∠OBA이면 $\overline{OA}=\overline{OB}$, 즉 $\overline{AC}=\overline{BD}$이므로

$\qquad$□ABCD는 직사각형이다.

④ ∠AOB=90°이면 □ABCD는 마름모이다.

⑤ $\overline{AO}=\overline{DO}$이면 $\overline{AC}=\overline{BD}$이므로 □ABCD는 직사각형이다.

따라서 필요한 조건이 아닌 것은 ④이다. 🖺 ④

쌤의 오답 피하기 특강

평행사변형의 한 내각의 크기가 90°이거나 두 대각선의 길이가 같으면 직사각형이 된다. 이때 평행사변형의 이웃하는 두 내각의 크기의 합이 180°이므로 이웃하는 두 내각의 크기가 같으면 한 내각의 크기는 90°가 되어 직사각형이 된다.

03

△BCD에서 $\overline{BC}=\overline{CD}$이므로

∠DBC=$\frac{1}{2}\times(180°-100°)=40°$

$\therefore$ ∠AFD=∠BFE=180°−(90°+40°)=50° 🖺 50°

쌤의 특강

마름모의 대각선은 각 내각의 크기를 이등분한다. 오른쪽 그림과 같이 대각선 AC를 그으면

∠BCA=∠ACD=50°이므로

△AEC에서 ∠EAC=40°

따라서 △AFO에서 ∠AFD=50°

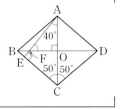

04

$\triangle ABE$와 $\triangle ADF$에서
$\angle AEB = \angle AFD = 90°$, $\overline{AB} = \overline{AD}$, $\angle B = \angle D$
이므로 $\triangle ABE \equiv \triangle ADF$ (RHA 합동)
$\therefore \overline{AE} = \overline{AF}$, $\angle BAE = \angle DAF$
즉, $\angle DAF = \angle BAE = 180° - (68° + 90°) = 22°$
이때 $\angle BAD = 180° - 68° = 112°$이므로
$\angle EAF = 112° - (22° + 22°) = 68°$
따라서 $\triangle AEF$에서 $\overline{AE} = \overline{AF}$이므로
$\angle AFE = \dfrac{1}{2} \times (180° - 68°) = 56°$ 　　　　답 56°

05

$\overline{AD} \parallel \overline{BC}$이므로 $\angle ADB = \angle DBC = 35°$ (엇각)
$\triangle AOD$에서
$\angle AOD = 180° - (55° + 35°) = 90°$
$\therefore \overline{AC} \perp \overline{BD}$
즉, 평행사변형의 두 대각선이 수직으로 만나므로 $\square ABCD$는 마름모이다.
따라서 $\square ABCD$의 둘레의 길이는
$4 \times 7 = 28$ (cm) 　　　　답 28 cm

06

$\triangle ABP$와 $\triangle CBP$에서
$\overline{AB} = \overline{CB}$, $\angle ABP = \angle CBP = 45°$, $\overline{BP}$는 공통
이므로 $\triangle ABP \equiv \triangle CBP$ (SAS 합동)
$\therefore \angle PAB = \angle PCB = 25°$
따라서 $\triangle ABP$에서
$\angle APD = \angle PAB + \angle ABP$
　　　　$= 25° + 45° = 70°$ 　　　　답 70°

참고 삼각형의 한 외각의 크기는 그와 이웃하지 않는 두 내각의 크기의 합과 같다.

07

$\triangle DAF$와 $\triangle BCE$에서
$\overline{DA} = \overline{BC}$, $\angle DAF = \angle BCE = 90°$, $\overline{AF} = \overline{CE}$
이므로 $\triangle DAF \equiv \triangle BCE$ (SAS 합동)
$\therefore \angle CBE = \angle ADF = 30°$
따라서 $\triangle GBC$에서
$\angle AGB = \angle CBG + \angle GCB$
　　　　$= 30° + 45° = 75°$ 　　　　답 75°

다른 풀이

$\triangle ADH$에서
$\angle AHF = \angle DAH + \angle ADH$
　　　　$= 45° + 30° = 75°$
이때 $\overline{FB} = \overline{AB} - \overline{AF} = \overline{CD} - \overline{CE} = \overline{DE}$이고

$\overline{FB} \parallel \overline{DE}$이므로 $\square FBED$는 평행사변형이다.
즉, $\overline{FD} \parallel \overline{BE}$이므로 $\angle AGB = \angle AHF = 75°$ (동위각)

08

$\overline{AD} \parallel \overline{BC}$이므로 $\angle DAC = \angle ACB$
$\triangle DAC$에서 $\overline{DA} = \overline{DC}$이므로 $\angle DCA = \angle DAC$
따라서 $\angle ACB = \angle DCA$이고 $\square ABCD$는 등변사다리꼴이므로
$\angle DCB = \angle ABC = 76°$
$\therefore \angle ACB = \dfrac{1}{2} \angle DCB = \dfrac{1}{2} \times 76° = 38°$ 　　　　답 38°

다른 풀이

$\square ABCD$는 등변사다리꼴이므로 $\angle B + \angle D = 180°$
$\therefore \angle D = 180° - 76° = 104°$
이때 $\triangle DAC$는 $\overline{DA} = \overline{DC}$인 이등변삼각형이므로
$\angle DAC = \dfrac{1}{2} \times (180° - 104°) = 38°$
따라서 $\overline{AD} \parallel \overline{BC}$이므로 $\angle ACB = \angle DAC = 38°$

09

오른쪽 그림과 같이 꼭짓점 D에서 $\overline{BC}$에 내린 수선의 발을 F라 하면
$\overline{EF} = \overline{AD} = 7$ cm
$\triangle ABE$와 $\triangle DCF$에서
$\angle AEB = \angle DFC = 90°$, $\overline{AB} = \overline{DC}$,
$\angle ABE = \angle DCF$
이므로 $\triangle ABE \equiv \triangle DCF$ (RHA 합동)
즉, $\overline{BE} = \overline{CF}$이므로
$\overline{CF} = \dfrac{1}{2}(\overline{BC} - \overline{EF})$
　　　$= \dfrac{1}{2} \times (13 - 7) = 3$ (cm)
$\therefore \overline{EC} = \overline{EF} + \overline{CF} = 7 + 3 = 10$ (cm) 　　　　답 10 cm

10

③ ㈐에 필요한 조건은 '이웃하는 두 변의 길이가 같거나 두 대각선이 직교한다.'이다. 　　　　답 ③

쌤의 특강

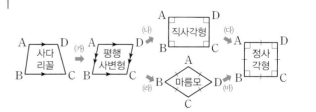

㈎ 다른 한 쌍의 대변이 평행하다.
㈏, ㈑ 한 내각이 직각이거나 두 대각선의 길이가 같다.
㈐, ㈒ 이웃하는 두 변의 길이가 같거나 두 대각선이 직교한다.

11

③ ∠ABC=∠BCD이면 ∠ABC=∠BCD=90°

즉, □ABCD는 한 내각이 직각인 평행사변형이므로 직사각형이다.

④ ∠ABO=∠ADO이면 $\overline{AB}=\overline{AD}$

즉, □ABCD는 이웃하는 두 변의 길이가 같은 직사각형이므로 정사각형이다.

⑤ $\overline{AO}=\overline{DO}$이면 $\overline{AC}=\overline{BD}$

즉, □ABCD는 두 대각선의 길이가 같은 평행사변형이므로 직사각형이다.

따라서 옳지 않은 것은 ⑤이다. 　　　　　　**답** ⑤

쌤의 오답 피하기 특강

평행사변형 ┌ 두 대각선의 길이가 같다. ➡ 직사각형
　　　　　└ 이웃하는 두 변의 길이가 같다. ➡ 마름모

평행사변형 ┌ 한 내각이 직각이다. ➡ 직사각형
　　　　　└ 두 대각선이 직교한다. ➡ 마름모

12

주어진 사각형과 그 사각형의 각 변의 중점을 연결하여 만든 사각형을 짝 지으면 다음과 같다.

① 평행사변형 – 평행사변형

② 직사각형 – 마름모

③ 마름모 – 직사각형

④ 사다리꼴 – 평행사변형

⑤ 등변사다리꼴 – 마름모

따라서 마름모인 것은 ②, ⑤이다. 　　　　**답** ②, ⑤

13

□EFGH는 사각형의 각 변의 중점을 연결하여 만든 사각형이므로 평행사변형이다.

∠HEF+∠EHG=180°이므로

$x+95=180$ 　 ∴ $x=85$

또한, $\overline{EF}=\overline{HG}$이므로 $y=5$

∴ $x+y=85+5=90$ 　　　　　　**답** 90

14

□PQRS는 직사각형의 각 변의 중점을 연결하여 만든 사각형이므로 마름모이다.

오른쪽 그림과 같이 두 점 P, R와 Q, S를 지나는 직선을 각각 긋고 그 교점을 O라 하면 □APOS, □PBQO, □OQCR, □SORD는 모두 합동인 직사각형이다.

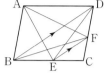

이때 직사각형의 두 대각선의 길이는 같으므로

$\overline{PS}=\overline{OA}=5\,cm$, $\overline{PQ}=\overline{OB}=5\,cm$, $\overline{QR}=\overline{OC}=5\,cm$, $\overline{RS}=\overline{OD}=5\,cm$

따라서 □PQRS의 둘레의 길이는

$5\times4=20\,(cm)$ 　　　　　　**답** 20 cm

15

오른쪽 그림과 같이 $\overline{BF}$, $\overline{DE}$를 그으면

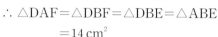

$\overline{AB}/\!/\overline{DC}$이므로 △DAF=△DBF

$\overline{BD}/\!/\overline{EF}$이므로 △DBF=△DBE

$\overline{AD}/\!/\overline{BC}$이므로 △DBE=△ABE

∴ △DAF=△DBF=△DBE=△ABE
　　　　　　　$=14\,cm^2$ 　　　　**답** 14 cm^2

16

$\overline{AD}:\overline{DB}=1:2$이므로 △ADC : △BCD=1 : 2

∴ $\triangle BCD=\dfrac{2}{3}\triangle ABC=\dfrac{2}{3}\times60=40\,(cm^2)$

또한, △BCD에서 $\overline{DO}:\overline{OC}=1:3$이므로

$\triangle BOD=\dfrac{1}{4}\triangle BCD=\dfrac{1}{4}\times40=10\,(cm^2)$

이때 □DBCE는 $\overline{DE}/\!/\overline{BC}$인 사다리꼴이므로

△COE=△BOD=10 cm^2 　　　　**답** 10 cm^2

쌤의 오답 피하기 특강

$\overline{DO}:\overline{OC}=1:3$이므로 □ADOE : △EOC=1 : 3이라 생각하지 않게 주의한다. 이때 □DBCE는 $\overline{DE}/\!/\overline{BC}$인 사다리꼴이므로 넓이가 같은 삼각형을 찾는다. 즉, △DBC=△EBC이므로

△BOD=△DBC−△OBC
　　　=△EBC−△OBC
　　　=△COE

임을 이용한다.

17

마름모 ABCD의 두 대각선 AC와 BD는 서로 다른 것을 수직이등분하므로 $\overline{BD}/\!/m$

∴ ∠BDC=∠CEF=25° (엇각)

따라서 △DAC에서

∠ADB=∠BDC=25°이고

$\overline{DA}=\overline{DC}$이므로

$\angle CAD=\dfrac{1}{2}\times(180°-50°)=65°$ 　　**답** 65°

18

∠BAD+∠ADC=180°이므로

∠FAD+∠FDA=90°

△AFD에서 ∠EFG=180°−90°=90°

마찬가지 방법으로 ∠FGH=∠GHE=∠HEF=90°

즉, 네 내각이 모두 직각이므로 □EFGH는 직사각형이다.

따라서 □EFGH에 대한 설명으로 옳지 않은 것은 ③이다. **답** ③

19

오른쪽 그림과 같이 $\overline{AE}$를 그으면
$\overline{AC} \, /\!/ \, \overline{DE}$이므로

$\triangle ACD = \triangle ACE$

$\therefore \square ABCD = \triangle ABC + \triangle ACD$

$\qquad\qquad\quad = \triangle ABC + \triangle ACE$

$\qquad\qquad\quad = \triangle ABE$

$\qquad\qquad\quad = \dfrac{1}{2} \times 11 \times 4 = 22 \, (\text{cm}^2)$

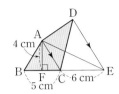

답 $22 \, \text{cm}^2$

쌤의 특강

평행선과 삼각형의 넓이

오른쪽 그림에서 $\overline{AC} \, /\!/ \, \overline{DE}$일 때

① $\triangle ACD = \triangle ACE$

② $\square ABCD = \triangle ABC + \triangle ACD$

$\qquad\qquad\quad = \triangle ABC + \triangle ACE$

$\qquad\qquad\quad = \triangle ABE$

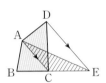

$\overline{PB} = \dfrac{1}{2}\overline{AB} = \dfrac{1}{2} \times \dfrac{2}{3}\overline{BC} = \dfrac{1}{3}\overline{BC} = \overline{QC}$

이므로 $\triangle PBQ \equiv \triangle QCD$ (SAS 합동)

$\therefore \overline{PQ} = \overline{QD}, \ \angle BQP = \angle CDQ$

또한, $\angle BQP + \angle DQC = \angle CDQ + \angle DQC = 90°$이므로

$\triangle PQD$는 $\angle PQD = 90°, \ \overline{PQ} = \overline{QD}$인 직각이등변삼각형이다.

즉, $\angle PDQ = \dfrac{1}{2} \times (180° - 90°) = 45°$이므로

$\angle ADP + \angle BQP = \angle ADP + \angle CDQ$

$\qquad\qquad\qquad\qquad = 90° - 45° = 45°$

답 $45°$

쌤의 특강

$\overline{AB} : \overline{BC} = 2 : 3$이므로

$2\overline{BC} = 3\overline{AB} \quad \therefore \overline{AB} = \dfrac{2}{3}\overline{BC} \quad \cdots\cdots \text{㉠}$

$\overline{BQ} : \overline{QC} = 2 : 1$이므로

$\overline{BQ} = \dfrac{2}{3}\overline{BC}, \ \overline{QC} = \dfrac{1}{3}\overline{BC} \quad \cdots\cdots \text{㉡}$

따라서 ㉠, ㉡에서

$\overline{BQ} = \overline{AB} = \overline{CD}$

LEVEL 2 필수 기출 문제

→ 41쪽~46쪽

01 $54°$	**02** $45°$	**03** $\dfrac{96}{5}\,\text{cm}$	**04** ⑤	**05** $\dfrac{3}{2}\,\text{cm}^2$	**06** $40°$
07 $16\pi\,\text{cm}^2$	**08** $45°$	**09** $13\,\text{cm}^2$	**10** $-\dfrac{16}{3}$	**11** $63°$	
12 ㄱ, ㄷ	**13** $68\,\text{cm}$	**14** $8\,\text{cm}$	**15** 예인, 다영, 선우		
16 2	**17** ③	**18** $9\,\text{cm}^2$	**19** $90\,\text{cm}^2$	**20** $14\,\text{cm}^2$	
21 $4\pi\,\text{cm}^2$	**22** $16\,\text{cm}^2$	**23** $32\,\text{cm}^2$	**24** $18\,\text{cm}^2$		

01

[전략] 직사각형의 한 내각의 크기가 $90°$임을 이용하여 삼각형의 내각의 크기를 구한다.

$\angle ACE = \angle ACB = 27°$ (접은 각)

이므로 $\angle ECF = 90° - (27° + 27°) = 36°$

또한, $\angle AEC = \angle ABC = 90°$ (접은 각)

따라서 $\triangle ECF$에서

$\angle AFC = 180° - (90° + 36°) = 54°$

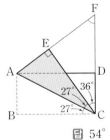

답 $54°$

02

[전략] $\triangle PBQ \equiv \triangle QCD$ (SAS 합동)임을 이용한다.

오른쪽 그림과 같이 $\overline{DQ}$를 그으면

$\triangle PBQ$와 $\triangle QCD$에서

$\angle B = \angle C = 90°$,

$\overline{BQ} = \dfrac{2}{3}\overline{BC} = \overline{AB} = \overline{CD}$,

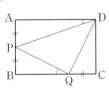

03

[전략] 마름모 ABCD의 넓이를 $\triangle PAB$, $\triangle PBC$, $\triangle PCD$, $\triangle PDA$의 넓이의 합으로 나타내어 본다.

마름모 ABCD의 넓이는

$\dfrac{1}{2} \times \overline{AC} \times \overline{BD} = \dfrac{1}{2} \times 12 \times 16 = 96 \, (\text{cm}^2)$

오른쪽 그림과 같이
$\overline{PA}, \overline{PB}, \overline{PC}, \overline{PD}$를 그으면

$\square ABCD$

$= \triangle PAB + \triangle PBC + \triangle PCD + \triangle PDA$

$= \dfrac{1}{2} \times 10 \times (\overline{PE} + \overline{PF} + \overline{PG} + \overline{PH})$

$= 5(\overline{PE} + \overline{PF} + \overline{PG} + \overline{PH})$

이때 $\square ABCD = 96 \, \text{cm}^2$이므로

$\overline{PE} + \overline{PF} + \overline{PG} + \overline{PH} = \dfrac{96}{5} \, (\text{cm})$

답 $\dfrac{96}{5}\,\text{cm}$

다른 풀이

$\overline{AB} \, /\!/ \, \overline{DC}$이므로 $\square ABCD$의 넓이는

$\overline{AB} \times (\overline{EP} + \overline{PG}) = 10(\overline{EP} + \overline{PG}) = \dfrac{1}{2} \times 12 \times 16$

$\therefore \overline{EP} + \overline{PG} = \dfrac{48}{5} \, (\text{cm})$

$\overline{BC} \times (\overline{FP} + \overline{PH}) = 10(\overline{FP} + \overline{PH}) = \dfrac{1}{2} \times 12 \times 16$

$\therefore \overline{FP} + \overline{PH} = \dfrac{48}{5} \, (\text{cm})$

$\therefore \overline{PE} + \overline{PF} + \overline{PG} + \overline{PH} = \dfrac{48}{5} + \dfrac{48}{5} = \dfrac{96}{5} \, (\text{cm})$

04

[전략] 길이가 같은 선분을 찾아 △APD가 $\overline{AP}=\overline{AD}$인 이등변삼각형임을 이용한다.

□ABCD는 마름모이므로

$\overline{AB}=\overline{AD}$

△ABP는 정삼각형이므로

$\overline{AB}=\overline{AP}$, ∠BAP=60°

∴ $\overline{AP}=\overline{AD}$, ∠PAD=100°-60°=40°

즉, △APD는 $\overline{AP}=\overline{AD}$인 이등변삼각형이므로

$∠ADP=\dfrac{1}{2}\times(180°-40°)=70°$

이때 ∠ADC=180°-100°=80°이므로

∠PDC=80°-70°=10°

따라서 △PCD에서

∠DPC+∠PCD=180°-10°=170°

답 ⑤

05

[전략] △DFC가 이등변삼각형임을 이용한다.

△EBF에서 $\overline{BE}=\overline{BF}$이므로

∠BEF=∠BFE

∴ ∠BFE=∠DFC (맞꼭지각)

$\overline{AB}\,/\!/\,\overline{DC}$이므로 ∠BEF=∠DCF (엇각)

∴ ∠DFC=∠DCF

즉, △DFC는 $\overline{DF}=\overline{DC}$인 이등변삼각형이므로

$\overline{DF}=\overline{DC}=5\,cm$

이때 $\overline{BD}=\overline{BF}+\overline{FD}=3+5=8\,(cm)$이므로

$\overline{BO}=\dfrac{1}{2}\overline{BD}=4\,(cm)$

$△BCD=\dfrac{1}{2}\times\overline{BD}\times\overline{OC}=12\,(cm^2)$에서

$\dfrac{1}{2}\times8\times\overline{OC}=12$ ∴ $\overline{OC}=3\,(cm)$

$∴ △OFC=\dfrac{1}{2}\times\overline{OF}\times\overline{OC}$

$=\dfrac{1}{2}\times(\overline{BO}-\overline{BF})\times\overline{OC}$

$=\dfrac{1}{2}\times(4-3)\times3=\dfrac{3}{2}\,(cm^2)$

답 $\dfrac{3}{2}\,cm^2$

06

[전략] 정사각형과 마름모의 대각선은 각 내각을 이등분함을 이용한다.

정사각형 ABCD의 한 내각의 크기는 90°이므로

∠BAC=45°

이때 ∠EBF=∠FBC=∠a라 하면

∠ABE=90°-2∠a, ∠ABP=90°-∠a

△ABP에서

45°+(90°-∠a)+70°=180°이므로

∠a=25°

∴ ∠ABE=90°-2×25°=40°

답 40°

마름모의 두 대각선은 서로 다른 것을 수직이등분하고 각 내각을 이등분한다.

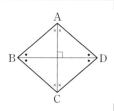

07

[전략] 정사각형의 두 대각선은 길이가 같고, 서로 다른 것을 수직이등분함을 이용한다.

부채꼴의 반지름의 길이를 $r\,cm$라 하면 $\overline{BD}=r\,cm$

정사각형의 두 대각선은 길이가 같고, 서로 다른 것을 수직이등분하므로 $\overline{AC}=\overline{BD}=r\,cm$

$□ABCD=\dfrac{1}{2}\times\overline{AC}\times\overline{BD}$에서

$\dfrac{1}{2}\times r\times r=32$이므로 $r^2=64$

이때 $r>0$이므로 $r=8$

따라서 주어진 부채꼴의 반지름의 길이는 8 cm이므로 그 넓이는

$π\times8^2\times\dfrac{90}{360}=16π\,(cm^2)$

답 $16π\,cm^2$

08

[전략] ∠AED=∠a라 하고 ∠EAB를 a에 대한 식으로 나타낸다.

$\overline{AE}=\overline{AB}=\overline{AD}$이므로 △AED는 $\overline{AE}=\overline{AD}$인 이등변삼각형이다.

∠AED=∠ADE=∠a라 하면 △AED에서

∠EAD=180°-2∠a

이므로 ∠EAB=∠EAD-90°=90°-2∠a

따라서 △AEB에서

$(90°-2∠a)+2(∠a+∠DEB)=180°$

$2∠DEB=90°$ ∴ ∠DEB=45°

답 45°

09

[전략] △OBE≡△OCF (ASA 합동)임을 이용한다.

△OBE와 △OCF에서

∠OBE=∠OCF=45°, $\overline{OB}=\overline{OC}$,

∠BOE=90°-∠COE=∠COF

이므로 △OBE≡△OCF (ASA 합동)

∴ $\overline{CF}=\overline{BE}=6\,cm$

따라서 □ABCD의 한 변의 길이는 10 cm이므로

$\overline{EC}=10-6=4\,(cm)$이고 △OBE와 △OCF의 넓이는 같다.

$∴ □OECF=△OEC+△OCF$

$=△OEC+△OBE$

$=△OBC=\dfrac{1}{4}□ABCD$

$=\dfrac{1}{4}\times10\times10=25\,(cm^2)$

$$\therefore \triangle \text{EOF} = \square \text{OECF} - \triangle \text{FEC}$$
$$= 25 - \frac{1}{2} \times 4 \times 6$$
$$= 25 - 12 = 13 \, (\text{cm}^2)$$

답 $13 \, \text{cm}^2$

10

[전략] 두 점 C, D에서 각각 x축, y축에 수선을 내린 후 합동인 삼각형을 찾아 두 점 A, D의 좌표를 각각 구한다.

오른쪽 그림과 같이 점 C에서 x축에 내린 수선의 발을 E, 점 D에서 y축에 내린 수선의 발을 F라 하면

$\triangle \text{BEC} \equiv \triangle \text{AOB} \equiv \triangle \text{DFA}$
(RHA 합동)이므로

$\overline{\text{AF}} = \overline{\text{BO}} = \overline{\text{CE}} = 3, \overline{\text{BE}} = 7 - 3 = 4$

$\therefore \overline{\text{FD}} = \overline{\text{OA}} = \overline{\text{EB}} = 4$

즉, 점 A의 좌표는 $(0, 4)$, 점 D의 좌표는 $(4, 7)$이므로 두 점 A, D를 지나는 일차함수의 식을 $y = ax + b$라 하면

$a = \dfrac{7-4}{4-0} = \dfrac{3}{4}, b = 4$이므로 $y = \dfrac{3}{4}x + 4$

따라서 일차함수 $y = \dfrac{3}{4}x + 4$의 그래프의 x절편은

$y = 0$일 때 $0 = \dfrac{3}{4}x + 4$ $\therefore x = -\dfrac{16}{3}$

답 $-\dfrac{16}{3}$

쌤의 복합 개념 특강

개념1 일차함수의 그래프의 x절편

x절편은 함수의 그래프가 x축과 만나는 점의 x좌표로 $y = 0$일 때의 x의 값이다.

개념2 서로 다른 두 점 $(x_1, y_1), (x_2, y_2)$를 지나는 직선을 그래프로 하는 일차함수의 식 구하기

① 두 점을 지나는 직선의 기울기 a를 구한다.

➡ $a = \dfrac{y_2 - y_1}{x_2 - x_1} = \dfrac{y_1 - y_2}{x_1 - x_2}$ (단, $x_1 \ne x_2$)

② 일차함수의 식을 $y = ax + b$로 놓고 한 점의 좌표를 대입하여 b의 값을 구한다.

11

[전략] $\triangle \text{ABE}$와 합동인 $\triangle \text{ADG}$를 그려 본다.

오른쪽 그림과 같이 $\overline{\text{CD}}$의 연장선 위에 $\overline{\text{BE}} = \overline{\text{DG}}$인 점 G를 잡으면

$\triangle \text{ABE}$와 $\triangle \text{ADG}$에서

$\overline{\text{AB}} = \overline{\text{AD}}, \angle \text{ABE} = \angle \text{ADG} = 90°,$

$\overline{\text{BE}} = \overline{\text{DG}}$

이므로 $\triangle \text{ABE} \equiv \triangle \text{ADG}$ (SAS 합동)

$\therefore \overline{\text{AE}} = \overline{\text{AG}}, \angle \text{BAE} = \angle \text{DAG}$

즉, $\triangle \text{AEF}$와 $\triangle \text{AGF}$에서

$\overline{\text{AE}} = \overline{\text{AG}}$, $\overline{\text{AF}}$는 공통,

$\angle \text{EAF} = 45° = \angle \text{BAE} + \angle \text{FAD}$
$= \angle \text{DAG} + \angle \text{FAD} = \angle \text{GAF}$

이므로 $\triangle \text{AEF} \equiv \triangle \text{AGF}$ (SAS 합동)

$$\therefore \angle \text{AFD} = \angle \text{AFE} = 180° - (45° + 72°) = 63°$$

답 $63°$

12

[전략] 마름모와 평행사변형의 성질을 이용하여 $\square \text{AODE}$가 어떤 사각형인지 파악한다.

$\square \text{ABCD}$는 마름모이므로

$\angle \text{AOB} = 90°, \overline{\text{AD}} = \overline{\text{CD}}, \overline{\text{AO}} = \overline{\text{OC}}$

이때 $\overline{\text{OE}} \, / \! / \, \overline{\text{CD}}, \overline{\text{OE}} = \overline{\text{CD}}$이므로

$\square \text{OCDE}$는 평행사변형이다.

$\therefore \overline{\text{OC}} \, / \! / \, \overline{\text{ED}}, \overline{\text{OC}} = \overline{\text{ED}}$

따라서 $\square \text{AODE}$는 $\overline{\text{AO}} = \overline{\text{ED}}$이고 $\overline{\text{AO}} \, / \! / \, \overline{\text{ED}}$

이므로 평행사변형이고, $\overline{\text{AD}} = \overline{\text{OE}}$이므로 직사각형이다.

보기에서 직사각형의 성질인 것은 ㄱ, ㄷ이다.

답 ㄱ, ㄷ

13

[전략] $\triangle \text{ECD}$가 정삼각형이고 $\square \text{ABCE}$가 등변사다리꼴임을 이용한다.

$\square \text{ABCD}$가 평행사변형이므로 $\overline{\text{AB}} = \overline{\text{CD}} = 16 \, \text{cm}$이고

$\angle \text{A} + \angle \text{D} = 180°$

이때 $\angle \text{A} = 2 \angle \text{D}$이므로 $\angle \text{B} = \angle \text{D} = \dfrac{1}{3} \times 180° = 60°$

즉, $\triangle \text{ECD}$는 한 변의 길이가 $16 \, \text{cm}$인 정삼각형이다.

$\therefore \overline{\text{CE}} = \overline{\text{CD}} = 16 \, \text{cm}$

$\overline{\text{AD}} \, / \! / \, \overline{\text{BC}}$이므로 $\angle \text{BCE} = \angle \text{CED} = 60°$ (엇각)

즉, $\overline{\text{AE}} \, / \! / \, \overline{\text{BC}}$이고 $\angle \text{B} = \angle \text{BCE}$이므로 $\square \text{ABCE}$는 등변사다리꼴이다.

이때 오른쪽 그림과 같이 점 A에서 $\overline{\text{EC}}$에 평행한 직선을 그어 $\overline{\text{BC}}$와 만나는 점을 F라 하면

$\triangle \text{ABF}$는 정삼각형이고 $\square \text{AFCE}$는 평행사변형이므로

$\overline{\text{BF}} = 16 \, \text{cm}, \overline{\text{FC}} = \overline{\text{AE}} = 10 \, \text{cm}$

따라서 $\square \text{ABCE}$의 둘레의 길이는

$\overline{\text{AB}} + \overline{\text{BC}} + \overline{\text{CE}} + \overline{\text{EA}} = 16 + (16 + 10) + 16 + 10 = 68 \, (\text{cm})$

답 $68 \, \text{cm}$

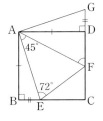

14

[전략] 점 D가 $\triangle \text{BFE}$의 외심임을 이용하여 합동인 삼각형을 찾는다.

점 D가 직각삼각형 BFE에서 빗변 BE의 중점이므로 $\triangle \text{BFE}$의 외심이다. 즉, 오른쪽 그림과 같이 $\overline{\text{DF}}$를 그으면

$\overline{\text{BD}} = \overline{\text{DE}} = \overline{\text{DF}}$

이때 $\triangle \text{ABD}$와 $\triangle \text{CDF}$에서

$\overline{\text{BD}} = \overline{\text{DF}}$ ㅡㅡㅡㅡ ㉠

$\overline{\text{AD}} \, / \! / \, \overline{\text{BF}}$이므로 $\angle \text{ADB} = \angle \text{CBD}$ (엇각)

$\overline{\text{BD}} = \overline{\text{DF}}$이므로 $\angle \text{CBD} = \angle \text{CFD}$

즉, $\angle \text{ADB} = \angle \text{CFD}$ ㅡㅡㅡㅡ ㉡

또한, ∠A=∠DCF이므로 ∠ABD=∠CDF ······ⓒ

㉠, ㉡, ⓒ에서

△ABD≡△CDF (ASA 합동)이므로

$\overline{CF}=\overline{AD}=8\,cm$

답 8 cm

다른 풀이

오른쪽 그림과 같이 두 점 A, D에서 $\overline{BC}$에 내린 수선의 발을 각각 G, H라 하고, $\overline{AD}$의 연장선과 $\overline{EF}$의 교점을 I라 하자.

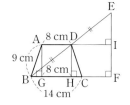

이때 □ABCD는 등변사다리꼴이므로

$\overline{GH}=\overline{AD}=8\,cm$

$\therefore \overline{BG}=\overline{CH}=\dfrac{1}{2}\times(14-8)=3\,(cm)$

△DBH와 △EDI에서

∠DHB=∠EID=90°, $\overline{BD}=\overline{DE}$

∠DBH=∠EDI (동위각)

이므로 △DBH≡△EDI (RHA 합동)

$\therefore \overline{DI}=\overline{BH}=14-3=11\,(cm)$

□DHFI는 직사각형이므로

$\overline{HF}=\overline{DI}=11\,cm$

$\therefore \overline{CF}=\overline{HF}-\overline{CH}=11-3=8\,(cm)$

쌤의 만점 특강

오른쪽 그림과 같이 ∠C=90°인 직각삼각형 ABC의 빗변 AB의 중점 O는 △ABC의 외심이고 $\overline{OA}=\overline{OB}=\overline{OC}$이다.

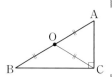

15

[전략] 사각형의 각 변의 중점을 연결하여 만든 사각형을 구하여 각 사각형의 성질을 알아본다.

사각형의 각 변의 중점을 연결하여 만든 사각형은 각각 다음과 같다.

(개) 평행사변형 ➡ ㉠ 평행사변형

(내) 직사각형 ➡ ㉡ 마름모

(대) 마름모 ➡ ㉢ 직사각형

(래) 정사각형 ➡ ㉣ 정사각형

(매) 등변사다리꼴 ➡ ㉤ 마름모

예인 : ㉠~㉤ 중 두 대각선이 서로를 수직이등분하는 사각형은 ㉡, ㉣, ㉤의 3개이다.

다영 : ㉠~㉤ 중 네 각의 크기가 모두 같은 사각형은 ㉢, ㉣의 2개이다.

현수 : ㉠~㉤ 중 두 대각선의 길이가 같은 것은 ㉢, ㉣의 2개이다.

지원 : ㉣ 정사각형은 두 대각선의 길이가 같고, 서로를 수직이등분한다.

선우 : ㉤ 마름모의 넓이는 두 대각선의 길이의 곱의 절반이다.

따라서 설명을 바르게 말한 학생은 예인, 다영, 선우이다.

답 예인, 다영, 선우

16

[전략] 여러 가지 사각형의 성질과 사각형의 네 변의 중점을 연결하여 만든 사각형의 종류를 이용한다.

두 쌍의 대변의 길이가 각각 같은 것은 평행사변형의 성질이므로 평행사변형, 직사각형, 마름모, 정사각형의 4개이다. $\therefore a=4$

두 대각선의 길이가 같은 것은 직사각형과 등변사다리꼴의 성질이므로 직사각형, 등변사다리꼴, 정사각형의 3개이다. $\therefore b=3$

두 대각선이 서로 수직인 것은 마름모의 성질이므로 마름모, 정사각형의 2개이다. $\therefore c=2$

이웃하는 두 내각의 크기의 합이 항상 180°인 것은 평행사변형의 성질이므로 평행사변형, 직사각형, 마름모, 정사각형의 4개이다.

$\therefore d=4$

각 변의 중점을 연결하여 만든 도형의 네 변의 길이가 모두 같은 것은 각 변의 중점을 연결하여 만든 도형이 마름모이어야 하므로 직사각형, 등변사다리꼴, 정사각형의 3개이다. $\therefore e=3$

$\therefore a+b+c-d-e=4+3+2-4-3=2$

답 2

쌤의 특강

여러 가지 사각형의 포함 관계

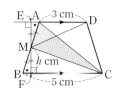

① 직사각형과 마름모는 평행사변형의 성질을 가지고 있다.

② 정사각형은 직사각형과 마름모의 성질을 모두 가지고 있다.

17

[전략] 점 M에서 $\overline{DA}$의 연장선과 $\overline{BC}$에 수선의 발을 각각 내려 합동인 두 삼각형을 찾는다.

오른쪽 그림과 같이 점 M에서 $\overline{DA}$의 연장선과 $\overline{BC}$에 내린 수선의 발을 각각 E, F라 하면

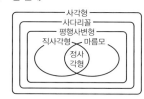

△MAE와 △MBF에서

∠MEA=∠MFB=90°, $\overline{AM}=\overline{BM}$,

∠MAE=∠MBF (엇각)

이므로 △MAE≡△MBF (RHA 합동)

$\therefore \overline{EM}=\overline{FM}$

이때 $\overline{EM}=\overline{FM}=h\,cm$라 하면

$\triangle AMD=\dfrac{1}{2}\times3\times h=\dfrac{3}{2}h\,(cm^2)$

$\triangle MBC=\dfrac{1}{2}\times5\times h=\dfrac{5}{2}h\,(cm^2)$

$\square ABCD=\dfrac{1}{2}\times(3+5)\times2h=8h\,(cm^2)$

$\therefore \triangle DMC=\square ABCD-\triangle AMD-\triangle MBC$

$=8h-\dfrac{3}{2}h-\dfrac{5}{2}h=4h\,(cm^2)$

또한, △ABC에서 $\overline{AM}=\overline{BM}$이므로

$\triangle\text{AMC}=\triangle\text{MBC}=\dfrac{5}{2}h\,\text{cm}^2$

$\therefore \triangle\text{AMC}:\triangle\text{DMC}=\dfrac{5}{2}h:4h=5:8$ ❸ ③

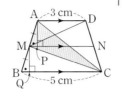

18

[**전략**] 보조선을 그어 합동인 삼각형을 찾는다.

오른쪽 그림과 같이 점 D에서 $\overline{\text{BC}}$ 위에 내린 수선의 발을 G라 하고, 점 E에서 $\overline{\text{BC}}$의 연장선 위에 내린 수선의 발을 H라 하면

$\triangle\text{DGC}$와 $\triangle\text{EHC}$에서

$\angle\text{DGC}=\angle\text{EHC}=90^\circ$, $\overline{\text{DC}}=\overline{\text{EC}}$,

$\angle\text{DCG}=\angle\text{ECH}$ (맞꼭지각)

이므로 $\triangle\text{DGC}\equiv\triangle\text{EHC}$ (RHA 합동)

따라서 $\overline{\text{DG}}=\overline{\text{EH}}$이므로 $\triangle\text{DBF}=\triangle\text{BEF}$

또한, $\triangle\text{ABF}$와 $\triangle\text{ECF}$에서

$\angle\text{ABF}=\angle\text{ECF}$ (엇각), $\overline{\text{AB}}=\overline{\text{EC}}$, $\angle\text{FAB}=\angle\text{FEC}$ (엇각)

이므로 $\triangle\text{ABF}\equiv\triangle\text{ECF}$ (ASA 합동)

$\therefore \overline{\text{BF}}=\overline{\text{CF}}$

$\therefore \triangle\text{BEF}=\triangle\text{DBF}=\dfrac{1}{2}\triangle\text{DBC}=\dfrac{1}{2}\triangle\text{ADF}$

$\qquad =\dfrac{1}{2}\times18=9\,(\text{cm}^2)$ ❸ $9\,\text{cm}^2$

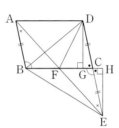

19

[**전략**] 오각형 ABCDE의 대각선과 평행한 직선을 그어 넓이가 같은 삼각형을 찾는다.

오른쪽 그림과 같이 대각선 AC와 AD를 그으면
$\overline{\text{PA}}=\overline{\text{QC}}=5\,\text{cm}$, $\overline{\text{PA}}\,/\!/\,\overline{\text{QC}}$이므로
$\square\text{PQCA}$는 평행사변형이다.
즉, $\overline{\text{PQ}}\,/\!/\,\overline{\text{AC}}$이므로 $\overline{\text{AQ}}$를 그으면
$\triangle\text{ABC}=\triangle\text{AQC}$

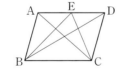

또한, $\overline{\text{AS}}=\overline{\text{DR}}=5\,\text{cm}$, $\overline{\text{AS}}\,/\!/\,\overline{\text{DR}}$이므로
$\square\text{ADRS}$는 평행사변형이다.
즉, $\overline{\text{AD}}\,/\!/\,\overline{\text{SR}}$이므로 $\overline{\text{AR}}$를 그으면
$\triangle\text{ADE}=\triangle\text{ADR}$
따라서 오각형 ABCDE의 넓이는 $\triangle\text{AQR}$의 넓이와 같으므로
$\triangle\text{AQR}=\dfrac{1}{2}\times15\times12=90\,(\text{cm}^2)$ ❸ $90\,\text{cm}^2$

20

[**전략**] 평행선 사이에서 넓이가 같은 삼각형을 찾는다.

오른쪽 그림과 같이 $\overline{\text{AC}}$, $\overline{\text{BD}}$를 그으면
$\overline{\text{AD}}\,/\!/\,\overline{\text{EC}}$이므로 $\triangle\text{AED}=\triangle\text{ACD}$
$\overline{\text{AB}}\,/\!/\,\overline{\text{DC}}$이므로 $\triangle\text{ACD}=\triangle\text{BCD}$
$\therefore \triangle\text{AED}=\triangle\text{BCD}$
$\qquad =\dfrac{1}{2}\times\overline{\text{BC}}\times\overline{\text{CD}}$
$\qquad =\dfrac{1}{2}\times4\times7=14\,(\text{cm}^2)$ ❸ $14\,\text{cm}^2$

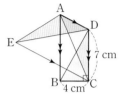

21

[**전략**] $\overline{\text{AB}}\,/\!/\,\overline{\text{CD}}$임을 이용하여 $\triangle\text{BCD}$와 넓이가 같은 삼각형을 찾는다.

오른쪽 그림과 같이 $\overline{\text{OC}}$, $\overline{\text{OD}}$를 그으면
$\overline{\text{AB}}\,/\!/\,\overline{\text{CD}}$이므로 $\triangle\text{BCD}=\triangle\text{OCD}$
즉, 색칠한 부분의 넓이는 부채꼴 COD의 넓이와 같다. 호 CD의 길이가 원 O의 둘레의 길이의 $\dfrac{1}{4}$이므로

$\angle\text{COD}=\dfrac{1}{4}\times360^\circ=90^\circ$

따라서 구하는 넓이는

$\pi\times4^2\times\dfrac{90}{360}=4\pi\,(\text{cm}^2)$ ❸ $4\pi\,\text{cm}^2$

22

[**전략**] $\overline{\text{BD}}$, $\overline{\text{GC}}$를 그어 $\triangle\text{ABD}$의 넓이를 구한 후 $\overline{\text{AG}}$와 $\overline{\text{GD}}$의 길이의 비를 이용하여 $\triangle\text{ABG}$의 넓이를 구한다.

오른쪽 그림과 같이 $\overline{\text{BD}}$, $\overline{\text{GC}}$를 그으면
$\overline{\text{AD}}\,/\!/\,\overline{\text{BC}}$이므로 $\triangle\text{GBC}=\dfrac{1}{2}\square\text{ABCD}$
$\overline{\text{BG}}\,/\!/\,\overline{\text{EF}}$이므로 $\triangle\text{GBC}=\dfrac{1}{2}\square\text{BEFG}$
$\therefore \square\text{ABCD}=\square\text{BEFG}=48\,(\text{cm}^2)$

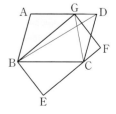

$\triangle ABD = \triangle GBC = \dfrac{1}{2} \times 48 = 24 \ (cm^2)$이고

$\overline{AG} : \overline{GD} = 2 : 1$이므로

$\triangle ABG = \dfrac{2}{3} \triangle ABD = \dfrac{2}{3} \times 24 = 16 \ (cm^2)$ 🖹 $16 \ cm^2$

다른 풀이

오른쪽 그림과 같이 점 G에서 $\overline{AB}$에 평행한 직선을 그어 $\overline{BC}$와 만나는 점을 H라 하고 $\overline{GC}$를 긋자.

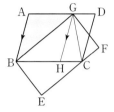

$\overline{AD} \ /\!/ \ \overline{BC}$이고 $\overline{AG} : \overline{GD} = 2 : 1$이므로

$\triangle ABG$의 넓이를 $a \ cm^2$라 하면

$\triangle CDG = \dfrac{1}{2} a \ cm^2$

이때 □ABHG, □GHCD는 모두 평행사변형이므로

$\triangle GBH = \triangle ABG$, $\triangle GHC = \triangle CDG$

$\therefore \ \triangle BCG = \triangle GBH + \triangle GHC = \triangle ABG + \triangle CDG$

$= a + \dfrac{1}{2} a = \dfrac{3}{2} a \ (cm^2)$

$□BEFG = 2\triangle BCG = 2 \times \dfrac{3}{2} a = 3a \ (cm^2)$이고

$3a = 48$이므로 $a = 16$

따라서 $\triangle ABG$의 넓이는 $16 \ cm^2$이다.

23

[전략] $\overline{BD}$를 그은 후 넓이가 같은 삼각형을 찾는다.

오른쪽 그림과 같이 대각선 BD를 그으면

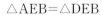

$\triangle AEB = \triangle DEB$

$\therefore \ \triangle AEF = \triangle DFB = 8 \ cm^2$

이때 $\triangle EBF : \triangle AEF = 4 : 8 = 1 : 2$이므로

$\overline{BF} : \overline{AF} = 1 : 2$

즉, $\triangle DFB : \triangle AFD = 1 : 2$

$8 : \triangle AFD = 1 : 2$이므로 $\triangle AFD = 16 \ cm^2$

따라서 평행사변형 ABCD에서

$\triangle BCD = \triangle ABD = \triangle AFD + \triangle DFB = 16 + 8 = 24 \ (cm^2)$이므로

$□BCDF = \triangle DFB + \triangle BCD = 8 + 24 = 32 \ (cm^2)$

🖹 $32 \ cm^2$

24

[전략] 평행사변형의 성질을 이용하여 넓이가 같은 삼각형을 모두 찾는다.

다음 그림과 같이 $\overline{PS}$, $\overline{PQ}$, $\overline{QR}$, $\overline{RS}$를 긋고 각 점을 E, F, G, H라 하면

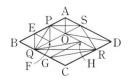

$\overline{AB} \ /\!/ \ \overline{SQ}$이므로 $\triangle EQP = \triangle EFP$, $\triangle APS = \triangle APO$

$\overline{PR} \ /\!/ \ \overline{BC}$이므로 $\triangle QRG = \triangle QHG$

$\overline{QS} \ /\!/ \ \overline{CD}$이므로 $\triangle DSR = \triangle ORD$

따라서 구하는 넓이는 다음 그림의 색칠한 부분의 넓이와 같다.

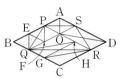

$\therefore$ (색칠한 부분의 넓이)

$= \triangle APS + \triangle PBQ + \triangle QCR + \triangle SRD$

$= \dfrac{1}{2} □APOS + \dfrac{1}{2} □PBQO + \dfrac{1}{2} □OQCR + \dfrac{1}{2} □SORD$

$= \dfrac{1}{2} □ABCD = \dfrac{1}{2} \times \left(\dfrac{1}{2} \times \overline{BD} \times \overline{AC} \right)$

$= \dfrac{1}{2} \times \left(\dfrac{1}{2} \times 12 \times 6 \right) = 18 \ (cm^2)$ 🖹 $18 \ cm^2$

LEVEL 3 최고난도 문제 →47쪽

| **01** 10 cm | **02** 36 cm² | **03** 12 | **04** (1) 8초 (2) 32초 |

01 solution 미리 보기

step ❶	삼각형의 외심의 성질과 합동을 이용하여 $\overline{PD}$의 길이 구하기
step ❷	$\angle DQC$가 90°임을 찾기
step ❸	$\overline{PQ}$의 길이 구하기

$\angle ADG + \angle CDE = 180°$이고

$\angle ADG = \angle CDE$ (맞꼭지각)이므로

$\angle ADG = \angle CDE = 90°$

$\triangle ADG$에서 $\overline{AP} = \overline{PG}$이므로 점 P는 $\triangle ADG$의 외심이다. 즉,

$\angle ADG = 90°$이고 $\overline{PA} = \overline{PD} = \overline{PG}$

$\triangle ADG$와 $\triangle CDE$에서

$\overline{AD} = \overline{CD}$, $\angle ADG = \angle CDE = 90°$, $\overline{DG} = \overline{DE}$

이므로 $\triangle ADG \equiv \triangle CDE$ (SAS 합동)

$\therefore \ \overline{AG} = \overline{CE} = 12 \ cm$, $\angle PGD = \angle QED$

따라서 $\overline{PD} = \dfrac{1}{2} \overline{AG} = \dfrac{1}{2} \times 12 = 6 \ (cm)$ ·········❶

$\triangle PDG$가 $\overline{PG} = \overline{PD}$인 이등변삼각형이므로 $\angle PGD = \angle PDG$이다.

$\angle QDE = \angle PDA$, $\angle QED = \angle PGD = \angle PDG$이므로

$\angle DQC = \angle QDE + \angle QED = \angle PDA + \angle PDG = 90°$

·········❷

즉, $\triangle DCE = \dfrac{1}{2} \times \overline{CE} \times \overline{DQ} = \dfrac{1}{2} \times 12 \times \overline{DQ} = 24 \ (cm^2)$

이므로 $\overline{DQ} = 4 \ (cm)$

$\therefore \ \overline{PQ} = \overline{PD} + \overline{DQ} = 6 + 4 = 10 \ (cm)$ ·········❸

🖹 10 cm

02 solution 미리 보기

step ❶	$\overline{AF}=a$ cm, $\overline{BE}=b$ cm라 할 때, □ABCD의 넓이를 이용하여 ab의 값 구하기
step ❷	△GCD의 넓이 구하기
step ❸	□FECG의 넓이 구하기

오른쪽 그림과 같이
$\overline{AF}=\overline{FB}=a$ cm,
$\overline{BE}=\overline{EC}=b$ cm라 하면
$\overline{AB}=2a$ cm, $\overline{BC}=2b$ cm이므로
□ABCD$=2a\times2b=4ab$ (cm²)
즉, $4ab=80$이므로 $ab=20$ ·········· ❶
△AFG와 △FBE에서 $\overline{AF}=\overline{FB}$이고
△AFG$=6$ cm², △FBE$=\frac{1}{2}ab=10$ (cm²)이므로
△AFG : △FBE $=\overline{AG}:\overline{BE}=3:5$
즉, $\overline{AG}:b=3:5$에서 $\overline{AG}=\frac{3}{5}b$ (cm)
이때 $\overline{GD}=\overline{AD}-\overline{AG}=2b-\frac{3}{5}b=\frac{7}{5}b$ (cm)이므로
△GCD$=\frac{1}{2}\times\frac{7}{5}b\times2a=\frac{7}{5}\times20=28$ (cm²) ·········· ❷
∴ □FECG$=$□ABCD$-($△AFG$+$△FBE$+$△GCD$)$
$=80-(6+10+28)=36$ (cm²) ·········· ❸

답 36 cm²

03 solution 미리 보기

step ❶	반원 O의 넓이를 이용하여 반지름의 길이 구하기
step ❷	$\overline{BE}+\overline{EC}$의 길이가 최소가 되는 점 E′의 위치 찾기
step ❸	$\overline{BE'}$, $\overline{E'C}$의 길이를 찾아 $\overline{BE}+\overline{EC}$의 길이 중 가장 짧은 길이 구하기

반원 O의 반지름의 길이를 r라 하면
$\frac{1}{2}\pi r^2=18\pi$, $r^2=36$
이때 $r>0$이므로 $r=6$ ·········· ❶

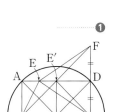

오른쪽 그림과 같이 점 C를 $\overline{ED}$에 대하여
대칭이동한 점을 F라 하면
$\overline{EC}=\overline{EF}$이므로
$\overline{BE}+\overline{EC}=\overline{BE}+\overline{EF}\geq\overline{BF}$
$\overline{AD}$와 $\overline{BF}$의 교점을 E′이라 하면
△ABE′과 △DFE′에서
$\angle E'AB=\angle E'DF=90°$, $\overline{AB}=\overline{DC}=\overline{DF}$,
$\angle E'BA=\angle E'FD$ (엇각)
이므로 △ABE′≡△DFE′ (ASA 합동)
∴ $\overline{AE'}=\overline{DE'}$ ·········· ❷
이때 □ABOE′과 □E′OCD는 직사각형이므로
$\overline{AO}=\overline{BE'}=\overline{E'C}=\overline{OD}=6$
따라서 $\overline{BE}+\overline{EC}$의 길이 중 가장 짧은 길이는
$\overline{BE'}+\overline{E'F}=\overline{AO}+\overline{OD}=6+6=12$ ·········· ❸

답 12

04 solution 미리 보기

step ❶	시간이 지남에 따라 겹친 부분의 모양 파악하기
step ❷	□PQCD가 등변사다리꼴이 되기 시작하는 위치와 끝나는 위치를 찾아 이동거리를 이용하여 시간 구하기
step ❸	□ABRS의 밑변의 길이가 높이와 같게 될 때의 위치를 찾아 이동거리를 이용하여 시간 구하기

시간이 지남에 따라 겹친
부분이 이등변삼각형, 등
변사다리꼴, 육각형, 직사
각형, 정사각형, 직사각형
모양이 된다. ·········· ❶

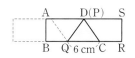
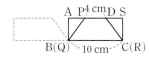

(1) 겹친 부분이 등변사다
리꼴이 될 때에는 다음
그림과 같이 점 D가
점 P와 만난 이후부터
점 C가 점 R와 만날
때까지이다.

이때 □ABCD가 t초
동안 이동한다고 하면
□ABCD가 이동한
거리는 $0.5t$ cm이다.
즉, $\overline{QC}=6$ cm이므로
$0.5t=6$
∴ $t=12$
$\overline{BC}=10$ cm이므로
$0.5t=10$
∴ $t=20$
따라서 겹친 부분이 등변사다리꼴이 되는 것은 □ABCD가 출
발한 지 12초 후부터 20초까지이므로
$20-12=8$(초) 동안이다. ·········· ❷

(2) 겹친 부분이 정사각형이 될 때에는 다음 그림과 같이 □ABRS
가 정사각형이 될 때이다.

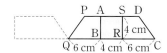

$\overline{QC}=16$ cm이므로 $0.5t=16$
∴ $t=32$
따라서 겹친 부분이 정사각형이 되는 것은 □ABCD가 출발한
지 32초 후이다. ·········· ❸

답 (1) 8초 (2) 32초

04. 여러 가지 사각형 **35**

III. 도형의 닮음과 피타고라스 정리

05. 도형의 닮음

LEVEL 1 시험에 꼭 내는 문제 → 52쪽~54쪽

01 ⑤	**02** ④	**03** (6, 9)	**04** $24\pi \text{ cm}^2$	**05** 8번
06 1 km^2	**07** 494	**08** 12 cm	**09** 25 cm	
10 $\dfrac{75}{8}$ cm	**11** $\dfrac{75}{2} \text{ cm}^2$	**12** 24 cm^2	**13** 12 cm	
14 B : 35 cm^3, C : 95 cm^3		**15** ②	**16** 48 cm	
17 12 cm	**18** $\dfrac{27}{25}$ cm			

01

① $\angle E = \angle A = 120°$

② $\angle F = \angle B = 75°$이므로

$\angle H = 360° - (120° + 75° + 80°) = 85°$

③ □ABCD와 □EFGH의 닮음비는

$\overline{BC} : \overline{FG} = 12 : 9 = 4 : 3$이므로

$\overline{AD} : \overline{EH} = 4 : 3$

④ $\overline{AB} : \overline{EF} = 4 : 3$, 즉 $8 : \overline{EF} = 4 : 3$이므로

$4\overline{EF} = 24$ ∴ $\overline{EF} = 6 \text{ (cm)}$

⑤ $\overline{CD} : \overline{GH} = 4 : 3$, 즉 $\overline{CD} : 8 = 4 : 3$이므로

$3\overline{CD} = 32$ ∴ $\overline{CD} = \dfrac{32}{3} \text{ (cm)}$

따라서 옳은 것은 ⑤이다. **답** ⑤

02

④ 다음 그림과 같이 한 변의 길이가 1 cm인 정사각형 ABCD와 한 변의 길이가 2 cm인 마름모 EFGH는 둘레의 길이의 비가 1 : 2이지만 대응하는 각의 크기는 같지 않으므로 닮은 도형이 아니다.

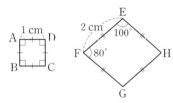

답 ④

03

△ABO와 △ODC의 닮음비가 4 : 3이므로

$\overline{AB} : \overline{OD} = 4 : 3$, 즉 $8 : \overline{OD} = 4 : 3$에서

$4\overline{OD} = 24$ ∴ $\overline{OD} = 6$

$\overline{BO} : \overline{DC} = 4 : 3$, 즉 $12 : \overline{DC} = 4 : 3$에서

$4\overline{DC} = 36$ ∴ $\overline{DC} = 9$

따라서 구하는 점 C의 좌표는 (6, 9)이다. **답** (6, 9)

04

세 원의 닮음비가 1 : 2 : 3이므로 넓이의 비는

$1^2 : 2^2 : 3^2 = 1 : 4 : 9$

가장 작은 원의 넓이를 $x \text{ cm}^2$, 두 번째로 큰 원의 넓이를 $y \text{ cm}^2$라 하면

$1 : 9 = x : 72\pi$ ∴ $x = 8\pi$

$4 : 9 = y : 72\pi$ ∴ $y = 32\pi$

∴ (색칠한 부분의 넓이) $= 32\pi - 8\pi = 24\pi \text{ (cm}^2)$ **답** $24\pi \text{ cm}^2$

다른 풀이

오른쪽 그림에서 A, B, C의 넓이의 비는

$A : B : C = 1 : (4-1) : (9-4) = 1 : 3 : 5$

이므로 B의 넓이는

$72\pi \times \dfrac{3}{1+3+5} = 24\pi \text{ (cm}^2)$

05

두 코펠의 닮음비는 15 : 30 = 1 : 2이므로

부피의 비는 $1^3 : 2^3 = 1 : 8$

따라서 코펠 (가)에 가득 담은 물을 코펠 (나)에 부어 코펠 (나)를 가득 채우려면 8번을 부어야 한다. **답** 8번

06

축척이 1 : 50000이므로 지도에서의 땅과 실제 땅의 넓이의 비는

$1^2 : 50000^2 = 1 : 2500000000$

따라서 지도에서 넓이가 4 cm^2인 부분의 실제 땅의 넓이는

$4 \times 2500000000 = 10000000000 \text{ (cm}^2)$

즉, 1000000 m^2이므로 1 km^2이다. **답** 1 km^2

쌤의 오답 피하기 특강

축척이 $\dfrac{1}{n}$인 지도에서 두 지점 A, B 사이의 거리가 l일 때, 두 지점 A, B 사이의 실제 거리는 $l \times n$이다. 또한, 지도에서의 넓이가 p이면 실제 넓이는 $p \times n^2$이다.

실제 거리나 넓이를 구할 때에는 단위에 주의한다.

1 m = 100 cm, 1 km = 1000 m이므로 1 km = 100000 cm이고 $1 \text{ km}^2 = 10000000000 \text{ cm}^2$이다.

07

두 선물 상자의 밑면의 넓이의 비가 $16 : 9 = 4^2 : 3^2$이므로

닮음비는 4 : 3이고, 부피의 비는 $4^3 : 3^3 = 64 : 27$

$a : 6 = 4 : 3$에서

$3a = 24$ ∴ $a = 8$

$1152 : b = 64 : 27$에서

$64b = 31104$ ∴ $b = 486$

∴ $a + b = 8 + 486 = 494$ **답** 494

08

$\triangle ABC$와 $\triangle DBA$에서
$\overline{AB} : \overline{DB} = 24 : 18 = 4 : 3$
$\overline{BC} : \overline{BA} = 32 : 24 = 4 : 3$
$\angle B$는 공통
$\therefore \triangle ABC \backsim \triangle DBA$ (SAS 닮음)
$\overline{CA} : \overline{AD} = 4 : 3$에서 $16 : \overline{AD} = 4 : 3$
$4\overline{AD} = 48$ $\therefore \overline{AD} = 12$ (cm)

답 12 cm

09

$\triangle ABC$와 $\triangle EBD$에서
$\overline{AB} : \overline{EB} = 25 : 15 = 5 : 3$
$\overline{BC} : \overline{BD} = 30 : 18 = 5 : 3$
$\angle B$는 공통
$\therefore \triangle ABC \backsim \triangle EBD$ (SAS 닮음)
$\overline{AC} : \overline{ED} = 5 : 3$에서 $\overline{AC} : 15 = 5 : 3$
$3\overline{AC} = 75$ $\therefore \overline{AC} = 25$ (cm)

답 25 cm

10

$\overline{AD} /\!/ \overline{BC}$이므로 $\angle EDB = \angle DBC$ (엇각)
이때 $\angle DBC = \angle EBD$ (접은 각)이므로 $\angle EBD = \angle EDB$
따라서 $\triangle EBD$는 $\overline{EB} = \overline{ED}$인 이등변삼각형이므로
$\overline{BF} = \dfrac{1}{2}\overline{BD} = \dfrac{1}{2} \times 25 = \dfrac{25}{2}$ (cm)
또한, $\triangle BFE$와 $\triangle BC'D$에서
$\angle BFE = \angle C' = 90°$, $\angle EBF$는 공통
$\therefore \triangle BFE \backsim \triangle BC'D$ (AA 닮음)
$\overline{BF} : \overline{BC'} = \overline{EF} : \overline{DC'}$에서 $\dfrac{25}{2} : 20 = \overline{EF} : 15$
$20\overline{EF} = \dfrac{375}{2}$ $\therefore \overline{EF} = \dfrac{75}{8}$ (cm)

답 $\dfrac{75}{8}$ cm

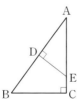
11

$\triangle ABC$에서 $\overline{AB}^2 = \overline{BH} \times \overline{BC}$이므로
$10^2 = 8 \times \overline{BC}$ $\therefore \overline{BC} = \dfrac{25}{2}$ (cm)
$\therefore \overline{CH} = \overline{BC} - \overline{BH} = \dfrac{25}{2} - 8 = \dfrac{9}{2}$ (cm)
또한, $\overline{AH}^2 = \overline{BH} \times \overline{CH}$이므로

$\overline{AH}^2 = 8 \times \dfrac{9}{2} = 36$
이때 $\overline{AH} > 0$이므로 $\overline{AH} = 6$ cm
$\therefore \triangle ABC = \dfrac{1}{2} \times \overline{BC} \times \overline{AH}$
$= \dfrac{1}{2} \times \dfrac{25}{2} \times 6 = \dfrac{75}{2}$ (cm^2)

답 $\dfrac{75}{2}$ cm^2

12

$\triangle ABC$에서 $\overline{AH}^2 = \overline{BH} \times \overline{CH}$이므로
$8^2 = \overline{BH} \times 4$ $\therefore \overline{BH} = 16$ (cm)
$\overline{BM} = \overline{CM} = \dfrac{1}{2}\overline{BC} = \dfrac{1}{2} \times (16 + 4) = 10$ (cm)이므로
$\overline{MH} = \overline{MC} - \overline{HC} = 10 - 4 = 6$ (cm)
$\therefore \triangle AMH = \dfrac{1}{2} \times \overline{MH} \times \overline{AH}$
$= \dfrac{1}{2} \times 6 \times 8 = 24$ (cm^2)

답 24 cm^2

13

작은 원뿔의 밑면의 반지름의 길이를 r cm라 하면
$2\pi r = 12\pi$ $\therefore r = 6$
즉, 작은 원뿔의 밑면의 반지름의 길이는 6 cm, 큰 원뿔의 밑면의
반지름의 길이는 8 cm이므로 두 원뿔의 닮음비는
$6 : 8 = 3 : 4$
큰 원뿔의 높이를 h cm라 하면
$9 : h = 3 : 4$에서 $3h = 36$ $\therefore h = 12$
따라서 큰 원뿔의 높이는 12 cm이다.

답 12 cm

14

세 정사면체의 닮음비는 $1 : 2 : 3$이므로
부피의 비는 $1^3 : 2^3 : 3^3 = 1 : 8 : 27$
$\therefore$ (A의 부피) : (B의 부피) : (C의 부피)
$= 1 : (8-1) : (27-8) = 1 : 7 : 19$
즉, $5 :$ (B의 부피) $= 1 : 7$이므로 (B의 부피) $= 35$ (cm^3)
또, $5 :$ (C의 부피) $= 1 : 19$이므로 (C의 부피) $= 95$ (cm^3)
따라서 입체도형 B의 부피는 35 cm^3, 입체도형 C의 부피는 95 cm^3
이다.

답 B : 35 cm^3, C : 95 cm^3

15

원뿔 모양의 그릇과 물이 채워진 부분은 닮은 도형이고, 닮음비가
$5 : 2$이므로 부피의 비는 $5^3 : 2^3 = 125 : 8$이다.
빈 그릇에 물을 가득 채울 때까지 걸리는 시간을 x초라 하면
$x : 16 = 125 : 8$에서 $8x = 2000$ $\therefore x = 250$

따라서 물을 가득 채울 때까지 $250-16=234$(초), 즉 3분 54초가 더 걸린다. 〖답〗 ②

쌤의 오답 피하기 특강

원뿔 모양의 그릇과 물이 채워진 부분은 닮은 도형이다. 이때 물이 채워진 부분과 물이 채워지지 않은 부분이 닮은 도형이라 생각하지 않게 주의한다. 두 원뿔 모양 사이의 부피의 비를 구한 후에는 물이 채워진 부분과 채워지지 않은 부분의 부피의 비를 $8:(125-8)=8:117$로 구할 수 있고, 그릇에 물을 가득 채울 때까지 더 걸리는 시간을 x초라 하면
$16:x=8:117$에서 $x=234$
즉, 그릇에 물을 가득 채울 때까지 234초가 더 걸린다는 것을 구할 수 있다.

16

$\triangle ADE$와 $\triangle FCE$에서
$\angle ADE=\angle FCE=90°$, $\angle AED=\angle FEC$ (맞꼭지각)
$\therefore \triangle ADE \circlearrowright \triangle FCE$ (AA 닮음)
이때 $\overline{CF}=\overline{BF}-\overline{BC}=20-16=4$ (cm)이므로
두 삼각형의 닮음비는 $\overline{AD}:\overline{FC}=16:4=4:1$
$\overline{AE}:\overline{FE}=4:1$에서 $\overline{AE}:5=4:1$
$\therefore \overline{AE}=20$ (cm)
한편, $\overline{DC}=15$ cm이고 $\overline{DE}:\overline{CE}=4:1$이므로
$\overline{DE}=15 \times \dfrac{4}{4+1}=12$ (cm)
$\therefore (\triangle AED의 둘레의 길이)=\overline{AD}+\overline{DE}+\overline{EA}$
$=16+12+20=48$ (cm)

〖답〗 48 cm

17

$\triangle ABC$와 $\triangle ADF$에서 $\angle B=\angle ADF=90°$, $\angle A$는 공통
$\therefore \triangle ABC \circlearrowright \triangle ADF$ (AA 닮음)
$\overline{DB}=\overline{DF}=x$ cm라 하면
$\overline{AB}:\overline{AD}=\overline{BC}:\overline{DF}$에서
$4:(4-x)=12:x$이므로
$4x=12(4-x)$, $16x=48$ $\therefore x=3$
$\therefore (\square DBEF의 둘레의 길이)=4x=4 \times 3=12$ (cm)

〖답〗 12 cm

18

$\triangle ABC$에서 $\overline{AB} \times \overline{BC}=\overline{BD} \times \overline{AC}$이므로
$3 \times 4=\overline{BD} \times 5$ $\therefore \overline{BD}=\dfrac{12}{5}$ (cm)
$\triangle DAB$에서 $\overline{AE}=x$ cm라 하면
$\overline{DB}^2=\overline{BE} \times \overline{BA}$이므로 $\left(\dfrac{12}{5}\right)^2=(3-x) \times 3$
$\dfrac{144}{25}=9-3x$, $3x=\dfrac{81}{25}$ $\therefore x=\dfrac{27}{25}$
$\therefore \overline{AE}=\dfrac{27}{25}$ cm

〖답〗 $\dfrac{27}{25}$ cm

다른 풀이

$\triangle ABC$에서 $\overline{AB}^2=\overline{AD} \times \overline{AC}$이므로
$3^2=\overline{AD} \times 5$ $\therefore \overline{AD}=\dfrac{9}{5}$ (cm)
$\triangle DAB$에서 $\overline{DA}^2=\overline{AE} \times \overline{AB}$이므로
$\left(\dfrac{9}{5}\right)^2=\overline{AE} \times 3$ $\therefore \overline{AE}=\dfrac{27}{25}$ (cm)

LEVEL 2 필수 기출 문제

→ 55쪽~60쪽

01 ㄱ, ㄷ, ㅁ, ㅂ	**02** $4:1$	**03** 25 cm	**04** $9:6:4$
05 케이크 B 1개	**06** 13	**07** 3	**08** $1:4:8$	**09** $40°$
10 $91:61$	**11** 48 cm	**12** 12 cm	**13** $\dfrac{28}{5}$ cm
14 4 m	**15** 15 cm	**16** $\dfrac{27}{2}$ cm	**17** $1:4$
18 $\dfrac{32}{5}$ cm	**19** $25:16$	**20** $\dfrac{72}{5}$ cm	**21** 12

01

[전략] 닮음의 성질을 이용한다.

ㄴ. 오른쪽 그림과 같이 반지름의 길이가 서로 같아도 중심각의 크기가 같지 않으면 두 부채꼴은 닮은 도형이 아니다.

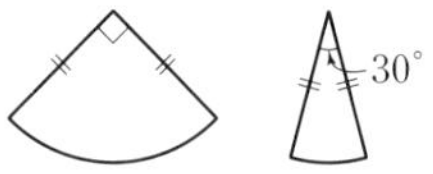

ㄹ. 오른쪽 그림과 같이 한 내각의 크기가 서로 같아도 이웃하는 두 변의 길이의 비가 같지 않으면 두 평행사변형은 닮은 도형이 아니다.

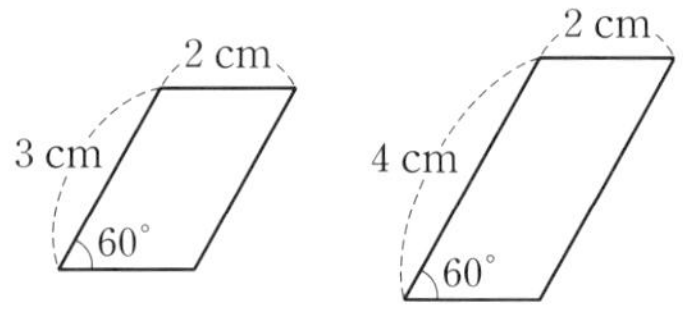

ㅅ. 오른쪽 그림과 같이 윗변과 아랫변의 길이의 비가 서로 같아도 내각의 크기가 같지 않으면 두 등변사다리꼴은 닮은 도형이 아니다.

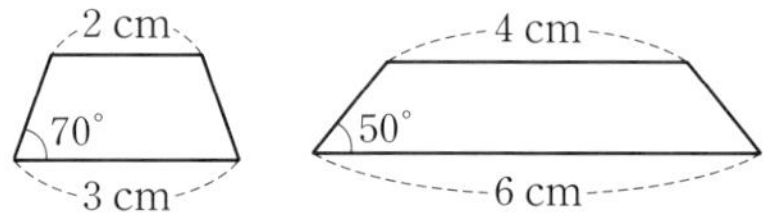

따라서 항상 닮은 도형인 것은 ㄱ, ㄷ, ㅁ, ㅂ이다.

〖답〗 ㄱ, ㄷ, ㅁ, ㅂ

쌤의 특강

항상 닮음인 도형
(1) 항상 닮음인 평면도형
 ① 두 원
 ② 두 직각이등변삼각형
 ③ 변의 개수가 같은 두 정다각형
 ④ 중심각의 크기가 같은 두 부채꼴
(2) 항상 닮음인 입체도형
 ① 두 구
 ② 면의 개수가 같은 두 정다면체

02

[전략] A1 용지의 긴 변의 길이와 A5 용지의 긴 변의 길이의 비를 구한다.

A1 용지의 긴 변의 길이를 a라 하면

A5 용지의 긴 변의 길이는 $\dfrac{1}{4}a$이다.

따라서 A1 용지와 A5 용지의 닮음비는

$a : \dfrac{1}{4}a = 4 : 1$　　　　　　　　　　　　　답 4 : 1

03

[전략] 닮은 도형에서 대응변의 길이의 비가 일정함을 이용한다.

$\triangle ABC \backsim \triangle FBE$이므로

$\overline{BC} : \overline{BE} = \overline{AC} : \overline{FE}$, 즉 $12 : 3 = 8 : \overline{FE}$

$12\overline{FE} = 24$　　$\therefore \overline{FE} = 2\,(cm)$

$\overline{AB} : \overline{FB} = \overline{BC} : \overline{BE}$, 즉 $\overline{AB} : 4 = 12 : 3$

$3\overline{AB} = 48$　　$\therefore \overline{AB} = 16\,(cm)$

$\triangle ACD \backsim \triangle FBE$이므로

$\overline{AC} : \overline{FB} = \overline{CD} : \overline{BE}$, 즉 $8 : 4 = \overline{CD} : 3$

$4\overline{CD} = 24$　　$\therefore \overline{CD} = 6\,(cm)$

$\overline{AD} : \overline{FE} = \overline{AC} : \overline{FB}$, 즉 $\overline{AD} : 2 = 8 : 4$

$4\overline{AD} = 16$　　$\therefore \overline{AD} = 4\,(cm)$

한편, $\overline{DE} = \overline{AB} - \overline{AD} - \overline{BE} = 16 - 4 - 3 = 9\,(cm)$

$\therefore$ (□EFCD의 둘레의 길이) $= \overline{EF} + \overline{FC} + \overline{CD} + \overline{DE}$
$= 2 + 8 + 6 + 9 = 25\,(cm)$

답 25 cm

04

[전략] 직선 $y = -\dfrac{1}{2}x + 1$ 위에 있는 세 정사각형 A, B, C의 꼭짓점의 y좌표를 각각 a, b, c라 하고 각각의 x좌표를 구한 후, 세 정사각형의 한 변의 길이가 각각 a, b, c임을 이용한다.

다음 그림과 같이 세 점 P, Q, R의 y좌표를 각각 a, b, c라 하면 x좌표는 각각 $-2a+2, -2b+2, -2c+2$이다.

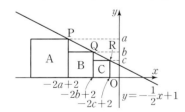

정사각형 B의 한 변의 길이는

$(-2b+2) - (-2a+2) = b$

$2a = 3b$　　$\therefore a = \dfrac{3}{2}b$

정사각형 C의 한 변의 길이는

$(-2c+2) - (-2b+2) = c$

$2b = 3c$　　$\therefore c = \dfrac{2}{3}b$

따라서 세 정사각형 A, B, C의 닮음비는

$a : b : c = \dfrac{3}{2}b : b : \dfrac{2}{3}b = 9 : 6 : 4$　　　답 9 : 6 : 4

05

[전략] 닮음비를 이용하여 닮은 도형의 부피를 구한다.

두 케이크의 닮음비는 $16 : 24 = 2 : 3$이므로

부피의 비는 $2^3 : 3^3 = 8 : 27$

즉, 케이크 A 3개와 케이크 B 1개의 부피의 비는

$(8 \times 3) : 27 = 24 : 27$

따라서 같은 가격일 때, 부피가 큰 것을 사는 것이 양이 더 많으므로 30000원으로 살 수 있는 케이크 A 3개와 케이크 B 1개 중 케이크 B 1개의 양이 더 많다.　　　답 케이크 B 1개

06

[전략] 부피의 비를 이용하여 큰 쇠구슬 한 개를 녹여서 만들 수 있는 세 종류의 작은 쇠구슬의 개수인 a의 값을 먼저 구한다.

큰 쇠구슬과 작은 쇠구슬들은 모두 구 모양이므로 닮음이고, 닮음비는 $6 : 3 : 2 : 1$이므로 겉넓이의 비는

$6^2 : 3^2 : 2^2 : 1^2 = 36 : 9 : 4 : 1$

부피의 비는

$6^3 : 3^3 : 2^3 : 1^3 = 216 : 27 : 8 : 1$

작은 쇠구슬들을 a개씩 만들고, 녹인 쇠구슬은 남김없이 사용하므로 $27a + 8a + a = 216$

$36a = 216$　　$\therefore a = 6$

작은 쇠구슬들의 겉넓이의 합과 큰 쇠구슬의 겉넓이의 비는

$(9a + 4a + a) : 36 = 84 : 36 = 7 : 3$

따라서 작은 쇠구슬들의 겉넓이의 합은 큰 쇠구슬의 겉넓이의 $\dfrac{7}{3}$배이므로 $b = \dfrac{7}{3}$

$\therefore a + 3b = 6 + 3 \times \dfrac{7}{3} = 13$　　　　　　　답 13

07

[전략] 닮음비가 $m : n$인 닮은 두 입체도형의 겉넓이의 비는 $m^2 : n^2$, 부피의 비는 $m^3 : n^3$임을 이용한다.

상자 A에 들어 있는 구슬과 상자 B에 들어 있는 구슬 1개의 반지름의 길이의 비는 $2 : 1$이므로

겉넓이의 비는 $2^2 : 1^2 = 4 : 1$

부피의 비는 $2^3 : 1^3 = 8 : 1$

상자 A, B에 들어 있는 구슬의 개수는 각각 1, 8이므로 두 상자에 들어 있는 구슬 전체의 겉넓이의 비는

$(4 \times 1) : (1 \times 8) = 4 : 8 = 1 : 2$　　$\therefore a = 2$

부피의 비는

$(8 \times 1) : (1 \times 8) = 8 : 8 = 1 : 1$　　$\therefore b = 1$

$\therefore a + b = 2 + 1 = 3$　　　　　　　　　　**답** 3

08

[전략] 닮은 입체도형의 부피의 비를 이용한다.

C의 한 모서리의 길이는 A의 한 모서리의 길이의 2배이고, 모든 정사면체는 닮은 도형이므로 A와 C의 닮음비는 1 : 2이고,

부피의 비는 $1^3 : 2^3 = 1 : 8$

A의 부피를 a라 하면 C의 부피는 $8a$이므로 B의 부피는

$8a - 4a = 4a$

따라서 A, B, C의 부피의 비는

$a : 4a : 8a = 1 : 4 : 8$　　　　　　　　　**답** 1 : 4 : 8

09

[전략] 닮음인 도형에서 대응각의 크기는 각각 같음을 이용한다.

△ABC와 △DAC에서

$\overline{AC} : \overline{DC} = 15 : 9 = 5 : 3$

$\overline{BC} : \overline{AC} = 25 : 15 = 5 : 3$

∠C는 공통

$\therefore$ △ABC∽△DAC (SAS 닮음)

△DAC에서

$120° = \angle DAC + 80°$　　$\therefore \angle DAC = 40°$

$\therefore \angle x = \angle DAC = 40°$　　　　　　　　　　**답** 40°

[참고] 삼각형에서 한 외각의 크기는 이웃하지 않는 두 내각의 크기의 합과 같다.

10

[전략] 컵의 모선을 연장하여 원뿔을 만들었을 때 밑면의 반지름의 길이가 각각 $\overline{AD}, \overline{EF}, \overline{BC}$인 세 원뿔의 부피의 비를 구하여 두 원뿔대의 부피를 비교한다.

오른쪽 그림과 같이 컵의 모선을 연장하여 원뿔을 만들면 □ABCD는 사다리꼴이고 $\overline{AD} // \overline{EF} // \overline{BC}$이다.

$\overline{AC}$와 $\overline{EF}$의 교점을 G라 하면

△AEG와 △ABC의 닮음비가 1 : 2이므로

$\overline{EG} : \overline{BC} = 1 : 2$에서 $\overline{EG} : 4 = 1 : 2$

$\therefore \overline{EG} = 2$ (cm)

또한, △CFG와 △CDA의 닮음비가 1 : 2이므로

$\overline{FG} : \overline{DA} = 1 : 2$에서 $\overline{FG} : 6 = 1 : 2$

$\therefore \overline{FG} = 3$ (cm)

$\therefore \overline{EF} = \overline{EG} + \overline{FG} = 2 + 3 = 5$ (cm)

밑면의 반지름의 길이가 각각 6 cm, 5 cm, 4 cm인 세 원뿔의 닮음비는 6 : 5 : 4이므로 부피의 비는 $6^3 : 5^3 : 4^3 = 216 : 125 : 64$

따라서 누나가 마신 음료수의 양과 동생이 마신 음료수의 양의 비는 $(216 - 125) : (125 - 64) = 91 : 61$　　　**답** 91 : 61

11

[전략] 닮음인 두 삼각형을 찾는다.

△EBM과 △MCH에서

$\angle EBM = \angle MCH = 90°$

$\angle BEM = 90° - \angle EMB = \angle CMH$

$\therefore$ △EBM∽△MCH (AA 닮음)

이때 점 M은 $\overline{BC}$의 중점이므로

$\overline{BM} = \overline{MC} = \frac{1}{2} \times 24 = 12$ (cm)

△EBM과 △MCH의 닮음비는

$\overline{EB} : \overline{MC} = 9 : 12 = 3 : 4$

$\overline{BM} : \overline{CH} = 3 : 4$에서 $12 : \overline{CH} = 3 : 4$

$3\overline{CH} = 48$　　$\therefore \overline{CH} = 16$ (cm)

$\overline{EM} = \overline{EA} = 24 - 9 = 15$ (cm)이므로

$\overline{EM} : \overline{MH} = 3 : 4$에서 $15 : \overline{MH} = 3 : 4$

$3\overline{MH} = 60$　　$\therefore \overline{MH} = 20$ (cm)

$\therefore$ (△MCH의 둘레의 길이) $= \overline{MC} + \overline{CH} + \overline{HM}$

$= 12 + 16 + 20$

$= 48$ (cm)　　　**답** 48 cm

12

[전략] △ACF∽△EDF임을 이용한다.

△ABC와 △DCE에서

$\overline{AB} : \overline{DC} = \overline{BC} : \overline{CE}$이므로 $9 : \overline{DC} = 8 : 16$

$8\overline{DC} = 144$　　$\therefore \overline{DC} = 18$ (cm)

$\overline{AC} : \overline{DE} = \overline{BC} : \overline{CE}$이므로

$\overline{AC} : \overline{DE} = 8 : 16 = 1 : 2$　　……㉠

$\angle ACB = \angle DEC$ (동위각)이므로 $\overline{AC} // \overline{DE}$

△ACF와 △EDF에서

$\angle ACF = \angle EDF$ (엇각)

$\angle AFC = \angle EFD$ (맞꼭지각)

$\therefore$ △ACF∽△EDF (AA 닮음)

△ACF와 △EDF의 닮음비는 ㉠에서 1 : 2

또한, $\overline{CF} : \overline{DF} = 1 : 2$이므로

$\overline{DF} = 18 \times \frac{2}{1+2} = 12$ (cm)　　　**답** 12 cm

13

[전략] 닮음인 두 삼각형을 찾는다.

△ABC는 정삼각형이므로

$\overline{AB} = \overline{BC} = \overline{CA} = \overline{AD} + \overline{DB} = \overline{ED} + \overline{DB} = 7 + 5 = 12$ (cm)

△DBE와 △ECF에서

$\angle DBE = \angle ECF = 60°$

$\angle BDE = 120° - \angle DEB = \angle CEF$

$\therefore$ △DBE∽△ECF (AA 닮음)

$\overline{BE} : \overline{EC} = 2 : 1$이므로

$\overline{EC} = 12 \times \dfrac{1}{2+1} = 4\,(cm)$

따라서 △DBE와 △ECF의 닮음비는

$\overline{DB} : \overline{EC} = 5 : 4$

$\overline{DE} : \overline{EF} = 5 : 4$에서

$7 : \overline{EF} = 5 : 4$

$5\overline{EF} = 28$ $\therefore \overline{EF} = \dfrac{28}{5}\,(cm)$

이때 $\overline{AF} = \overline{EF}$이므로

$\overline{AF} = \dfrac{28}{5}\,cm$ 目 $\dfrac{28}{5}\,cm$

14

[전략] 입사각과 반사각의 크기가 같음을 이용하여 닮은 두 삼각형을 찾는다.

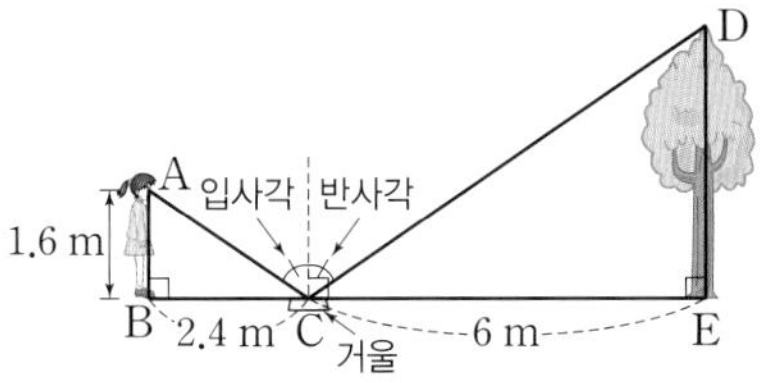

오른쪽 그림과 같은

△ABC와 △DEC에서

$\angle B = \angle E = 90°$

거울에서 입사각과 반사

각의 크기는 같으므로

$\angle ACB = \angle DCE$

$\therefore$ △ABC∽△DEC (AA 닮음)

$\overline{DE} = x\,m$라 하면

$\overline{AB} : \overline{DE} = \overline{BC} : \overline{EC}$에서

$1.6 : x = 2.4 : 6$

$2.4x = 9.6$ $\therefore x = 4$

따라서 구하는 나무의 높이는 4 m이다. 目 4 m

15

[전략] △ABC∽△DEF (AA 닮음)임을 이용한다.

△ABC와 △DEF에서

$\angle DEF = \angle BAE + \angle ABE$

$\quad\quad = \angle CBF + \angle ABE = \angle ABC$

$\angle DFE = \angle CBF + \angle BCF$

$\quad\quad = \angle ACD + \angle BCF = \angle ACB$

$\therefore$ △ABC∽△DEF (AA 닮음)

이때 △ABC와 △DEF의 닮음비는

$\overline{BC} : \overline{EF} = 12 : 4 = 3 : 1$

$\overline{AB} : \overline{DE} = 3 : 1$에서 $15 : \overline{DE} = 3 : 1$

$3\overline{DE} = 15$ $\therefore \overline{DE} = 5\,(cm)$

$\overline{AC} : \overline{DF} = 3 : 1$에서 $18 : \overline{DF} = 3 : 1$

$3\overline{DF} = 18$ $\therefore \overline{DF} = 6\,(cm)$

$\therefore$ (△DEF의 둘레의 길이)$= \overline{DE} + \overline{EF} + \overline{FD}$

$\quad\quad\quad = 5 + 4 + 6$

$\quad\quad\quad = 15\,(cm)$ 目 15 cm

16

[전략] △FEB와 닮음인 삼각형을 찾는다.

$\overline{EF} : \overline{FC} = 1 : 5$이므로 $\overline{EF} : 15 = 1 : 5$

$5\overline{EF} = 15$ $\therefore \overline{EF} = 3\,(cm)$

△FEB와 △FDC에서

$\angle FEB = \angle FDC = 90°$

$\angle EFB = \angle DFC$ (맞꼭지각)

$\therefore$ △FEB∽△FDC (AA 닮음)

$\overline{EF} : \overline{DF} = \overline{BF} : \overline{CF}$에서

$3 : 9 = \overline{BF} : 15$

$9\overline{BF} = 45$ $\therefore \overline{BF} = 5\,(cm)$

△FEB와 △ADB에서

$\angle B$는 공통

$\angle FEB = \angle ADB = 90°$

$\therefore$ △FEB∽△ADB (AA 닮음)

$\overline{BF} : \overline{BA} = \overline{BE} : \overline{BD}$에서

$5 : \overline{BA} = 4 : 14$

$4\overline{BA} = 70$ $\therefore \overline{BA} = \dfrac{35}{2}\,(cm)$

$\therefore \overline{AE} = \overline{AB} - \overline{EB} = \dfrac{35}{2} - 4 = \dfrac{27}{2}\,(cm)$ 目 $\dfrac{27}{2}\,cm$

17

[전략] 합동인 두 삼각형에서 크기가 같은 각을 표시한 후 닮음인 두 삼각형을 찾는다.

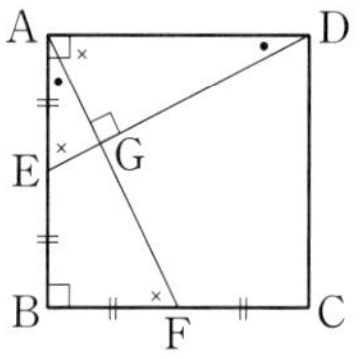

△DAE와 △ABF에서

$\overline{DA} = \overline{AB}$,

$\angle DAE = \angle ABF = 90°$,

$\overline{AE} = \overline{BF}$

이므로 △DAE≡△ABF (SAS 합동)

$\therefore \angle ADE = \angle BAF$

이때 △AEG에서

$\angle AGD = \angle EAG + \angle AEG$

$\quad\quad = \angle ADG + \angle AEG = 90°$

△AEG와 △DAG에서

$\angle AGE = \angle DGA = 90°$

$\angle EAG = \angle ADG$

$\therefore$ △AEG∽△DAG (AA 닮음)

$\overline{AE} : \overline{DA} = \overline{EG} : \overline{AG}$에서 $1 : 2 = \overline{EG} : \overline{AG}$

$\therefore \overline{AG} = 2\overline{EG}$

또한, $\overline{AE} : \overline{DA} = \overline{GA} : \overline{GD}$에서

$1 : 2 = \overline{GA} : \overline{GD}$

$\therefore \overline{GD} = 2\overline{GA}$

따라서 $\overline{GD} = 2\overline{GA} = 2 \times 2\overline{EG} = 4\overline{EG}$이므로

$\overline{EG} : \overline{GD} = 1 : 4$ 目 1 : 4

18

[전략] 한 예각이 공통인 두 직각삼각형은 닮음임을 이용한다.

$\triangle DBE$와 $\triangle CBA$에서

$\angle B$는 공통

$\angle DEB = \angle CAB = 90°$

$\therefore \triangle DBE \backsim \triangle CBA$ (AA 닮음)

$\overline{DB} : \overline{CB} = \overline{BE} : \overline{BA}$에서 $\left(\dfrac{1}{2} \times 6\right) : 10 = \overline{BE} : 6$

$10\overline{BE} = 18$ $\therefore \overline{BE} = \dfrac{9}{5}$ (cm)

따라서 $\overline{EF} = \overline{BE} = \dfrac{9}{5}$ cm이므로

$\overline{FC} = \overline{BC} - \overline{BE} - \overline{EF}$

$\quad = 10 - \dfrac{9}{5} - \dfrac{9}{5} = \dfrac{32}{5}$ (cm)   답 $\dfrac{32}{5}$ cm

19

[전략] 직각삼각형의 닮음을 이용한다.

$\triangle BDE$와 $\triangle DEF$에서

$\angle BED = \angle DFE = 90°$

$\angle EBD = 90° - \angle EDB = \angle FDE$

$\therefore \triangle BDE \backsim \triangle DEF$ (AA 닮음)

$\overline{ED} : \overline{FE} = \overline{BD} : \overline{DE}$에서

$5 : 4 = \overline{BD} : 5$

$4\overline{BD} = 25$ $\therefore \overline{BD} = \dfrac{25}{4}$ (cm)

따라서 $\triangle BDE$와 $\triangle EFG$의 닮음비는

$\overline{BD} : \overline{EF} = \dfrac{25}{4} : 4 = 25 : 16$ 답 $25 : 16$

20

[전략] 직각삼각형의 닮음을 이용한다.

$\triangle ABC$에서

$\overline{AD}^2 = \overline{BD} \times \overline{CD}$이므로

$\overline{AD}^2 = 4 \times 16 = 64$

이때 $\overline{AD} > 0$이므로 $\overline{AD} = 8$ cm

점 M은 직각삼각형 ABC의 외심이므로

$\overline{AM} = \overline{BM} = \overline{CM} = \dfrac{1}{2}\overline{BC} = \dfrac{1}{2} \times 20 = 10$ (cm)

$\therefore \overline{DM} = \overline{BM} - \overline{BD} = 10 - 4 = 6$ (cm)

$\triangle ADM$에서

$\overline{AM} \times \overline{ED} = \overline{DM} \times \overline{AD}$이므로 $10 \times \overline{ED} = 6 \times 8$

$\therefore \overline{ED} = \dfrac{24}{5}$ (cm)

또한, $\overline{DM}^2 = \overline{ME} \times \overline{MA}$이므로 $6^2 = \overline{ME} \times 10$

$\therefore \overline{ME} = \dfrac{18}{5}$ (cm)

$\therefore$ ($\triangle EDM$의 둘레의 길이) $= \overline{ED} + \overline{DM} + \overline{ME}$

$= \dfrac{24}{5} + 6 + \dfrac{18}{5} = \dfrac{72}{5}$ (cm)

답 $\dfrac{72}{5}$ cm

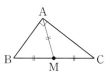

21

[전략] $\overline{AH}$의 길이를 구한 후 내접원의 반지름의 길이를 각각 구한다.

$\triangle ABC$에서

$\overline{AB}^2 = \overline{BH} \times \overline{BC}$이므로 $8^2 = \overline{BH} \times 10$

$\therefore \overline{BH} = \dfrac{32}{5}$ (cm)

$\therefore \overline{CH} = \overline{BC} - \overline{BH} = 10 - \dfrac{32}{5} = \dfrac{18}{5}$ (cm)

또, $\overline{AB} \times \overline{AC} = \overline{AH} \times \overline{BC}$이므로

$8 \times 6 = \overline{AH} \times 10$ $\therefore \overline{AH} = \dfrac{24}{5}$ (cm)

오른쪽 그림과 같이 $\triangle ABH$의 내접원
의 반지름의 길이를 R cm라 하면

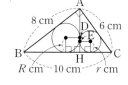

$\triangle ABH = \dfrac{1}{2} \times \overline{BH} \times \overline{AH}$

$\qquad = \dfrac{1}{2} \times R \times (\overline{AB} + \overline{BH} + \overline{HA})$

즉, $\dfrac{1}{2} \times \dfrac{32}{5} \times \dfrac{24}{5} = \dfrac{1}{2} \times R \times \left(8 + \dfrac{32}{5} + \dfrac{24}{5}\right)$

$\dfrac{48}{5}R = \dfrac{384}{25}$ $\therefore R = \dfrac{8}{5}$

또한, $\triangle ACH$의 내접원의 반지름의 길이를 r cm라 하면

$\triangle ACH = \dfrac{1}{2} \times \overline{CH} \times \overline{AH}$

$\qquad = \dfrac{1}{2} \times r \times (\overline{AC} + \overline{CH} + \overline{HA})$

즉, $\dfrac{1}{2} \times \dfrac{18}{5} \times \dfrac{24}{5} = \dfrac{1}{2} \times r \times \left(6 + \dfrac{18}{5} + \dfrac{24}{5}\right)$

$\dfrac{36}{5}r = \dfrac{216}{25}$ $\therefore r = \dfrac{6}{5}$

$\therefore \overline{DE} = R - r = \dfrac{8}{5} - \dfrac{6}{5} = \dfrac{2}{5}$ (cm)

$\therefore \dfrac{\overline{AH}}{\overline{DE}} = \dfrac{24}{5} \div \dfrac{2}{5} = 12$ 답 12

→61쪽

LEVEL 3 최고난도 문제

01 $\frac{7}{4}$	02 4 cm	03 23 %	04 45 : 8

01 solution 미리 보기

step ❶	△AEC≡△ADB임을 이용하여 ∠ACE=∠ABD임을 알기
step ❷	△ADB∽△FDC임을 이용하여 $\dfrac{\overline{FC}}{\overline{FD}}$의 값 구하기

△AEC와 △ADB에서

$\overline{AC}=\overline{AB}$

∠EAC=∠DAB=60°

$\overline{AE}=\overline{AD}$

이므로 △AEC≡△ADB (SAS 합동)

∴ ∠ACE=∠ABD ....❶

또한, △ADB와 △FDC에서

∠ADB=∠FDC (맞꼭지각)

∠DBA=∠DCF

∴ △ADB∽△FDC (AA 닮음)

$\overline{AD}:\overline{CD}=4:3$이므로

$\overline{AD}=4k,\ \overline{CD}=3k$라 하면

$\overline{AB}=\overline{AC}=4k+3k=7k$이고

$\overline{AB}:\overline{AD}=\overline{FC}:\overline{FD}=7k:4k=7:4$

∴ $\dfrac{\overline{FC}}{\overline{FD}}=\dfrac{7}{4}$ ....❷

답 $\dfrac{7}{4}$

02 solution 미리 보기

step ❶	△AFD∽△AEP임을 이용하여 선분의 길이의 비 찾기
step ❷	△FAQ∽△EAB임을 이용하여 선분의 길이의 비 찾기
step ❸	$\overline{AP}$의 길이를 구한 후, $\overline{PQ}$의 길이 구하기

△AFD와 △AEP에서

∠ADF=∠APE=90°

∠DAF=45°−∠FAQ=∠PAE

∴ △AFD∽△AEP (AA 닮음)

∴ $\overline{AD}:\overline{AP}=\overline{AF}:\overline{AE}$ ⋯⋯㉠ ....❶

또한, △FAQ와 △EAB에서

∠AQF=∠ABE=90°

∠FAQ=45°−∠PAE=∠EAB

∴ △FAQ∽△EAB (AA 닮음)

∴ $\overline{AF}:\overline{AE}=\overline{AQ}:\overline{AB}$ ⋯⋯㉡ ....❷

㉠, ㉡에서 $\overline{AD}:\overline{AP}=\overline{AQ}:\overline{AB}$

즉, $\overline{AD}:\overline{AP}=8:\overline{AB}$이므로

$8\overline{AP}=\overline{AD}\times\overline{AB},\ 8\overline{AP}=96$

∴ $\overline{AP}=12$ (cm)

∴ $\overline{PQ}=\overline{AP}-\overline{AQ}=12-8=4$ (cm) ....❸

답 4 cm

03 solution 미리 보기

step ❶	두 점 A, D에서 $\overline{BE}$에 수선의 발을 내려 △ABC와 △DBE의 높이인 $\overline{AH}$와 $\overline{DF}$ 그리기
step ❷	△DBF∽△ABH임을 이용하여 $\overline{DF}$와 $\overline{AH}$의 관계식 세우기
step ❸	△ABC의 밑변의 길이와 높이의 변화량을 이용하여 △DBE의 넓이 구하는 식 세우기
step ❹	△DBE의 넓이를 △ABC의 넓이와 비교하여 몇 % 줄어든 것인지 구하기

오른쪽 그림과 같이 점 A에서 $\overline{BC}$에 내린 수선의 발을 H라 하고, 점 D에서 $\overline{BE}$에 내린 수선의 발을 F라 하자. ....❶

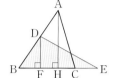

△DBF와 △ABH에서

∠BFD=∠BHA=90°, ∠B는 공통

∴ △DBF∽△ABH (AA 닮음)

$\overline{DF}:\overline{AH}=\overline{BD}:\overline{BA}=\left(1-\dfrac{45}{100}\right)\overline{AB}:\overline{AB}=11:20$

$20\overline{DF}=11\overline{AH}$ ∴ $\overline{DF}=\dfrac{11}{20}\overline{AH}$ ....❷

∴ △DBE$=\dfrac{1}{2}\times\overline{BE}\times\overline{DF}$

$=\dfrac{1}{2}\times\left(1+\dfrac{40}{100}\right)\overline{BC}\times\dfrac{11}{20}\overline{AH}$

$=\dfrac{140}{100}\times\dfrac{11}{20}\times\left(\dfrac{1}{2}\times\overline{BC}\times\overline{AH}\right)$

$=\dfrac{77}{100}$△ABC$=\left(1-\dfrac{23}{100}\right)$△ABC ....❸

따라서 △DBE의 넓이는 △ABC의 넓이의 23 % 줄어든 것이다.
..................❹

답 23 %

쌤의 만점 특강

선분의 길이의 변화량

길이가 l인 선분에 대하여

(1) a % 늘인 선분의 길이는 $\left(1+\dfrac{a}{100}\right)l=\dfrac{(100+a)l}{100}$

(2) b % 줄인 선분의 길이는 $\left(1-\dfrac{b}{100}\right)l=\dfrac{(100-b)l}{100}$

04 solution 미리 보기

step ❶	△ADQ와 합동인 삼각형을 찾아 $\overline{CG}$를 $\overline{AR}$의 길이로 나타내기
step ❷	△ARE∽△GBE임을 이용하여 $\overline{EG}$, $\overline{AQ}$를 $\overline{AE}$의 길이로 나타내기
step ❸	△APF∽△GBF임을 이용하여 $\overline{AF}:\overline{GF}$를 가장 간단한 자연수의 비로 나타내기
step ❹	$\overline{EF}=x$로 두고 $\overline{AF}:\overline{GF}$를 이용하여 $\overline{EF}$를 $\overline{AE}$의 길이로 나타낸 후, $\overline{AQ}:\overline{EF}$를 가장 간단한 자연수의 비로 나타내기

오른쪽 그림과 같이 $\overline{BC}$의 연장선과 $\overline{AQ}$의 연장선이 만나는 점을 G라 하고 $\overline{AR}=a$, $\overline{AE}=b$라 하자.

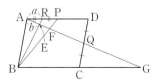

△ADQ와 △GCQ에서

∠ADQ=∠GCQ (엇각),

$\overline{QD}=\overline{QC}$,

∠AQD=∠GQC (맞꼭지각)

이므로 △ADQ≡△GCQ (ASA 합동)

이때 $\overline{CG}=\overline{DA}=4a$ .... ❶

한편, △ARE와 △GBE에서

∠ARE=∠GBE (엇각)

∠AER=∠GEB (맞꼭지각)

∴ △ARE∽△GBE (AA 닮음)

이때 $\overline{AR}:\overline{GB}=\overline{EA}:\overline{EG}$에서

$a:8a=b:\overline{EG}$, $a\overline{EG}=8ab$

∴ $\overline{EG}=8b$

즉, $\overline{AQ}=\overline{GQ}$이므로

$\overline{AQ}=\dfrac{1}{2}\overline{AG}=\dfrac{1}{2}(b+8b)=\dfrac{9}{2}b$ .... ❷

△APF와 △GBF에서

∠APF=∠GBF (엇각)

∠AFP=∠GFB (맞꼭지각)

∴ △APF∽△GBF (AA 닮음)

이때 $\overline{AF}:\overline{GF}=\overline{AP}:\overline{GB}$에서

$\overline{AF}:\overline{GF}=2a:8a=1:4$ .... ❸

$\overline{EF}=x$라 하면

$\overline{AF}=\overline{AE}+\overline{EF}=b+x$

$\overline{GF}=\overline{AG}-\overline{AF}=2\overline{AQ}-\overline{AF}=2\times\dfrac{9}{2}b-(b+x)$

$\qquad\qquad =9b-b-x=8b-x$

이므로

$(b+x):(8b-x)=1:4$, $4(b+x)=8b-x$

$5x=4b$ ∴ $x=\dfrac{4}{5}b$

∴ $\overline{EF}=\dfrac{4}{5}b$

따라서 $\overline{AQ}:\overline{EF}=\dfrac{9}{2}b:\dfrac{4}{5}b=45:8$ .... ❹

目 45 : 8

06. 닮음의 활용

LEVEL 1 시험에 꼭 내는 문제 →64쪽~66쪽

01 ㄱ, ㄷ, ㅂ	**02** $\dfrac{25}{3}$ cm	**03** 17 cm	**04** 12 cm
05 27 cm²	**06** (1) $\dfrac{8}{3}$ cm (2) 5 cm		**07** 288
08 17 cm	**09** $\dfrac{40}{3}$ cm²	**10** 12 cm	**11** 12 cm
12 18 cm	**13** 9 cm	**14** 12 cm	**15** 20 cm²
16 8 cm	**17** 6 cm	**18** 4 cm²	

01

ㄱ, ㄷ, ㅂ. 3 : 4=4.5 : 6

즉, $\overline{CF}:\overline{FA}=\overline{CE}:\overline{EB}$이므로 $\overline{AB}/\!/\overline{EF}$

△ABC와 △FEC에서

∠A=∠CFE(동위각), ∠C는 공통

이므로 △ABC∽△FEC (AA 닮음)

ㄴ, ㄹ. 5 : 4≠4 : 3이므로

$\overline{BC}$와 $\overline{DF}$는 평행하지 않고, ∠B≠∠ADF이다.

ㅁ. (4+5) : 4≠(6+4.5) : 6이므로

△ABC와 △DBE는 닮음이 아니다.

따라서 옳은 것은 ㄱ, ㄷ, ㅂ이다. **目** ㄱ, ㄷ, ㅂ

02

△ABC에서 $\overline{DE}/\!/\overline{BC}$이므로

$\overline{AE}:\overline{EC}=\overline{AD}:\overline{DB}=15:12=5:4$

△ADC에서 $\overline{CD}/\!/\overline{EF}$이므로

$\overline{AF}:\overline{FD}=\overline{AE}:\overline{EC}=5:4$

∴ $\overline{AF}=\dfrac{5}{9}\overline{AD}=\dfrac{5}{9}\times15=\dfrac{25}{3}$ (cm) **目** $\dfrac{25}{3}$ cm

03

□DFCE는 평행사변형이므로

$\overline{FC}=\overline{DE}=6$ cm

$\overline{BF}=\overline{BC}-\overline{FC}=8-6=2$ (cm)

이때 $\overline{DF}/\!/\overline{AC}$이므로 $\overline{BF}:\overline{BC}=\overline{DF}:\overline{AC}$에서

$2:8=\overline{DF}:10$ ∴ $\overline{DF}=\dfrac{5}{2}$ (cm)

따라서 □DFCE의 둘레의 길이는

$6+\dfrac{5}{2}+6+\dfrac{5}{2}=17$ (cm) **目** 17 cm

04

△ABC에서 $\overline{AD}$는 ∠A의 이등분선이므로

$\overline{AB}:\overline{AC}=\overline{BD}:\overline{CD}$에서

$10:6=5:\overline{CD}$ ∴ $\overline{CD}=3$ (cm)

$\overline{AE}$는 ∠A의 외각의 이등분선이므로

$\overline{AB} : \overline{AC} = \overline{BE} : \overline{CE}$에서

$10 : 6 = (5+3+\overline{CE}) : \overline{CE}$

$10\overline{CE} = 48+6\overline{CE}, \ 4\overline{CE} = 48$

$\therefore \overline{CE} = 12 \, (cm)$　　　　　　　　　　🖩 12 cm

05

△ABC는 ∠BAC=90°인 직각삼각형이므로

$\triangle ABC = \dfrac{1}{2} \times 9 \times 18 = 81 \, (cm^2)$

△ABC에서 $\overline{AD}$는 ∠A의 이등분선이므로

$\overline{AB} : \overline{AC} = \overline{BD} : \overline{CD} = 9 : 18 = 1 : 2$

이때 $\triangle ABD : \triangle ACD = \overline{BD} : \overline{CD} = 1 : 2$이므로

$\triangle ABD = \triangle ABC \times \dfrac{1}{1+2} = 81 \times \dfrac{1}{3} = 27 \, (cm^2)$　🖩 27 cm²

∠BAD=∠CAD=45°이므로 ∠BAC=90°이다.

즉, △ABC는 직각삼각형이고 $\overline{AD}$는 ∠BAC의 이등분선이다.

06

(1) △ABC와 △BDC에서

∠A=∠DBC, ∠C는 공통

이므로 △ABC∽△BDC (AA 닮음)

$\overline{AC} : \overline{BC} = \overline{BC} : \overline{DC}$이므로

$6 : 4 = 4 : \overline{CD}, \ 6\overline{CD} = 16$　　$\therefore \overline{CD} = \dfrac{8}{3} \, (cm)$

(2) △ABC에서 $\overline{BD}$는 ∠B의 이등분선이므로

$\overline{BC} : \overline{BA} = \overline{CD} : \overline{AD}$에서

$4 : \overline{AB} = \dfrac{8}{3} : (\overline{AC} - \overline{CD})$

$4 : \overline{AB} = \dfrac{8}{3} : \left(6 - \dfrac{8}{3}\right)$

$4 : \overline{AB} = \dfrac{8}{3} : \dfrac{10}{3}, \ \dfrac{8}{3}\overline{AB} = \dfrac{40}{3}$

$\therefore \overline{AB} = 5 \, (cm)$　　　　🖩 (1) $\dfrac{8}{3}$ cm　(2) 5 cm

07

$10 : 5 = c : 6$에서 $c = 12$

$6 : 10 = a : c$에서 $3 : 5 = a : 12$　　$\therefore a = \dfrac{36}{5}$

$10 : 5 = \dfrac{20}{3} : b$에서 $2 : 1 = \dfrac{20}{3} : b$　　$\therefore b = \dfrac{10}{3}$

$\therefore abc = \dfrac{36}{5} \times \dfrac{10}{3} \times 12 = 288$　　　　🖩 288

08

오른쪽 그림과 같이 점 A를 지나고 $\overline{CD}$에 평행한 직선과 $\overline{GH}$, $\overline{BC}$의 교점을 각각 I, J라 하면

$\overline{IH} = \overline{JC} = \overline{AD} = 9 \, cm$

$\therefore \overline{BJ} = \overline{BC} - \overline{JC} = 21 - 9 = 12 \, (cm)$

$\overline{AG} : \overline{AB} = 2 : 3$이고

△ABJ에서 $\overline{GI} /\!/ \overline{BJ}$이므로

$\overline{AG} : \overline{AB} = \overline{GI} : \overline{BJ}$에서

$2 : 3 = \overline{GI} : 12$

$\therefore \overline{GI} = 8 \, (cm)$

$\therefore \overline{GH} = \overline{GI} + \overline{IH} = 8 + 9 = 17 \, (cm)$　　🖩 17 cm

사다리꼴 ABCD에서 $\overline{AD} /\!/ \overline{EF} /\!/ \overline{BC}$일 때, $\overline{EF}$의 길이는 다음과 같이 2가지 방법으로 구할 수 있다.

[방법 1]

❶ $\overline{CD}$와 평행한 $\overline{AH}$를 긋는다.

❷ $\square AGFD$에서 $\overline{GF}$, △ABH에서 $\overline{EG}$의 길이를 구한다.

❸ $\overline{EF} = \overline{EG} + \overline{GF}$임을 이용한다.

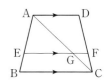

[방법 2]

❶ $\overline{AC}$를 긋는다.

❷ △ABC에서 $\overline{EG}$, △ACD에서 $\overline{GF}$의 길이를 구한다.

❸ $\overline{EF} = \overline{EG} + \overline{GF}$임을 이용한다.

다른 풀이 위 문제를 [방법 2]로 구하면

△ABC에서 $\overline{AG} : \overline{AB} = \overline{GP} : \overline{BC}$이므로

$\overline{GP} = 14 \, (cm)$

△ACD에서 $\overline{CH} : \overline{CD} = \overline{PH} : \overline{AD}$이므로

$\overline{PH} = 3 \, (cm)$

$\therefore \overline{GH} = \overline{GP} + \overline{PH} = 14 + 3 = 17 \, (cm)$

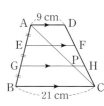

09

△ABE와 △CDE에서

∠AEB=∠CED (맞꼭지각),

∠ABE=∠CDE (엇각)

이므로 △ABE∽△CDE (AA 닮음)

$\therefore \overline{AE} : \overline{CE} = \overline{AB} : \overline{CD} = 12 : 6 = 2 : 1$

△ABC에서 $\overline{AB} /\!/ \overline{EF}$이고

$\overline{CE} : \overline{CA} = 1 : (1+2) = 1 : 3$이므로

$\overline{CE} : \overline{CA} = \overline{EF} : \overline{AB}$에서

$1 : 3 = \overline{EF} : 12$　　$\therefore \overline{EF} = 4 \, (cm)$

$\overline{CF} : \overline{CB} = \overline{CE} : \overline{CA}$에서

$\overline{CF} : 20 = 1 : 3$　　$\therefore \overline{CF} = \dfrac{20}{3} \, (cm)$

$\therefore \triangle EFC = \dfrac{1}{2} \times \dfrac{20}{3} \times 4 = \dfrac{40}{3} \, (cm^2)$　🖩 $\dfrac{40}{3}$ cm²

10

$\triangle$BCE에서 $\overline{BD}=\overline{DC}$, $\overline{BE}$ // $\overline{DF}$이므로

$\overline{BE}=2\overline{DF}=2\times8=16$ (cm)

$\triangle$ADF에서 $\overline{AG}=\overline{GD}$, $\overline{GE}$ // $\overline{DF}$이므로

$\overline{GE}=\dfrac{1}{2}\overline{DF}=\dfrac{1}{2}\times8=4$ (cm)

$\therefore$ $\overline{BG}=\overline{BE}-\overline{GE}=16-4=12$ (cm)　　　📋 12 cm

11

$\overline{AD}$ // $\overline{BC}$, $\overline{AM}=\overline{MB}$, $\overline{DN}=\overline{NC}$이므로 $\overline{AD}$ // $\overline{MN}$ // $\overline{BC}$

오른쪽 그림과 같이 $\overline{AC}$를 긋고 $\overline{AC}$와  $\overline{MN}$의 교점을 P라 하면 $\triangle$ABC에서 $\overline{AM}=\overline{MB}$, $\overline{MP}$ // $\overline{BC}$이므로

$\overline{MP}=\dfrac{1}{2}\overline{BC}=\dfrac{1}{2}\times20=10$ (cm)

$\therefore$ $\overline{PN}=\overline{MN}-\overline{MP}=16-10=6$ (cm)

$\triangle$ACD에서 $\overline{DN}=\overline{NC}$, $\overline{AD}$ // $\overline{PN}$이므로

$\overline{AD}=2\overline{PN}=2\times6=12$ (cm)　　　📋 12 cm

12

점 G는 $\triangle$ABC의 무게중심이므로

$\overline{AG}=2\overline{GD}=2\times12=24$ (cm)

$\triangle$ABC에서 $\overline{AE}=\overline{EB}$, $\overline{AF}=\overline{FC}$이므로 $\overline{EF}$ // $\overline{BC}$

$\triangle$GBD와 $\triangle$GFH에서

$\angle$BGD$=$$\angle$FGH (맞꼭지각), $\angle$GBD$=$$\angle$GFH (엇각)

이므로 $\triangle$GBD$\backsim$$\triangle$GFH (AA 닮음)

$\overline{BG}:\overline{FG}=\overline{GD}:\overline{GH}$에서

$2:1=12:\overline{GH}$　　　$\therefore$ $\overline{GH}=6$ (cm)

$\therefore$ $\overline{AH}=\overline{AG}-\overline{GH}=24-6=18$ (cm)　　　📋 18 cm

13

점 G는 $\triangle$ABC의 무게중심이므로

$\overline{AG}:\overline{GD}=2:1$에서

$6:\overline{GD}=2:1$　　　$\therefore$ $\overline{GD}=3$ (cm)

직각삼각형의 외심은 빗변의 중점에 있으므로 점 D는 $\triangle$ABC의 외심이다.

$\therefore$ $\overline{BD}=\overline{CD}=\overline{AD}=\overline{AG}+\overline{GD}=6+3=9$ (cm)　　　📋 9 cm

14

$\triangle$NBC와 $\triangle$MCB에서

$\overline{BC}$는 공통, $\overline{BN}=\overline{CM}$ $\cdots\cdots$ ㉠

그런데 점 G는 $\triangle$ABC의 무게중심이므로

$\overline{BG}:\overline{GN}=\overline{CG}:\overline{GM}=2:1$이고

$\overline{BN}=\overline{CM}$이므로 $\overline{BG}=\overline{CG}$

즉, $\triangle$GBC는 이등변삼각형이므로 $\angle$NBC$=$$\angle$MCB $\cdots\cdots$ ㉡

㉠, ㉡에 의해 $\triangle$NBC$\equiv$$\triangle$MCB (SAS 합동)

$\therefore$ $\overline{MB}=\overline{NC}$

따라서 $\overline{AM}=\overline{MB}=\overline{NC}=\overline{AN}=6$ cm이므로

$\overline{AB}=2\overline{AM}=12$ (cm)　　　📋 12 cm

15

$\square$ABCD$=12\times10=120$ (cm²)이므로

$\triangle$ACD$=\dfrac{1}{2}\square$ABCD$=\dfrac{1}{2}\times120=60$ (cm²)

오른쪽 그림과 같이 $\overline{PC}$를 그으면 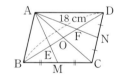 $\triangle$ACD에서 점 P는 $\triangle$ACD의 무게중심이므로

$\triangle$PCM$=$$\triangle$PCO$=\dfrac{1}{6}\triangle$ACD

　　　　　$=\dfrac{1}{6}\times60=10$ (cm²)

$\therefore$ $\square$OCMP$=2\triangle$PCM$=2\times10=20$ (cm²)　　　📋 20 cm²

16

$\overline{AD}$ // $\overline{BC}$, $\overline{AM}=\overline{MB}$, $\overline{DN}=\overline{NC}$이므로

$\overline{AD}$ // $\overline{MN}$ // $\overline{BC}$

$\triangle$ABD에서 $\overline{AM}=\overline{MB}$, $\overline{AD}$ // $\overline{MP}$이므로

$\overline{MP}=\dfrac{1}{2}\overline{AD}=\dfrac{1}{2}\times6=3$ (cm)

$\therefore$ $\overline{MQ}=\overline{MP}+\overline{PQ}=3+1=4$ (cm)

$\triangle$ABC에서 $\overline{AM}=\overline{MB}$, $\overline{MQ}$ // $\overline{BC}$이므로

$\overline{BC}=2\overline{MQ}=2\times4=8$ (cm)　　　📋 8 cm

17

오른쪽 그림과 같이 대각선 AC를 긋고 두 대각선 AC와 BD의 교점을 O라 하면  $\overline{AO}=\overline{CO}$이므로 점 E는 $\triangle$ABC의 무게중심이고, 점 F는 $\triangle$ACD의 무게중심이다.

즉, $\overline{EO}=\dfrac{1}{3}\overline{BO}$, $\overline{OF}=\dfrac{1}{3}\overline{OD}$이므로

$\overline{EF}=\overline{EO}+\overline{OF}=\dfrac{1}{3}\overline{BO}+\dfrac{1}{3}\overline{OD}$

　　　$=\dfrac{1}{3}(\overline{BO}+\overline{OD})=\dfrac{1}{3}\overline{BD}=\dfrac{1}{3}\times18=6$ (cm)　　　📋 6 cm

18

오른쪽 그림과 같이 $\overline{BE}$를 그으면 점 P가 $\triangle$EBC의 무게중심이므로

$\triangle$EPF$=\dfrac{1}{6}\triangle$EBC

이때 $\overline{AE}:\overline{CE}=1:2$이므로

$\triangle$EBC$=\dfrac{2}{3}\triangle$ABC$=\dfrac{2}{3}\times36=24$ (cm²)

$\therefore$ $\triangle$EPF$=\dfrac{1}{6}\triangle$EBC$=\dfrac{1}{6}\times24=4$ (cm²)　　　📋 4 cm²

→ 67쪽~72쪽

LEVEL 2 필수 기출 문제

01 2 cm	**02** 21 cm²	**03** 8 cm	**04** 8 cm
05 10 cm	**06** 6 cm	**07** (1) 10 cm (2) 4 cm	
08 20 cm²	**09** 12	**10** 1	
11 (1) $\overline{OE}=8$ cm, $\overline{OF}=8$ cm, $\overline{GH}=6$ cm (2) 3 : 1 : 2			
12 9 cm	**13** 14 cm	**14** 3 : 2	**15** 15 cm
16 5 : 4	**17** 5 cm	**18** 5 cm	**19** 4 cm
20 21 cm²	**21** 18배	**22** 20 cm²	**23** 45 cm²
24 (1) 4 cm (2) $\dfrac{35}{2}$ cm²			

01

[**전략**] 삼각형에서 평행선과 선분의 길이의 비를 이용하여 $\overline{DE}$의 길이를 구한다.

$\overline{DE} /\!/ \overline{BC}$이므로 $\overline{AD} : \overline{AB} = \overline{DE} : \overline{BC}$

$4 : (4+5) = \overline{DE} : 18,\ 9\overline{DE} = 72$ $\therefore \overline{DE} = 8$ (cm)

□DBGE와 □DFCE는 평행사변형이므로

$\overline{BG} = \overline{FC} = \overline{DE} = 8$ cm

$\therefore \overline{GF} = \overline{BC} - \overline{BG} - \overline{FC} = 18 - 8 - 8 = 2$ (cm)   **답** 2 cm

02

[**전략**] 점 D를 지나고 $\overline{AC}$에 평행한 직선을 그은 후, 삼각형에서 평행선과 선분의 길이의 비를 이용한다.

오른쪽 그림과 같이 점 D를 지나면서 $\overline{AC}$에 평행한 직선과 $\overline{BM}$의 교점을 F라 하면

△ABM에서 $\overline{DF} /\!/ \overline{AM}$이므로

$\overline{DF} : \overline{AM} = \overline{BD} : \overline{BA} = 2 : 5$

이때 $\overline{AM} = \overline{CM}$이므로

$\overline{DF} : \overline{CM} = 2 : 5$

△DFE∽△CME (AA 닮음)이므로

$\overline{DE} : \overline{CE} = \overline{DF} : \overline{CM} = 2 : 5$

즉, $\overline{DE} : \overline{DC} = 2 : 7$이므로 $△DBE = \dfrac{2}{7}△DBC$

$\therefore △DBC = \dfrac{7}{2}△DBE = \dfrac{7}{2} \times 6 = 21$ (cm²)   **답** 21 cm²

03

[**전략**] 점 E를 지나고 $\overline{BC}$에 평행한 직선을 그은 후, 삼각형에서 평행선과 선분의 길이의 비를 이용한다.

$\overline{DC} = 2\overline{BD}$이므로 $\overline{BD} : \overline{DC} = 1 : 2$

$\overline{EC} = 3\overline{AE}$이므로 $\overline{AE} : \overline{EC} = 1 : 3$

오른쪽 그림과 같이 점 E를 지나고 $\overline{BC}$에 평행한 직선을 그어 $\overline{AD}$와의 교점을 G라 하면 △ADC에서 $\overline{GE} /\!/ \overline{DC}$이므로

$\overline{GE} : \overline{DC} = \overline{AE} : \overline{AC} = 1 : 4$

이때 $\overline{GE} = a$ 라 하면

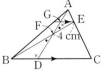

$\overline{DC} = 4a$이고 $\overline{BD} = \dfrac{1}{2}\overline{DC} = \dfrac{1}{2} \times 4a = 2a$

또한, △GFE와 △DFB에서

$\angle GFE = \angle DFB$ (맞꼭지각), $\angle FGE = \angle FDB$ (엇각)

이므로 △GFE∽△DFB (AA 닮음)

즉, 두 삼각형 GFE와 DFB의 닮음비는

$\overline{GE} : \overline{DB} = a : 2a = 1 : 2$

$\overline{EF} : \overline{BF} = 1 : 2$이므로

$4 : \overline{BF} = 1 : 2$ $\therefore \overline{BF} = 8$ (cm)   **답** 8 cm

04

[**전략**] 삼각형에서 평행선과 선분의 길이의 비를 이용하여 $\overline{BF}$의 길이를 구한 후 삼각형의 내각의 이등분선의 성질을 이용하여 $\overline{CD}$의 길이를 구한다.

$\overline{AE} = \overline{AC} = 6$ cm이므로

$\overline{BE} = \overline{AB} - \overline{AE} = 10 - 6 = 4$ (cm)

△ABD에서 $\overline{EF} /\!/ \overline{AD}$이므로

$\overline{BE} : \overline{EA} = \overline{BF} : \overline{FD}$에서

$4 : 6 = \overline{BF} : 3$ $\therefore \overline{BF} = 2$ (cm)

이때 △ABC에서 $\overline{AD}$는 ∠A의 이등분선이므로

$\overline{AB} : \overline{AC} = \overline{BD} : \overline{CD}$에서

$10 : 6 = (2+3) : \overline{CD}$ $\therefore \overline{CD} = 3$ (cm)

$\therefore \overline{BC} = \overline{BF} + \overline{FD} + \overline{DC} = 2 + 3 + 3 = 8$ (cm)   **답** 8 cm

05

[**전략**] △ABC≡△ADC임을 이용하여 $\overline{AD}$, $\overline{DC}$의 길이를 구하고 평행선 사이의 선분의 길이의 비, 삼각형의 내각의 이등분선의 성질을 이용한다.

△ABC와 △ADC에서

$\angle B = \angle ADC = 90°$, $\overline{AC}$는 공통, $\angle ACB = \angle ACD$

이므로 △ABC≡△ADC (RHA 합동)

$\therefore \overline{AD} = \overline{AB} = 10$ cm

$\overline{DC} = \overline{BC} = 8 + 12 = 20$ (cm)

△ABC에서 $\overline{FE} /\!/ \overline{AB}$이므로

$\overline{CE} : \overline{CB} = \overline{FE} : \overline{AB}$에서

$12 : 20 = \overline{FE} : 10$ $\therefore \overline{FE} = 6$ (cm)

△CDE에서 $\overline{CF}$는 ∠C의 이등분선이므로

$\overline{CD} : \overline{CE} = \overline{DF} : \overline{EF}$에서

$20 : 12 = \overline{DF} : 6$ $\therefore \overline{DF} = 10$ (cm)   **답** 10 cm

> **쌤의 복합 개념 특강**
>
> **직각삼각형의 합동**
> 두 직각삼각형에서
> (1) 빗변의 길이와 한 예각의 크기가 각각 같을 때 ➡ RHA 합동
> (2) 빗변의 길이와 다른 한 변의 길이가 각각 같을 때 ➡ RHS 합동

06

[전략] $\triangle ABD \backsim \triangle CBA$임을 이용하여 $\overline{BD}$, $\overline{DC}$의 길이를 구하고 삼각형의 내각의 이등분선의 성질을 이용한다.

$\triangle ABD$와 $\triangle CBA$에서

$\angle B$는 공통, $\angle BAD = \angle BCA$

이므로 $\triangle ABD \backsim \triangle CBA$ (AA 닮음)

$\overline{AB} : \overline{CB} = \overline{BD} : \overline{BA}$에서

$18 : 24 = \overline{BD} : 18$, $3 : 4 = \overline{BD} : 18$, $4\overline{BD} = 54$

$\therefore \overline{BD} = \frac{27}{2}$ (cm), $\overline{DC} = 24 - \frac{27}{2} = \frac{21}{2}$ (cm)

또한, $\overline{AD} : \overline{CA} = \overline{AB} : \overline{CB} = 18 : 24 = 3 : 4$

이때 $\triangle ADC$에서 $\overline{AE}$는 $\angle DAC$의 이등분선이므로

$\overline{AD} : \overline{AC} = \overline{DE} : \overline{CE} = 3 : 4$

$\therefore \overline{CE} = \frac{4}{7}\overline{CD} = \frac{4}{7} \times \frac{21}{2} = 6$ (cm) 답 6 cm

07

[전략] 삼각형의 외각의 이등분선의 성질과 삼각형에서 평행선과 선분의 길이의 비를 이용한다.

(1) $\triangle ABC$에서 $\overline{CD}$는 $\angle C$의 외각의 이등분선이므로

$\overline{CB} : \overline{CA} = \overline{BD} : \overline{AD}$에서

$9 : 5 = (8 + \overline{AD}) : \overline{AD}$

$9\overline{AD} = 40 + 5\overline{AD}$, $4\overline{AD} = 40$

$\therefore \overline{AD} = 10$ (cm)

(2) $\triangle BCD$에서 $\overline{AE} /\!/ \overline{DC}$이므로

$\overline{BE} : \overline{BC} = \overline{BA} : \overline{BD}$에서

$\overline{BE} : 9 = 8 : (8+10)$, $18\overline{BE} = 72$

$\therefore \overline{BE} = 4$ (cm) 답 (1) 10 cm (2) 4 cm

08

[전략] 삼각형의 외각의 이등분선의 성질을 이용하여 $\triangle ABC$와 $\triangle DAC$의 넓이의 비를 구한다.

$\triangle ABC$에서 $\overline{CD}$는 $\angle C$의 외각의 이등분선이므로

$\overline{CB} : \overline{CA} = \overline{BD} : \overline{AD} = 10 : 6 = 5 : 3$

$\therefore \overline{BA} : \overline{AD} = 2 : 3$

즉, $\triangle ABC : \triangle DAC = \overline{BA} : \overline{AD} = 2 : 3$이므로

$\triangle ABC : 30 = 2 : 3$ $\therefore \triangle ABC = 20$ (cm^2) 답 20 cm^2

다른 풀이

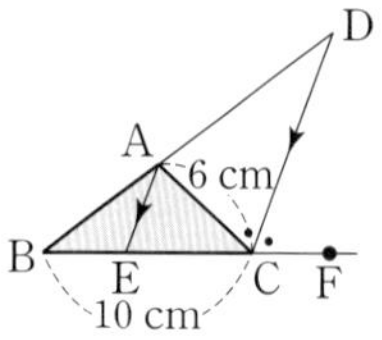

오른쪽 그림과 같이 점 A를 지나고 $\overline{CD}$에 평행한 직선을 그어 $\overline{BC}$와의 교점을 E라 하고, $\overline{BC}$의 연장선 위에 점 F를 잡자.

$\overline{AE} /\!/ \overline{DC}$이므로

$\angle AEC = \angle DCF$ (동위각),

$\angle CAE = \angle ACD$ (엇각)

이때 $\angle ACD = \angle DCF$이므로 $\angle AEC = \angle CAE$

따라서 $\triangle AEC$는 $\overline{AC} = \overline{EC}$인 이등변삼각형이고 $\overline{EC} = 6$ cm이므로 $\overline{BE} = 10 - 6 = 4$ (cm)

이때 $\overline{AE} /\!/ \overline{DC}$이므로 $\overline{BA} : \overline{AD} = \overline{BE} : \overline{EC} = 4 : 6 = 2 : 3$

즉 $\triangle ABC : \triangle DAC = \overline{BA} : \overline{AD} = 2 : 3$이므로

$\triangle ABC : 30 = 2 : 3$ $\therefore \triangle ABC = 20$ (cm^2)

09

[전략] 주어지지 않은 선분의 길이를 a cm라 하고 평행선 사이의 선분의 길이의 비를 이용한다.

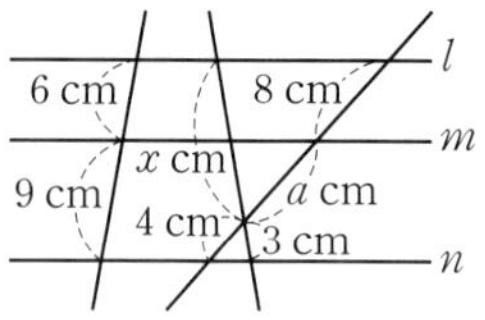

오른쪽 그림에서

$6 : 9 = 8 : (a+4)$이므로

$6a + 24 = 72$, $6a = 48$

$\therefore a = 8$

$x : 3 = (8+a) : 4$이므로

$x : 3 = 16 : 4$, $4x = 48$

$\therefore x = 12$ 답 12

10

[전략] 점 D에서 $\overline{AB}$에 평행한 직선을 그은 후, 평행선 사이의 선분의 길이의 비를 이용한다.

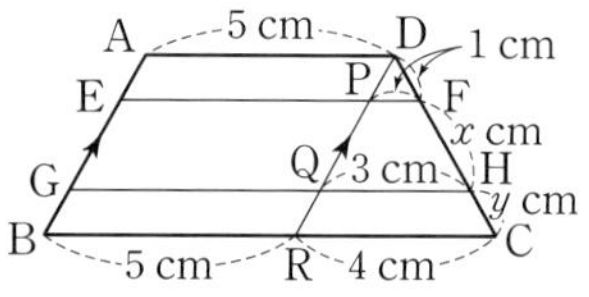

오른쪽 그림과 같이 점 D를 지나고 $\overline{AB}$에 평행한 직선과 $\overline{EF}$, $\overline{GH}$, $\overline{BC}$의 교점을 각각 P, Q, R라 하면

$\overline{PF} = 6 - 5 = 1$ (cm)

$\overline{QH} = 8 - 5 = 3$ (cm)

$\overline{RC} = 9 - 5 = 4$ (cm)

$\triangle DQH$에서 $\overline{PF} /\!/ \overline{QH}$이므로

$\overline{DF} : \overline{DH} = \overline{PF} : \overline{QH}$에서

$1 : (1+x) = 1 : 3$, $1 + x = 3$ $\therefore x = 2$

$\triangle DRC$에서 $\overline{QH} /\!/ \overline{RC}$이므로

$\overline{DH} : \overline{DC} = \overline{QH} : \overline{RC}$에서

$(1+2) : (1+2+y) = 3 : 4$, $3 + y = 4$ $\therefore y = 1$

$\therefore x - y = 2 - 1 = 1$ 답 1

11

[전략] 사다리꼴에서 평행선 사이의 선분의 길이의 비를 이용하여 선분의 길이를 구하고 $\overline{BG}$, $\overline{OD}$의 길이가 $\overline{GO}$의 길이의 몇 배인지 구한다.

(1) $\triangle OAD$와 $\triangle OCB$에서

$\angle AOD = \angle COB$ (맞꼭지각),

$\angle OAD = \angle OCB$ (엇각)

이므로 $\triangle OAD \backsim \triangle OCB$ (AA 닮음)

$\therefore \overline{AO} : \overline{CO} = \overline{AD} : \overline{CB} = 12 : 24 = 1 : 2$

$\triangle ABC$에서 $\overline{EO} /\!/ \overline{BC}$이므로

$\overline{EO} : \overline{BC} = \overline{AO} : \overline{AC} = 1 : 3$

$\therefore \overline{OE} = \frac{1}{3}\overline{BC} = \frac{1}{3} \times 24 = 8$ (cm)

마찬가지 방법으로 $\overline{OF} = 8$ cm

이때 △GOE와 △GBC에서 $\overline{EO}\,/\!/\,\overline{BC}$이므로

$\overline{OG}:\overline{GB}=\overline{EO}:\overline{CB}=8:24=1:3$

$\therefore \overline{GH}=\dfrac{1}{4}\overline{CB}=\dfrac{1}{4}\times24=6\,(\text{cm})$

(2) $\overline{BG}:\overline{GO}=3:1$이므로 $\overline{BG}=3\overline{GO}$

$\overline{BO}:\overline{OD}=2:1$이므로

$\overline{OD}=\dfrac{1}{2}\overline{BO}=\dfrac{1}{2}(\overline{BG}+\overline{GO})=2\overline{GO}$

$\therefore \overline{BG}:\overline{GO}:\overline{OD}=3\overline{GO}:\overline{GO}:2\overline{GO}$
$=3:1:2$

답 (1) $\overline{OE}=8\,\text{cm},\ \overline{OF}=8\,\text{cm},\ \overline{GH}=6\,\text{cm}$　(2) $3:1:2$

12

[전략] 점 G를 지나고 $\overline{AB}$에 평행한 직선을 그은 후, 삼각형에서 평행선과 선분의 길이의 비를 이용한다.

오른쪽 그림과 같이 점 G를 지나고 $\overline{AB}$에 평행한 직선과 $\overline{AC}$의 교점을 H라 하면 △ABC에서

$\overline{CG}:\overline{CB}=\overline{HG}:\overline{AB}$이므로

$28:(28+7)=\overline{HG}:15$

즉, $4:5=\overline{HG}:15,\ 5\overline{HG}=60$

$\therefore \overline{HG}=12\,(\text{cm})$

△HGE와 △CDE에서

$\angle HEG=\angle CED$ (맞꼭지각),

$\angle HGE=\angle CDE$ (엇각)

이므로 △HGE∽△CDE (AA 닮음)

$\therefore \overline{GE}:\overline{DE}=\overline{HG}:\overline{CD}=12:36=1:3$

따라서 △GCD에서 $\overline{EF}\,/\!/\,\overline{DC}$이므로

$\overline{EF}:\overline{DC}=\overline{GE}:\overline{GD}=1:(1+3)=1:4$에서

$\overline{EF}:36=1:4,\ 4\overline{EF}=36$

$\therefore \overline{EF}=9\,(\text{cm})$

답 $9\,\text{cm}$

13

[전략] 점 D를 지나고 $\overline{AE}$에 평행한 직선을 그은 후, 삼각형의 두 변의 중점을 연결한 선분의 성질을 이용한다.

오른쪽 그림과 같이 점 D를 지나고 $\overline{AE}$에 평행한 직선과 $\overline{BC}$의 교점을 G라 하면 △CDG에서 $\overline{EF}\,/\!/\,\overline{GD}$이고 $\overline{CF}=\overline{FD}$이므로

$\overline{GE}=\overline{CE}=8\,\text{cm}$

또한, △ABE에서 $\overline{DG}\,/\!/\,\overline{AE}$이므로

$\overline{BG}:\overline{GE}=\overline{BD}:\overline{DA}$에서

$\overline{BG}:8=3:4$　∴ $\overline{BG}=6\,(\text{cm})$

$\therefore \overline{BE}=\overline{BG}+\overline{GE}=6+8=14\,(\text{cm})$

답 $14\,\text{cm}$

14

[전략] $\overline{DF}$를 긋고 삼각형의 두 변의 중점을 연결한 선분의 성질을 이용한다.

오른쪽 그림과 같이 $\overline{DF}$를 긋고 $\overline{DF}=x$로 놓으면

△CAE에서 $\overline{CD}=\overline{DA},\ \overline{CF}=\overline{FE}$이므로

$\overline{DF}\,/\!/\,\overline{AE}$이고 $\overline{AE}=2\overline{DF}=2x$

또한, △BDF에서 $\overline{BE}=\overline{EF}$이고 $\overline{PE}\,/\!/\,\overline{DF}$이므로

$\overline{PE}=\dfrac{1}{2}\overline{DF}=\dfrac{1}{2}x$

$\therefore \overline{AP}=\overline{AE}-\overline{PE}=2x-\dfrac{1}{2}x=\dfrac{3}{2}x$

한편, △APQ와 △FDQ에서

$\overline{AP}\,/\!/\,\overline{DF}$이므로 $\angle QAP=\angle QFD$ (엇각),

$\angle QPA=\angle QDF$ (엇각)

즉, △APQ∽△FDQ (AA 닮음)이므로

$\overline{AQ}:\overline{FQ}=\overline{AP}:\overline{FD}=\dfrac{3}{2}x:x=3:2$

$\therefore \overline{AQ}:\overline{QF}=3:2$

답 $3:2$

15

[전략] 점 D를 지나고 $\overline{BC}$에 평행한 직선을 그은 후, 삼각형의 두 변의 중점을 연결한 선분의 성질을 이용한다.

오른쪽 그림과 같이 점 D에서 $\overline{BC}$에 평행한 직선을 그어 $\overline{AE}$와 만나는 점을 G라 하면 △DGF와 △BEF에서

$\angle DFG=\angle BFE$ (맞꼭지각),

$\overline{DF}=\overline{BF},\ \angle GDF=\angle EBF$ (엇각)

이므로 △DGF≡△BEF (ASA 합동)

즉, $\overline{GF}=\overline{EF}=5\,\text{cm}$이므로

$\overline{GE}=\overline{GF}+\overline{EF}=5+5=10\,(\text{cm})$

△AEC에서 $\overline{AD}=\overline{DC},\ \overline{GD}\,/\!/\,\overline{EC}$이므로

$\overline{AG}=\overline{GE}=10\,\text{cm}$

$\therefore \overline{AF}=\overline{AG}+\overline{GF}=10+5=15\,(\text{cm})$

답 $15\,\text{cm}$

16

[전략] 점 M을 지나고 $\overline{AC}$에 평행한 직선을 그은 후, 삼각형의 두 변의 중점을 연결한 선분의 성질을 이용한다.

오른쪽 그림과 같이 점 M에서 $\overline{AC}$에 평행한 직선을 그어 $\overline{AB}$와 만나는 점을 P라 하면 △ABC에서 $\overline{BM}=\overline{CM},\ \overline{PM}\,/\!/\,\overline{AC}$이므로

$\overline{BP}=\overline{AP}$

$\therefore \overline{AP}=\dfrac{1}{2}\overline{AB}=\dfrac{1}{2}\times10=5\,(\text{cm})$

$\overline{PM}=\dfrac{1}{2}\overline{AC}=\dfrac{1}{2}\times8=4\,(\text{cm})$

또한, △APM과 △DAE에서

$\overline{AM}\,/\!/\,\overline{DF}$이므로 $\angle PAM=\angle ADE$ (동위각)

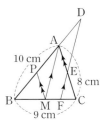

$\overline{PM} /\!/ \overline{AC}$이므로 $\angle APM = \angle DAE$ (동위각)

$\therefore \triangle APM \backsim \triangle DAE$ (AA 닮음)

$\overline{AP} : \overline{DA} = \overline{PM} : \overline{AE}$에서

$5 : \overline{DA} = 4 : \overline{AE}$ $\therefore \overline{AD} : \overline{AE} = 5 : 4$ 답 5 : 4

쌤의 특강

$5 : \overline{DA} = 4 : \overline{AE}$에서 $4\overline{AD} = 5\overline{AE}$, $\overline{AD} = \dfrac{5}{4}\overline{AE}$

$\therefore \overline{AD} : \overline{AE} = \dfrac{5}{4}\overline{AE} : \overline{AE} = \dfrac{5}{4} : 1 = 5 : 4$

쌤의 만점 특강

이등변삼각형의 성질 — 꼭지각의 이등분선

이등변삼각형의 꼭지각의 이등분선은 밑변을 수직이
등분한다.

즉, $\overline{AB} = \overline{AC}$인 이등변삼각형 ABC에서 $\overline{AD}$가

$\angle A$의 이등분선이면

$\overline{AD} \perp \overline{BC}$, $\overline{BD} = \overline{DC}$

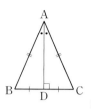

17

[**전략**] $\overline{CG'}$의 연장선과 $\overline{AB}$의 교점을 E라 하고, 삼각형의 무게중심의 성질을 이용한다.

오른쪽 그림과 같이 $\overline{CG'}$의 연장선과 $\overline{AB}$의 교점을 E라 하면

$\triangle CGG'$과 $\triangle CDE$에서

$\overline{CG} : \overline{CD} = \overline{CG'} : \overline{CE} = 2 : 3$,

$\angle DCE$는 공통

$\therefore \triangle CGG' \backsim \triangle CDE$ (SAS 닮음)

$\overline{BD} = \dfrac{1}{2}\overline{AB} = \dfrac{1}{2} \times 30 = 15$ (cm)

$\overline{DE} = \dfrac{1}{2}\overline{DB} = \dfrac{1}{2} \times 15 = \dfrac{15}{2}$ (cm)

$\overline{GG'} : \overline{DE} = 2 : 3$에서

$\overline{GG'} : \dfrac{15}{2} = 2 : 3$, $3\overline{GG'} = 15$

$\therefore \overline{GG'} = 5$ (cm)   답 5 cm

18

[**전략**] $\overline{AC}$를 그은 후, 두 점 P, Q가 각각 $\triangle ABC$, $\triangle ACD$의 무게중심임을 이용한다.

$\triangle ABD$와 $\triangle CBD$에서

$\overline{BD}$는 공통, $\overline{AB} = \overline{CB}$, $\overline{AD} = \overline{CD}$

이므로 $\triangle ABD \equiv \triangle CBD$ (SSS 합동)

$\therefore \angle ABD = \angle CBD$, $\angle ADB = \angle CDB$

오른쪽 그림과 같이 사각형 ABCD의 대각선 $\overline{AC}$를 그어 $\overline{BD}$와 만나는 점을 R라 하면 $\overline{AB} = \overline{BC}$인 이등변삼각형 ABC에서 꼭지각의 이등분선은 밑변을 수직이등분하므로

$\overline{AC} \perp \overline{BR}$, $\overline{AR} = \overline{CR}$

따라서 두 점 P, Q는 각각 $\triangle ABC$, $\triangle ACD$의 무게중심이므로

$\overline{BP} : \overline{PR} = \overline{DQ} : \overline{QR} = 2 : 1$

즉, $\overline{PR} = \dfrac{1}{3}\overline{BR}$, $\overline{QR} = \dfrac{1}{3}\overline{DR}$

$\therefore \overline{PQ} = \overline{PR} + \overline{QR} = \dfrac{1}{3}\overline{BR} + \dfrac{1}{3}\overline{DR} = \dfrac{1}{3}(\overline{BR} + \overline{DR})$

$= \dfrac{1}{3}\overline{BD} = \dfrac{1}{3} \times 15 = 5$ (cm)   답 5 cm

---

19

[**전략**] $\overline{AC}$와 $\overline{BE}$의 교점에서 $\overline{BC}$에 수선을 그은 후, 삼각형에서 평행선과 선분의 길이의 비를 이용한다.

오른쪽 그림과 같이 $\overline{AC}$와 $\overline{BE}$의 교점을 M이라 하고, 점 M에서 $\overline{BC}$에 내린 수선의 발을 H라 하자.

점 G는 $\triangle ABC$의 무게중심이므로

$\overline{AM} = \overline{CM}$

$\triangle ABC$에서 $\overline{AM} = \overline{CM}$이고 $\overline{AB} /\!/ \overline{MH}$이므로

$\overline{BH} = \overline{CH}$

$\triangle MBH$에서 $\overline{GF} /\!/ \overline{MH}$이므로

$\overline{BF} : \overline{FH} = \overline{BG} : \overline{GM} = 2 : 1$

$\overline{BF} = 2a$, $\overline{FH} = a$로 놓으면

$\overline{HC} = \overline{BH} = 2a + a = 3a$, $\overline{FC} = a + 3a = 4a$

$\overline{FC} : \overline{CD} = 4 : 3$에서 $4a : \overline{CD} = 4 : 3$ $\therefore \overline{CD} = 3a$

$\therefore \overline{BD} = \overline{BF} + \overline{FC} + \overline{CD} = 2a + 4a + 3a = 9a$

따라서 $\triangle EBD$에서 $\overline{GF} /\!/ \overline{ED}$이므로

$\overline{GF} : \overline{ED} = \overline{BF} : \overline{BD} = 2a : 9a = 2 : 9$에서

$\overline{GF} : 18 = 2 : 9$, $9\overline{GF} = 36$ $\therefore \overline{GF} = 4$ (cm)   답 4 cm

---

20

[**전략**] $\overline{AG}$를 그은 후, 높이가 같은 삼각형의 넓이의 비는 밑변의 길이의 비와 같음을 이용한다.

오른쪽 그림과 같이 $\overline{AG}$를 그으면

점 G가 무게중심이므로

$\triangle GAB = \triangle GBC = \triangle GCA = \dfrac{1}{3}\triangle ABC$

$\therefore \triangle AEG = \dfrac{1}{2}\triangle ABG$

$= \dfrac{1}{2} \times \dfrac{1}{3}\triangle ABC = \dfrac{1}{6}\triangle ABC$

$\triangle AFG = \dfrac{1}{2}\triangle GCA = \dfrac{1}{2} \times \dfrac{1}{3}\triangle ABC = \dfrac{1}{6}\triangle ABC$

따라서 색칠한 부분의 넓이는

$\triangle AEG + \triangle AFG = \dfrac{1}{6}\triangle ABC + \dfrac{1}{6}\triangle ABC = \dfrac{1}{3}\triangle ABC$이므로

$$\triangle ABC=3(\triangle AEG+\triangle AFG)$$
$$=3\times7=21\ (cm^2)$$

답 $21\ cm^2$

21

[전략] 삼각형의 무게중심의 성질을 이용하여 각 선분의 길이의 비를 구한다.

$\triangle DEC$에서 $\overline{GF}\ /\!/\ \overline{DE}$이므로

$\overline{CF}:\overline{FE}=\overline{CG}:\overline{GD}=2:1$

$\triangle GEF=a$라 할 때

$\triangle GFC:\triangle GEF=\overline{CF}:\overline{FE}$이므로

$\triangle GFC:a=2:1$ $\quad\therefore\ \triangle GFC=2a$

$\therefore\ \triangle GEC=\triangle GEF+\triangle GFC=a+2a=3a$

이때 $\triangle ABC=6\triangle GEC$이므로

$\triangle ABC=6\times3a=18a$

따라서 $\dfrac{\triangle ABC}{\triangle GEF}=\dfrac{18a}{a}=18$이므로

$\triangle ABC$의 넓이는 $\triangle GEF$의 넓이의 18배이다.

답 18배

22

[전략] $\overline{DF}$를 그은 후, 삼각형의 무게중심은 중선의 길이를 꼭짓점으로부터 $2:1$로 나누는 성질을 이용한다.

$\triangle AEG$와 $\triangle ABD$에서

$\overline{EG}\ /\!/\ \overline{BD}$이므로 $\angle AEG=\angle ABD$ (동위각)

$\angle AGE=\angle ADB$ (동위각)

$\therefore\ \triangle AEG\backsim\triangle ABD$ (AA 닮음)

마찬가지로 $\triangle AGF\backsim\triangle ADC$ (AA 닮음)

또한, 점 G가 $\triangle ABC$의 무게중심이므로

$\overline{EG}:\overline{BD}=\overline{GF}:\overline{DC}=2:3$

$\therefore\ \overline{EG}=\dfrac{2}{3}\overline{BD},\ \overline{GF}=\dfrac{2}{3}\overline{DC}$

이때 $\overline{BD}=\overline{DC}$이므로 $\overline{EG}=\overline{GF}$

오른쪽 그림과 같이 $\overline{DF}$를 그으면

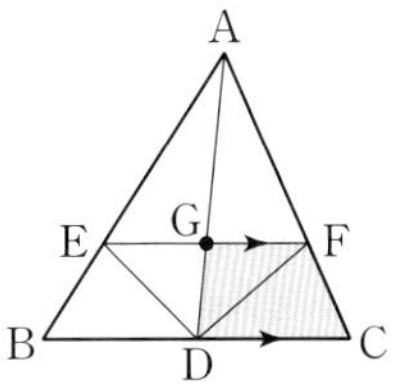

$\triangle GDF=\triangle EDG=8\ cm^2$

$\triangle ADF$에서 $\overline{AG}:\overline{GD}=2:1$이므로

$\triangle AGF:\triangle GDF=2:1$

즉, $\triangle AGF:8=2:1$이므로

$\triangle AGF=16\ (cm^2)$

$\therefore\ \triangle ADF=\triangle AGF+\triangle GDF=16+8=24\ (cm^2)$

따라서 $\triangle ADC$에서

$\overline{AF}:\overline{FC}=2:1$이므로

$\triangle ADF:\triangle FDC=2:1$

$24:\triangle FDC=2:1,\ 2\triangle FDC=24$

$\therefore\ \triangle FDC=12\ (cm^2)$

$\therefore\ \square GDCF=\triangle GDF+\triangle FDC$
$$=8+12=20\ (cm^2)$$

답 $20\ cm^2$

23

[전략] $\overline{AC}$를 그은 후, 두 점 E, F가 각각 $\triangle ABC$, $\triangle ACD$의 무게중심임을 이용한다.

오른쪽 그림과 같이 $\overline{AC}$를 그은 후, $\overline{BD}$와의 교점을 O라 하면 직사각형의 두 대각선은 서로 다른 것을 이등분하므로

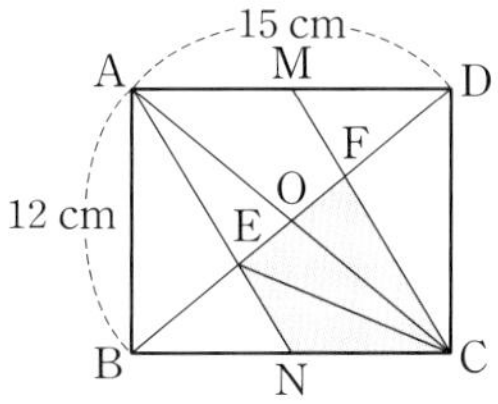

$\overline{AO}=\overline{CO}$

따라서 두 점 E, F는 각각 $\triangle ABC$, $\triangle ACD$의 무게중심이다.

이때 $\triangle ABC=\triangle ACD=\dfrac{1}{2}\square ABCD$이므로

$\triangle ACD$에서

$\triangle FOC=\dfrac{1}{6}\triangle ACD$
$$=\dfrac{1}{6}\times\dfrac{1}{2}\square ABCD$$
$$=\dfrac{1}{6}\times\dfrac{1}{2}\times15\times12=15\ (cm^2)$$

또한, $\triangle ABC$에서 $\overline{CE}$를 그으면

$\square ENCO=\triangle ENC+\triangle EOC$
$$=\dfrac{1}{6}\triangle ABC+\dfrac{1}{6}\triangle ABC=\dfrac{1}{3}\triangle ABC$$
$$=\dfrac{1}{3}\times\dfrac{1}{2}\square ABCD$$
$$=\dfrac{1}{3}\times\dfrac{1}{2}\times15\times12=30\ (cm^2)$$

$\therefore\ \square ENCF=\triangle FOC+\square ENCO$
$$=15+30=45\ (cm^2)$$

답 $45\ cm^2$

다른 풀이

$\overline{AM}\ /\!/\ \overline{NC}$이고, $\overline{AM}=\dfrac{1}{2}\overline{AD}=\dfrac{1}{2}\overline{BC}=\overline{NC}$이므로

$\square ANCM$은 평행사변형이다.

또한, $\overline{BE}:\overline{EO}=\overline{DF}:\overline{FO}=2:1$이므로

$\overline{BE}=\overline{EF}=\overline{FD}$

$\therefore\ \triangle BCF=\dfrac{2}{3}\triangle BCD$
$$=\dfrac{2}{3}\times\dfrac{1}{2}\square ABCD$$
$$=\dfrac{2}{3}\times\dfrac{1}{2}\times12\times15$$
$$=60\ (cm^2)$$

이때 $\overline{EN}\ /\!/\ \overline{FC}$이므로

$\triangle BNE\backsim\triangle BCF$ (AA 닮음)

즉, $\overline{BE}:\overline{BF}=1:2$이므로

$\triangle BNE:\triangle BCF=1^2:2^2=1:4$

$\therefore\ \triangle BNE=\dfrac{1}{4}\triangle BCF$

$\therefore\ \square ENCF=\triangle BCF-\triangle BNE$
$$=\triangle BCF-\dfrac{1}{4}\triangle BCF$$
$$=\dfrac{3}{4}\triangle BCF=\dfrac{3}{4}\times60$$
$$=45\ (cm^2)$$

24

[전략] $\overline{BD}$를 그은 후, 삼각형의 무게중심의 성질을 이용한다.

(1) 오른쪽 그림과 같이 $\overline{BD}$를 긋고 $\overline{AC}$
와 $\overline{BD}$의 교점을 O라 하면 평행사변
형의 두 대각선은 서로 다른 것을 이
등분하므로 점 O는 $\overline{BD}$의 중점이다.

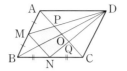

따라서 $\overline{BO}=\overline{OD}$, $\overline{AM}=\overline{MB}$, $\overline{BN}=\overline{NC}$이므로 두 점 P, Q
는 각각 $\triangle ABD$, $\triangle BCD$의 무게중심이다.

이때 $\overline{PO}=\dfrac{1}{3}\overline{AO}$, $\overline{OQ}=\dfrac{1}{3}\overline{OC}$이므로

$\overline{PQ}=\overline{PO}+\overline{OQ}=\dfrac{1}{3}(\overline{AO}+\overline{OC})=\dfrac{1}{3}\overline{AC}$

$\qquad\qquad =\dfrac{1}{3}\times 12=4\ (cm)$

(2) $\triangle DPQ$와 $\triangle DMN$에서

$\overline{DP}:\overline{DM}=\overline{DQ}:\overline{DN}=2:3$, $\angle MDN$은 공통

이므로 $\triangle DPQ\backsim\triangle DMN$ (SAS 닮음)

이때 $\triangle DPQ$와 $\triangle DMN$의 닮음비는 $2:3$이므로

$\triangle DPQ:\triangle DMN=2^2:3^2=4:9$

$\therefore \triangle DPQ:\square PMNQ=4:(9-4)$

$\qquad\qquad\qquad\qquad =4:5$ ‥‥‥ ㉠

한편, (1)에서 $\overline{PQ}=\dfrac{1}{3}\overline{AC}$이므로

$\triangle DPQ=\dfrac{1}{3}\triangle ACD$

$\qquad\quad =\dfrac{1}{3}\times\dfrac{1}{2}\square ABCD$

$\qquad\quad =\dfrac{1}{3}\times\dfrac{1}{2}\times 84=14\ (cm^2)$

따라서 ㉠에서 $14:\square PMNQ=4:5$이므로

$4\square PMNQ=70$

$\therefore \square PMNQ=\dfrac{35}{2}\ (cm^2)$ 　　　[답] (1) $4\ cm$　(2) $\dfrac{35}{2}\ cm^2$

쌤의 특강

평행사변형 ABCD에서 두 점 M, N이 각각 $\overline{BC}$,
$\overline{CD}$의 중점이고 $\overline{AM}$, $\overline{AN}$이 대각선 BD와 만나
는 점을 각각 P, Q라 하면

① 점 P는 $\triangle ABC$의 무게중심이고,
　 점 Q는 $\triangle ACD$의 무게중심이다.

② $\overline{BP}=\overline{PQ}=\overline{QD}=\dfrac{1}{3}\overline{BD}$

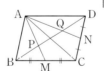

LEVEL 3 최고난도 문제　　　→ 73쪽

| **01** $5:2$ | **02** $45\ cm^2$ | **03** 5 | **04** $3:2:10$ |

---

01 solution 미리 보기

step ❶	$\overline{GF}=a\ cm$라 하고, $\overline{EG}$를 a에 대한 식으로 나타내기
step ❷	$\overline{AG}$를 $\overline{AC}$와 a에 대한 식으로 나타내기
step ❸	$\overline{GC}$를 $\overline{AC}$와 a에 대한 식으로 나타내기
step ❹	$\overline{AG}:\overline{GC}$를 가장 간단한 자연수의 비로 나타내기

$\overline{EG}:\overline{GF}=3:1$이므로 $\overline{GF}=a\ cm$라 하면

$\overline{EG}=3a\ cm$ ──────────── ❶

$\triangle ABC$에서 $\overline{EG}/\!/\overline{BC}$이므로

$\triangle AEG\backsim\triangle ABC$ (AA 닮음)

$\overline{AG}:\overline{AC}=\overline{EG}:\overline{BC}$에서

$\overline{AG}:\overline{AC}=3a:12$

$12\overline{AG}=3a\overline{AC}$

$\therefore \overline{AG}=\dfrac{a}{4}\overline{AC}$ ──────────── ❷

또한, $\triangle ACD$에서 $\overline{AD}/\!/\overline{GF}$이므로

$\triangle ACD\backsim\triangle GCF$ (AA 닮음)

$\overline{GC}:\overline{AC}=\overline{GF}:\overline{AD}$에서

$\overline{GC}:\overline{AC}=a:10$

$10\overline{GC}=a\overline{AC}$　　$\therefore \overline{GC}=\dfrac{a}{10}\overline{AC}$ ──────────── ❸

$\therefore \overline{AG}:\overline{GC}=\dfrac{a}{4}\overline{AC}:\dfrac{a}{10}\overline{AC}=\dfrac{1}{4}:\dfrac{1}{10}=5:2$ ────── ❹

　　　　　　　　　　　　　　[답] $5:2$

---

02 solution 미리 보기

step ❶	점 D를 지나고 $\overline{BE}$에 평행한 직선을 그어 $\overline{AG}=\overline{EC}$임을 알기
step ❷	$\overline{BF}:\overline{FE}$ 구하기
step ❸	$\triangle FBC$의 넓이 구하기

$\overline{DB}=3\overline{AD}$이므로 $\overline{AD}:\overline{DB}=1:3$

$\overline{AE}=4\overline{EC}$이므로 $\overline{AE}:\overline{EC}=4:1$

오른쪽 그림과 같이 점 D를 지나고 $\overline{BE}$에
평행한 직선이 $\overline{AC}$와 만나는 점을 G라 하
자.

$\overline{DG}=x\ cm$라 하면 $\overline{DG}/\!/\overline{BE}$이므로

$\overline{AD}:\overline{AB}=\overline{DG}:\overline{BE}$에서

$1:4=x:\overline{BE}$　　$\therefore \overline{BE}=4x\ (cm)$

한편, $\overline{AE}:\overline{EC}=4:1$이고

$\overline{AG}:\overline{AE}=\overline{AD}:\overline{AB}=1:4$이므로

$\overline{AG}=\overline{EC}$ ──────────── ❶

$\overline{EF}/\!/\overline{GD}$이므로 $\overline{CE}:\overline{CG}=\overline{EF}:\overline{GD}$에서

$1:4=\overline{EF}:x$, $4\overline{EF}=x$　　$\therefore \overline{EF}=\dfrac{x}{4}\ (cm)$

$\overline{BF}=\overline{BE}-\overline{FE}=4x-\dfrac{x}{4}=\dfrac{15}{4}x\ (cm)$이므로

$\overline{BF}:\overline{FE}=\dfrac{15}{4}x:\dfrac{x}{4}=15:1$ ──────────── ❷

$\triangle FBC:\triangle EFC=\overline{BF}:\overline{FE}=15:1$이므로

$\triangle FBC:3=15:1$　　$\therefore \triangle FBC=45\ (cm^2)$ ──────── ❸

　　　　　　　　　　　　　　[답] $45\ cm^2$

03 solution 미리 보기

step ❶	$\overline{AF}$의 길이 구하기
step ❷	$\overline{AH}$의 길이 구하기
step ❸	$\dfrac{b}{a}$의 값 구하기

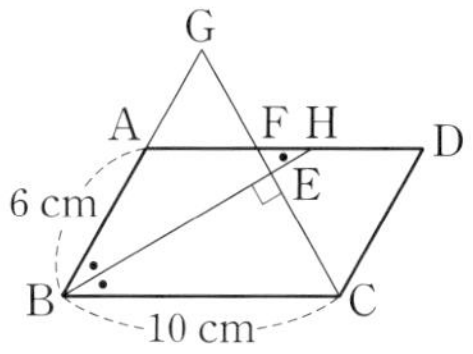

오른쪽 그림과 같이 $\overline{BA}$의 연장선과
$\overline{CF}$의 연장선의 교점을 G라 하자.
$\triangle BCE$와 $\triangle BGE$에서
$\angle CBE = \angle GBE$,
$\overline{BE}$는 공통,
$\angle BEC = \angle BEG = 90°$
이므로 $\triangle BCE \equiv \triangle BGE$ (ASA 합동)
$\therefore \overline{BG} = \overline{BC} = 10 \text{ cm}$,
$\quad \overline{GA} = \overline{GB} - \overline{AB} = 10 - 6 = 4 \text{ (cm)}$
$\overline{AF} /\!/ \overline{BC}$이므로 $\overline{GA} : \overline{GB} = \overline{AF} : \overline{BC}$에서
$4 : 10 = \overline{AF} : 10 \qquad \therefore \overline{AF} = 4 \text{ (cm)}$ ·········· ❶
이때 $\overline{BE}$의 연장선과 $\overline{AD}$의 교점을 H라 하면
$\overline{AD} /\!/ \overline{BC}$이므로 $\angle AHB = \angle CBH$ (엇각)
즉, $\triangle ABH$는 $\overline{AH} = \overline{AB}$인 이등변삼각형이므로
$\overline{AH} = \overline{AB} = 6 \text{ cm}$ ·········· ❷
$\therefore \overline{FH} = \overline{AH} - \overline{AF} = 6 - 4 = 2 \text{ (cm)}$
따라서 $\overline{FH} /\!/ \overline{BC}$이므로 $\triangle EFH \backsim \triangle ECB$ (AA 닮음)
즉, $\overline{EF} : \overline{EC} = \overline{FH} : \overline{CB}$이므로
$a : b = \overline{FH} : \overline{CB} = 2 : 10 = 1 : 5$
$\therefore \dfrac{b}{a} = 5$ ·········· ❸

답 5

쌤의 특강

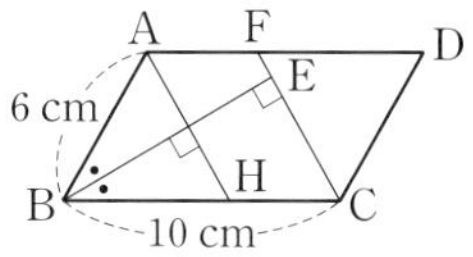

오른쪽 그림과 같이 점 A를 지나고 $\overline{FC}$에 평
행한 직선을 그어 $\overline{BC}$와 만나는 점을 H라
하면 $\triangle ABH$는 $\overline{AB} = \overline{BH} = 6 \text{ cm}$인 이등
변삼각형이 된다.
$\therefore \overline{AF} = \overline{CH} = 10 - 6 = 4 \text{ (cm)}$

04 solution 미리 보기

step ❶	$\triangle ADI$와 $\triangle CAI$의 닮음비 구하기
step ❷	$\overline{AI} = a$라 하고, $\overline{DC}$의 길이를 a에 대한 식으로 나타내기
step ❸	점 E가 $\triangle ABC$의 무게중심임을 이용하여 $\overline{IE}$의 길이 구하기
step ❹	$\overline{EC}$를 a에 대한 식으로 나타낸 후 $\overline{DI} : \overline{IE} : \overline{EC}$를 가장 간단한 자연수의 비로 나타내기

$\triangle ADI$와 $\triangle CAI$에서
$\angle DIA = \angle AIC = 90°$,
$\angle DAI = 90° - \angle IAC = \angle ACI$
이므로 $\triangle ADI \backsim \triangle CAI$ (AA 닮음)
이때 $\overline{AB} = \overline{AC}$이고 $\overline{AD} = \dfrac{1}{2}\overline{AB}$이므로
$\triangle ADI$와 $\triangle CAI$의 닮음비는

$\overline{AD} : \overline{CA} = \dfrac{1}{2}\overline{AB} : \overline{AB} = 1 : 2$ ·········· ❶
$\overline{DI} : \overline{AI} = \overline{AI} : \overline{CI} = 1 : 2$에서
$\overline{AI} = a$라 하면
$\overline{DI} : a = 1 : 2 \qquad \therefore \overline{DI} = \dfrac{a}{2}$
$a : \overline{CI} = 1 : 2 \qquad \therefore \overline{CI} = 2a$
$\therefore \overline{DC} = \overline{DI} + \overline{IC} = \dfrac{a}{2} + 2a = \dfrac{5}{2}a$ ·········· ❷
한편, 점 E는 $\triangle ABC$의 무게중심이므로
$\overline{CE} : \overline{ED} = 2 : 1$
즉, $\overline{DE} = \dfrac{1}{3}\overline{DC} = \dfrac{1}{3} \times \dfrac{5}{2}a = \dfrac{5}{6}a$이므로
$\overline{IE} = \overline{DE} - \overline{DI} = \dfrac{5}{6}a - \dfrac{a}{2} = \dfrac{a}{3}$ ·········· ❸
$\therefore \overline{EC} = \overline{DC} - \overline{DE} = \dfrac{5}{2}a - \dfrac{5}{6}a = \dfrac{5}{3}a$
$\therefore \overline{DI} : \overline{IE} : \overline{EC} = \dfrac{a}{2} : \dfrac{a}{3} : \dfrac{5}{3}a = 3 : 2 : 10$ ·········· ❹

답 $3 : 2 : 10$

07. 피타고라스 정리

LEVEL 1 시험에 꼭 내는 문제 → 76쪽~78쪽

01 ⑤	02 ①	03 8 cm²	04 58 cm²	05 ①
06 6 cm	07 ④	08 ①	09 ⑤	10 125	11 ①	12 56
13 ③	14 24 cm²	15 3	16 ④	17 48 cm²
18 20 cm				

01

$\triangle ABD$에서 $\overline{AB}^2 = 10^2 - 6^2 = 64$

이때 $\overline{AB} > 0$이므로 $\overline{AB} = 8$

$\triangle ABC$에서 $x^2 = 8^2 + 15^2 = 289$

이때 $x > 0$이므로 $x = 17$ 답 ⑤

02

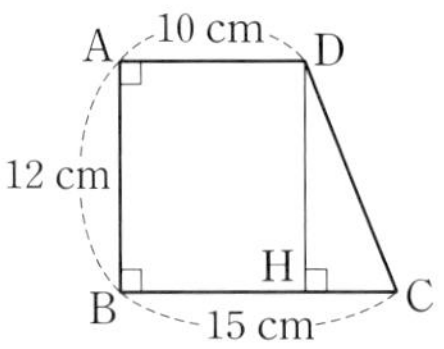

오른쪽 그림과 같이 점 D에서 $\overline{BC}$에 내
린 수선의 발을 H라 하면

$\overline{DH} = \overline{AB} = 12$ cm

$\overline{BH} = \overline{AD} = 10$ cm이므로

$\overline{CH} = 15 - 10 = 5$ (cm)

$\triangle DHC$에서

$\overline{CD}^2 = \overline{DH}^2 + \overline{CH}^2 = 12^2 + 5^2 = 169$

이때 $\overline{CD} > 0$이므로 $\overline{CD} = 13$ cm   답 ①

03

$\overline{AB}^2 = \overline{AC}^2 + \overline{BC}^2$이므로

$\square CBHI$

$= \square AFGB - \square ACDE$

$= 25 - 9 = 16$ (cm²)

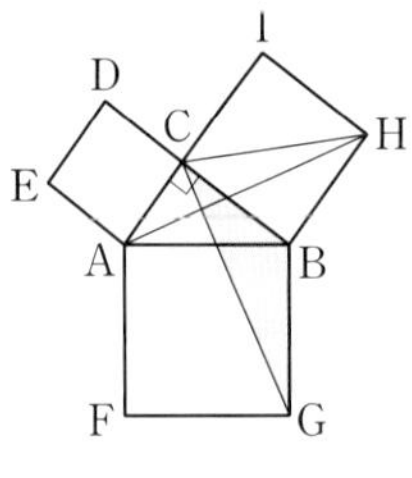

오른쪽 그림과 같이 $\overline{AH}$, $\overline{CH}$를 그으면

$\triangle BCG$와 $\triangle BHA$에서

$\overline{BC} = \overline{BH}$,

$\angle CBG = \angle CBA + 90° = \angle HBA$,

$\overline{BG} = \overline{BA}$

이므로 $\triangle BCG \equiv \triangle BHA$ (SAS 합동)

한편, $\overline{AI} /\!/ \overline{BH}$이므로

$\triangle BHA = \triangle BHC = \dfrac{1}{2}\square CBHI = \dfrac{1}{2} \times 16 = 8$ (cm²)

$\therefore \triangle BCG = \triangle BHA = 8$ cm²   답 8 cm²

쌤의 특강

$\overline{AI} /\!/ \overline{BH}$이므로 $\triangle BHA$와 $\triangle BHC$는 $\overline{BH}$가 밑변이고 높이가 같으므로
$\triangle BHA = \triangle BHC$

04

$\overline{AF} = \overline{BG} = \overline{CH} = \overline{DE}$,

$\angle A = \angle B = \angle C = \angle D = 90°$,

$\overline{AE} = \overline{BF} = \overline{CG} = \overline{DH} = 10 - 7 = 3$ (cm)이므로

$\triangle AFE \equiv \triangle BGF \equiv \triangle CHG \equiv \triangle DEH$ (SAS 합동)

$\therefore \overline{EF} = \overline{FG} = \overline{GH} = \overline{HE}$

이때 $\angle AFE = \angle BGF$이므로

$\angle AFE + \angle BFG = \angle BGF + \angle BFG = 90°$, 즉 $\angle EFG = 90°$

같은 방법으로 $\angle FGH = \angle GHE = \angle HEF = 90°$

따라서 $\square EFGH$는 정사각형이다.

$\triangle AFE$에서 $\overline{EF}^2 = \overline{AE}^2 + \overline{AF}^2 = 3^2 + 7^2 = 58$

$\therefore \square EFGH = \overline{EF}^2 = 58$ (cm²)   답 58 cm²

쌤의 특강

다음과 같이 $\square ABCD$의 넓이에서 합동인 4개의 삼각형의 넓이를 빼서
$\square EFGH$의 넓이를 구할 수도 있다.

$\square EFGH = \square ABCD - 4\triangle AFE$

$= 10^2 - 4 \times \left(\dfrac{1}{2} \times 7 \times 3\right)$

$= 100 - 42 = 58$ (cm²)

05

$\overline{AB} = \overline{BD} = \overline{DE} = \overline{EA}$, $\overline{AC} = \overline{BF} = \overline{DG} = \overline{EH}$이므로

$\overline{CF} = \overline{FG} = \overline{GH} = \overline{HC}$

또한, 네 내각의 크기가 모두 90°이므로 $\square CFGH$는 정사각형이다.

$\triangle ABC$에서

$\overline{BC}^2 = 13^2 - 5^2 = 144$

이때 $\overline{BC} > 0$이므로 $\overline{BC} = 12$ cm

$\overline{BF} = \overline{AC} = 5$ cm이므로

$\overline{CF} = \overline{BC} - \overline{BF} = 12 - 5 = 7$ (cm)

$\therefore (\square CFGH$의 둘레의 길이$) = 4\overline{CF} = 4 \times 7 = 28$ (cm)   답 ①

06

$\triangle ABE \equiv \triangle ECD$에서

$\overline{AE} = \overline{ED}$, $\angle AED = 90°$

이므로 $\triangle AED$는 직각이등변삼각형이다.

$\triangle AED$의 넓이가 26 cm²이므로

$\dfrac{1}{2}\overline{AE}^2 = 26$ $\therefore \overline{AE}^2 = 52$

$\triangle ABE$에서

$\overline{BE}^2 = \overline{AE}^2 - \overline{AB}^2 = 52 - 4^2 = 36$

이때 $\overline{BE} > 0$이므로 $\overline{BE} = 6$ cm   답 6 cm

참고 $\angle BAE = \angle CED$이므로

$\angle BEA + \angle CED = \angle BEA + \angle BAE = 90°$ $\therefore \angle AED = 90°$

07

① $3^2 + 4^2 < 6^2$이므로 직각삼각형이 아니다.

② $5^2+11^2<13^2$이므로 직각삼각형이 아니다.
③ $8^2+15^2<18^2$이므로 직각삼각형이 아니다.
④ $7^2+24^2=25^2$이므로 직각삼각형이다.
⑤ $9^2+25^2>26^2$이므로 직각삼각형이 아니다.
따라서 직각삼각형인 것은 ④이다.　　　　　　　**답** ④

08

$x>16$에서 x가 가장 긴 변의 길이이므로 삼각형이 되기 위한 조건에 의하여
$16<x<22$
∴ $x=17$, 18, 19, 20, 21　　　……㉠
또한, 예각삼각형이 되려면
$x^2<6^2+16^2$　　　∴ $x^2<292$　　　……㉡
㉠, ㉡을 모두 만족시키는 자연수 x의 값은 17이다.　　**답** ①

참고 $17^2=289<292$
$18^2=324>292$
$19^2=361>292$
$20^2=400>292$
$21^2=441>292$

09

$90°<∠B<180°$이므로 x가 가장 긴 변의 길이이고, 삼각형이 되기 위한 조건에 의하여
$6<x<11$
∴ $x=7$, 8, 9, 10　　　　　……㉠
또한, 둔각삼각형이 되려면
$x^2>5^2+6^2$　　　∴ $x^2>61$　　　……㉡
㉠, ㉡을 모두 만족시키는 자연수 x의 값은 8, 9, 10이므로 그 합은
$8+9+10=27$　　　　　　　　　　　　**답** ⑤

10

두 점 D, E가 각각 $\overline{BC}$, $\overline{AC}$의 중점이므로
삼각형의 두 변의 중점을 연결한 선분의 성질에 의하여
$\overline{AB}=2\overline{DE}=2\times5=10$
∴ $\overline{AD}^2+\overline{BE}^2=\overline{DE}^2+\overline{AB}^2$
$=5^2+10^2$
$=125$　　　　　　　**답** 125

쌤의 오답 피하기 특강

$\overline{DE}$의 길이만 주어졌으므로 $\overline{AD}$와 $\overline{BE}$의 길이를 직접 구할 수 없다. 공식을 활용하여 구하는 식의 값을 찾는다.

다른 풀이

$\overline{AE}=\overline{EC}=a$, $\overline{BD}=\overline{DC}=b$라 하면
△EDC에서
$5^2=\overline{EC}^2+\overline{DC}^2$, 즉 $25=a^2+b^2$
△ADC에서

$\overline{AD}^2=\overline{AC}^2+\overline{DC}^2=(2a)^2+b^2=4a^2+b^2$
△EBC에서
$\overline{BE}^2=\overline{BC}^2+\overline{EC}^2=(2b)^2+a^2=4b^2+a^2$
∴ $\overline{AD}^2+\overline{BE}^2=(4a^2+b^2)+(4b^2+a^2)$
$=5(a^2+b^2)$
$=5\times25=125$

쌤의 특강

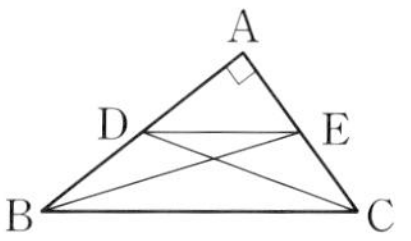

오른쪽 그림과 같은 직각삼각형 ABC에서 두 점 D, E가 각각 $\overline{AB}$, $\overline{AC}$ 위에 있을 때,
$\overline{DE}^2+\overline{BC}^2=\overline{BE}^2+\overline{CD}^2$
이 성립함을 설명하는 과정은 다음과 같다.
피타고라스 정리에 의하여
$\overline{AD}^2+\overline{AE}^2=\overline{DE}^2$　　……㉠
$\overline{AB}^2+\overline{AC}^2=\overline{BC}^2$　　……㉡
$\overline{AB}^2+\overline{AE}^2=\overline{BE}^2$　　……㉢
$\overline{AC}^2+\overline{AD}^2=\overline{CD}^2$　　……㉣
㉠+㉡을 하면 $\overline{AD}^2+\overline{AE}^2+\overline{AB}^2+\overline{AC}^2=\overline{DE}^2+\overline{BC}^2$
㉢+㉣을 하면 $\overline{AB}^2+\overline{AE}^2+\overline{AC}^2+\overline{AD}^2=\overline{BE}^2+\overline{CD}^2$
∴ $\overline{DE}^2+\overline{BC}^2=\overline{BE}^2+\overline{CD}^2$

11

△BOC에서
$\overline{BC}^2=4^2+3^2=25$
이때 $\overline{BC}>0$이므로 $\overline{BC}=5$
$\overline{AC}\perp\overline{BD}$이므로 $\overline{AB}^2+\overline{CD}^2=\overline{BC}^2+\overline{DA}^2$
$10^2+\overline{CD}^2=5^2+12^2$, $100+\overline{CD}^2=169$
∴ $\overline{CD}^2=69$　　　　　　　　　　　**답** ①

다른 풀이

$\overline{OD}=a$, $\overline{OA}=b$라 하면
△AOB에서 $4^2+b^2=10^2$
∴ $b^2=100-16=84$
△AOD에서 $a^2+b^2=12^2$
$a^2+84=144$　　　∴ $a^2=60$
△COD에서 $\overline{CD}^2=3^2+a^2=9+60=69$

쌤의 특강

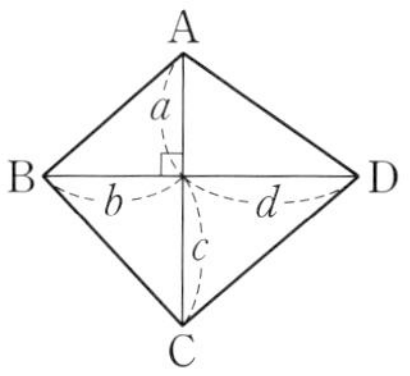

오른쪽 그림과 같은 □ABCD에서 두 대각선이 직교할 때,
$\overline{AB}^2+\overline{CD}^2=\overline{BC}^2+\overline{DA}^2$
이 성립함을 설명하는 과정은 다음과 같다.
피타고라스 정리에 의하여
$\overline{AB}^2=a^2+b^2$　　……㉠
$\overline{BC}^2=b^2+c^2$　　……㉡
$\overline{CD}^2=c^2+d^2$　　……㉢
$\overline{DA}^2=a^2+d^2$　　……㉣
㉠+㉢을 하면 $\overline{AB}^2+\overline{CD}^2=(a^2+b^2)+(c^2+d^2)$
㉡+㉣을 하면 $\overline{BC}^2+\overline{DA}^2=(b^2+c^2)+(a^2+d^2)$
∴ $\overline{AB}^2+\overline{CD}^2=\overline{BC}^2+\overline{DA}^2$

12

$\overline{\mathrm{AP}}^2 + \overline{\mathrm{CP}}^2 = \overline{\mathrm{BP}}^2 + \overline{\mathrm{DP}}^2$이므로

$9^2 + \overline{\mathrm{CP}}^2 = 5^2 + \overline{\mathrm{DP}}^2$, $81 + \overline{\mathrm{CP}}^2 = 25 + \overline{\mathrm{DP}}^2$

$\therefore \overline{\mathrm{DP}}^2 - \overline{\mathrm{CP}}^2 = 81 - 25 = 56$ **답** 56

다른 풀이

오른쪽 그림과 같이 점 P에서 각 변에 내
린 수선의 발을 각각 E, F, G, H라 하면

△AFP에서 $a^2 + c^2 = 9^2$ ······㉠

△PFB에서 $a^2 + d^2 = 5^2$ ······㉡

㉠-㉡을 하면 $c^2 - d^2 = 56$

이때 △DPH에서 $\overline{\mathrm{DP}}^2 = b^2 + c^2$

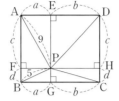

△PCH에서 $\overline{\mathrm{CP}}^2 = b^2 + d^2$

따라서 $\overline{\mathrm{DP}}^2 - \overline{\mathrm{CP}}^2 = c^2 - d^2 = 56$

13

세 반원 P, Q, R의 넓이를 각각 S_1, S_2, S_3이라 하면

$S_3 = \dfrac{1}{2} \times \pi \times 6^2 = 18\pi \ (\mathrm{cm}^2)$

이때 $S_1 + S_2 = S_3$이므로

세 반원 P, Q, R의 넓이의 합은

$S_1 + S_2 + S_3 = 2S_3 = 2 \times 18\pi = 36\pi \ (\mathrm{cm}^2)$ **답** ③

쌤의 특강

> 직각삼각형의 세 변을 지름으로 하는 세 반원을 각각 그리면 작은 두 반원의 넓이의 합은 큰 반원의 넓이와 같다.

14

△ABC에서

$\overline{\mathrm{AB}}^2 = 10^2 - 6^2 = 64$

이때 $\overline{\mathrm{AB}} > 0$이므로 $\overline{\mathrm{AB}} = 8 \ \mathrm{cm}$

색칠한 부분의 넓이는 △ABC의 넓이와 같으므로

$\dfrac{1}{2} \times 8 \times 6 = 24 \ (\mathrm{cm}^2)$ **답** 24 cm²

참고 직각삼각형의 외심은 빗변의 중점이므로 $\overline{\mathrm{BC}}$를 지름으로 하는 반원은 점 A를 지난다.

쌤의 특강

> (색칠한 부분의 넓이) = ($\overline{\mathrm{AB}}$를 지름으로 하는 반원의 넓이)
>   + ($\overline{\mathrm{AC}}$를 지름으로 하는 반원의 넓이)
>   + (△ABC의 넓이)
>   - ($\overline{\mathrm{BC}}$를 지름으로 하는 반원의 넓이)
> $= \dfrac{1}{2}\pi \times 4^2 + \dfrac{1}{2}\pi \times 3^2 + \dfrac{1}{2} \times 8 \times 6 - \dfrac{1}{2}\pi \times 5^2$
> $= \dfrac{1}{2} \times 8 \times 6 = 24 \ (\mathrm{cm}^2)$
>
> 즉, 색칠한 부분의 넓이는 △ABC의 넓이와 같음을 알 수 있다.

15

△ADC에서 $x^2 = 20^2 - 16^2 = 144$

이때 $x > 0$이므로 $x = 12$

△ABD에서 $y^2 = 15^2 - x^2 = 15^2 - 12^2 = 81$

이때 $y > 0$이므로 $y = 9$

$\therefore x - y = 12 - 9 = 3$ **답** 3

16

오른쪽 그림과 같이 가로의 길이를 $3k \ \mathrm{cm}$,
세로의 길이를 $4k \ \mathrm{cm}$라 하면

$20^2 = (3k)^2 + (4k)^2$

$400 = 25k^2$, $k^2 = 16$

이때 $k > 0$이므로 $k = 4$

따라서 직사각형의 가로의 길이는 12 cm, 세로의 길이는 16 cm이므로 넓이는 $12 \times 16 = 192 \ (\mathrm{cm}^2)$ **답** ④

17

△OPQ는 $\overline{\mathrm{OP}} = \overline{\mathrm{OQ}}$인 이등변삼각형이므로 오른쪽 그림과 같이 점 O에서 $\overline{\mathrm{PQ}}$에 내린 수선의 발을 H라 하면

$\overline{\mathrm{PH}} = \overline{\mathrm{QH}} = \dfrac{1}{2} \times 12 = 6 \ (\mathrm{cm})$

△OPH에서 $\overline{\mathrm{OH}}^2 = 10^2 - 6^2 = 64$

이때 $\overline{\mathrm{OH}} > 0$이므로 $\overline{\mathrm{OH}} = 8 \ \mathrm{cm}$

$\therefore \triangle \mathrm{OPQ} = \dfrac{1}{2} \times 12 \times 8 = 48 \ (\mathrm{cm}^2)$ **답** 48 cm²

18

가장 긴 변의 길이가 $x \ \mathrm{cm}$이므로

$x^2 = 16^2 + 12^2 = 400$

이때 $x > 0$이므로 $x = 20$

따라서 추가한 빨대의 길이는 20 cm이다.   **답** 20 cm

LEVEL 2 필수 기출 문제 → 79쪽~84쪽

01 3	**02** 50	**03** 12	**04** ③, ④	**05** 336 cm²
06 100π cm³	**07** $\dfrac{36}{5}$ cm	**08** $\dfrac{168}{125}$ cm	**09** 153	
10 388	**11** $\dfrac{10}{3}$ cm	**12** 129	**13** 30	**14** 85
15 15 cm	**16** ㄴ, ㄷ, ㄹ	**17** 100 cm²	**18** 149	
19 ㄱ, ㄹ	**20** (1) 28, 100 (2) 3, 4, 5, 11, 12, 13			
21 175	**22** 80	**23** $\dfrac{25}{2}\pi$ cm²	**24** 72	

01

[전략] $\overline{OA_2}^2$, $\overline{OA_3}^2$, $\overline{OA_4}^2$, $\overline{OA_5}^2$, $\overline{OA_6}^2$을 차례대로 x에 대한 식으로 나타낸다.

$\triangle OA_1A_2$에서 $\overline{OA_2}^2=x^2+x^2=2x^2$

$\triangle OA_2A_3$에서 $\overline{OA_3}^2=x^2+2x^2=3x^2$

$\triangle OA_3A_4$에서 $\overline{OA_4}^2=x^2+3x^2=4x^2$

$\triangle OA_4A_5$에서 $\overline{OA_5}^2=x^2+4x^2=5x^2$

$\triangle OA_5A_6$에서 $\overline{OA_6}^2=x^2+5x^2=6x^2$

즉, $6x^2=54$이므로 $x^2=9$

이때 $x>0$이므로 $x=3$ 답 3

참고 자연수 n에 대하여 $\overline{OA_n}^2=nx^2$

02

[전략] 직각이등변삼각형의 변의 길이를 차례대로 구한다.

$\triangle HFG$에서

$\overline{HF}=\overline{FG}=5$이므로 $\overline{HG}^2=5^2+5^2=50$

$\triangle HGC$에서

$\overline{HC}^2=\overline{HG}^2+\overline{GC}^2=50+50=100$

이때 $\overline{HC}>0$이므로 $\overline{HC}=10$

$\therefore \overline{EF}=\overline{EH}+\overline{HF}=10+5=15$

$\triangle DFE$에서

$\overline{DE}^2=\overline{DF}^2+\overline{FE}^2=15^2+15^2=450$

$\triangle ADE$에서

$\overline{AD}^2=\overline{DE}^2+\overline{EA}^2=450+450=900$

이때 $\overline{AD}>0$이므로 $\overline{AD}=30$

$\triangle BDG$에서

$\overline{BD}=\overline{DG}=\overline{DF}+\overline{FG}=15+5=20$

$\therefore \overline{AB}=\overline{AD}+\overline{DB}=30+20=50$ 답 50

03

[전략] 직선의 방정식에 $x=0$, $y=0$을 각각 대입하여 두 점 A, B의 좌표를 구하고 $\overline{OA}$, $\overline{OB}$의 길이를 구한다.

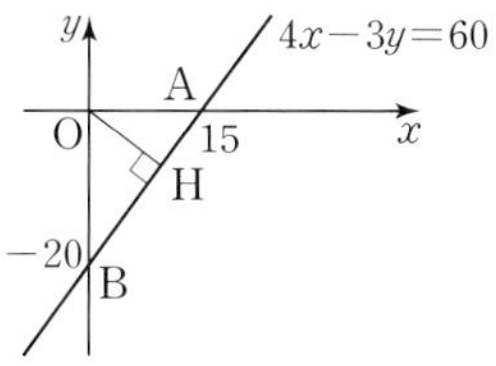

오른쪽 그림과 같이 직선 $4x-3y=60$이 x축과 만나는 점을 A, y축과 만나는 점을 B라 하면 $\triangle AOB$는 직각삼각형이다.

$y=0$을 $4x-3y=60$에 대입하면

$x=15$이므로 점 A의 좌표는 $(15, 0)$

$x=0$을 $4x-3y=60$에 대입하면

$y=-20$이므로 점 B의 좌표는 $(0, -20)$

$\therefore \overline{OA}=15$, $\overline{OB}=20$

$\triangle AOB$에서

$\overline{AB}^2=\overline{OA}^2+\overline{OB}^2=15^2+20^2=625$

이때 $\overline{AB}>0$이므로 $\overline{AB}=25$

또, $\overline{OA}\times\overline{OB}=\overline{OH}\times\overline{AB}$이므로

$15\times20=\overline{OH}\times25$, $25\overline{OH}=300$ $\therefore \overline{OH}=12$ 답 12

쌤의 복합 개념 특강

x절편과 y절편

① x절편 : 일차함수의 그래프가 x축과 만나는 점의 x좌표
즉, $y=0$일 때의 x의 값

② y절편 : 일차함수의 그래프가 y축과 만나는 점의 y좌표
즉, $x=0$일 때의 y의 값

04

[전략] $\overline{OB}^2$, $\overline{OC}^2$, $\overline{OD}^2$의 값을 차례대로 구한다.

$\overline{OB}^2=\overline{OA'}^2=1^2+1^2=2$

$\overline{OC}^2=\overline{OB'}^2=\overline{OB}^2+1^2=2+1^2=3$

$\overline{OD}^2=\overline{OC'}^2=\overline{OC}^2+1^2=3+1^2=4$

이때 $\overline{OD}>0$, $\overline{OC'}>0$이므로 $\overline{OD}=\overline{OC'}=2$

$\therefore \overline{AD}=\overline{OD}-\overline{OA}=2-1=1$

따라서 옳지 않은 것은 ③, ④이다. 답 ③, ④

참고 $\overline{O'C}$를 그으면 직사각형 OCC'O'에서 $\overline{O'C}$는 직사각형의 대각선이므로 $\overline{O'C}=\overline{OC'}=2$

05

[전략] $\overline{BD}$의 길이를 구한 후, $\triangle ABD$의 넓이를 이용하여 $\overline{AE}$의 길이를 구한다.

$\triangle ABD$에서

$\overline{BD}^2=30^2+40^2=2500$

이때 $\overline{BD}>0$이므로 $\overline{BD}=50$ cm

$\overline{AB}\times\overline{AD}=\overline{AE}\times\overline{BD}$이므로

$30\times40=\overline{AE}\times50$, $50\overline{AE}=1200$ $\therefore \overline{AE}=24$ (cm)

$\triangle ABE$에서 $\overline{BE}^2=30^2-24^2=324$

이때 $\overline{BE}>0$이므로 $\overline{BE}=18$ cm

한편, $\triangle ABE$와 $\triangle CDF$에서

$\angle AEB=\angle CFD=90^\circ$

$\overline{AB}=\overline{CD}$, $\angle ABE=\angle CDF$ (엇각)

이므로 $\triangle ABE\equiv\triangle CDF$ (RHA 합동)

$\therefore \overline{DF}=\overline{BE}=18$ cm, $\overline{CF}=\overline{AE}=24$ cm

$\overline{EF}=\overline{BD}-\overline{BE}-\overline{DF}=50-18-18=14$ (cm)

$\therefore \triangle AEF=\frac{1}{2}\times14\times24=168$ (cm^2)

$\therefore$ (색칠한 부분의 넓이)$=2\triangle AEF=2\times168=336$ (cm^2)

답 336 cm^2

참고 빗변의 길이와 한 예각의 크기가 각각 같은 두 직각삼각형은 RHA 합동이다.

쌤의 특강

다음과 같이 □AECF의 넓이를 구할 수도 있다.

$\triangle ABE\equiv\triangle CDF$이므로 $\overline{AE}=\overline{CF}$

$\angle AEF=\angle CFE=90^\circ$이므로 $\overline{AE}/\!/\overline{CF}$

즉, □AECF는 한 대변이 평행하고 그 길이가 같으므로 평행사변형이다.

$\therefore$ □AECF$=24\times14=336$ (cm^2)

06

[전략] 1회전 시킬 때 생기는 입체도형을 직접 그려 본다.

1회전 시킬 때 생기는 입체도형은 오른쪽 그림과 같은 원뿔이다.

원뿔의 높이를 h cm라 하면

$h^2 = 13^2 - 5^2 = 144$

이때 $h > 0$이므로 $h = 12$

따라서 원뿔의 부피는

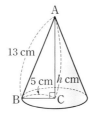

$\dfrac{1}{3} \times \pi \times 5^2 \times 12 = 100\pi \ (\text{cm}^3)$

답 $100\pi \ \text{cm}^3$

07

[전략] $\overline{DB}$의 길이를 구한 후, $\overline{BC}$의 길이를 구한다.

△DBC의 밑변이 $\overline{DB}$이면 높이는 $\overline{AC}$이므로

$\triangle DBC = \dfrac{1}{2} \times \overline{DB} \times \overline{AC}$에서 $90 = \dfrac{1}{2} \times \overline{DB} \times 15$

$\therefore \overline{DB} = 12 \ (\text{cm})$

△ABC에서

$\overline{BC}^2 = 20^2 + 15^2 = 625$

이때 $\overline{BC} > 0$이므로 $\overline{BC} = 25 \ \text{cm}$

따라서 △DBC의 넓이가 90 cm²이므로

$\dfrac{1}{2} \times \overline{BC} \times \overline{DE} = 90$에서

$\dfrac{1}{2} \times 25 \times \overline{DE} = 90$

$\therefore \overline{DE} = \dfrac{36}{5} \ (\text{cm})$

답 $\dfrac{36}{5} \ \text{cm}$

08

[전략] 직각삼각형의 빗변의 중점은 외심임을 이용한다.

△ABC에서

$\overline{BC}^2 = 6^2 + 8^2 = 100$

이때 $\overline{BC} > 0$이므로 $BC = 10 \ \text{cm}$

직각삼각형의 빗변의 중점은 외심이므로

$\overline{AM} = \overline{BM} = \overline{CM} = \dfrac{1}{2}\overline{BC} = \dfrac{1}{2} \times 10 = 5 \ (\text{cm})$

$\overline{AB}^2 = \overline{BD} \times \overline{BC}$이므로

$6^2 = \overline{BD} \times 10$

$\therefore \overline{BD} = \dfrac{18}{5} \ (\text{cm})$

$\therefore \overline{DM} = 5 - \dfrac{18}{5} = \dfrac{7}{5} \ (\text{cm})$

$\overline{AD} \times \overline{DM} = \overline{DE} \times \overline{AM}$이므로

$\dfrac{24}{5} \times \dfrac{7}{5} = \overline{DE} \times 5, \ 5\overline{DE} = \dfrac{168}{25}$

$\therefore \overline{DE} = \dfrac{168}{125} \ (\text{cm})$

답 $\dfrac{168}{125} \ \text{cm}$

다음과 같은 방법으로 $\overline{DM}$의 길이를 구할 수도 있다.

$\overline{AB} \times \overline{AC} = \overline{AD} \times \overline{BC}$이므로

$6 \times 8 = \overline{AD} \times 10, \ 10\overline{AD} = 48 \qquad \therefore \overline{AD} = \dfrac{24}{5} \ (\text{cm})$

△ADM에서 $\overline{DM}^2 = 5^2 - \left(\dfrac{24}{5}\right)^2 = \dfrac{49}{25}$

이때 $\overline{DM} > 0$이므로 $\overline{DM} = \dfrac{7}{5} \ \text{cm}$

09

[전략] △ABE∽△HCE임을 이용하여 $\overline{HC}$의 길이를 구한다.

정사각형 ABCD의 넓이가 144이므로 $\overline{AB}^2 = 144$

이때 $\overline{AB} > 0$이므로 $\overline{AB} = 12$

또한, 정사각형 CEFG의 넓이가 16이므로 $\overline{CE}^2 = 16$

이때 $\overline{CE} > 0$이므로 $\overline{CE} = 4$

△ABE와 △HCE에서 $\angle ABE = \angle HCE = 90°$, $\angle E$는 공통

$\therefore \triangle ABE \backsim \triangle HCE$ (AA 닮음)

즉, $\overline{AB} : \overline{HC} = \overline{BE} : \overline{CE}$이므로 $12 : \overline{HC} = 16 : 4 = 4 : 1$

$4\overline{HC} = 12 \qquad \therefore \overline{HC} = 3$

따라서 △HBC에서

$\overline{BH}^2 = 12^2 + 3^2 = 153$

답 153

10

[전략] A, B, C의 한 변의 길이를 각각 한 문자에 대한 식으로 나타낸 후, 세 정사각형의 넓이의 합을 이용하여 한 변의 길이를 각각 구한다.

A의 한 변의 길이를 $4k$, B의 한 변의 길이를 $3k$, C의 한 변의 길이를 $2k$라 하면

$(4k)^2 + (3k)^2 + (2k)^2 = 116$

$29k^2 = 116, \ k^2 = 4$

이때 $k > 0$이므로 $k = 2$

따라서 A의 한 변의 길이는 8, B의 한 변의 길이는 6, C의 한 변의 길이는 4이다.

$\therefore \overline{XY}^2 = 8^2 + (8 + 6 + 4)^2 = 388$

답 388

11

[전략] $\overline{CG}$를 연장하여 △ABC의 중선을 그어 본다.

△ABC에서 $\overline{AB}^2 = 8^2 + 6^2 = 100$

이때 $\overline{AB} > 0$이므로 $\overline{AB} = 10 \ \text{cm}$

오른쪽 그림과 같이 $\overline{CG}$의 연장선이 $\overline{AB}$와 만나는 점을 D라 하면 점 G가 △ABC의 무게중심이므로 $\overline{AD} = \overline{BD}$

즉, 점 D는 직각삼각형 ABC의 외심이므로

$\overline{AD} = \overline{BD} = \overline{CD} = \dfrac{1}{2} \times 10 = 5 \ (\text{cm})$

$\therefore \overline{CG} = \dfrac{2}{3}\overline{CD} = \dfrac{2}{3} \times 5 = \dfrac{10}{3} \ (\text{cm})$

답 $\dfrac{10}{3} \ \text{cm}$

개념1 직각삼각형의 외심

직각삼각형의 외심은 빗변의 중점이고, 외심에서 삼각형의 각 꼭짓점에 이르는 거리는 모두 같다.

개념2 삼각형의 무게중심의 성질

삼각형의 세 중선은 한 점(무게중심)에서 만나고, 삼각형의 무게중심은 세 중선의 길이를 각 꼭짓점으로부터 각각 2 : 1로 나눈다.

최단 거리 구하기

다음 그림에서 $\overline{AP}+\overline{BP}$의 길이 중 가장 짧은 길이를 구할 때에는 점 A와 직선 l에 대하여 대칭인 점을 A'이라 하고

$$\overline{AP}+\overline{BP}=\overline{A'P}+\overline{BP}\geq\overline{A'B}$$

임을 이용한다.

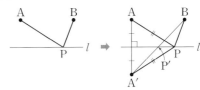

12

[**전략**] 점 B와 x축에 대하여 대칭인 점을 B'이라 하고, $\overline{BP}=\overline{B'P}$임을 이용하여 $\overline{AP}+\overline{BP}$의 길이가 가장 짧은 경우를 생각한다.

오른쪽 그림과 같이 점 B와 x축에 대하여 대칭인 점을 B'이라 하면 B'$(8, -2)$이고 $\overline{BP}=\overline{B'P}$

$\therefore \overline{AP}+\overline{BP}=\overline{AP}+\overline{B'P}\geq\overline{AB'}$

두 점 A, B'에서 x축, y축에 각각 내린 수선의 교점을 H라 하면

직각삼각형 AHB'에서

$\overline{AH}=7$, $\overline{B'H}=6$이므로

$\overline{AB'}^2=7^2+6^2=85$

이때 $a=\overline{AB'}$이므로 $a^2=\overline{AB'}^2=85$

한편, 두 점 A$(2, 5)$, B'$(8, -2)$를 지나는 일차함수의 그래프의 기울기는 $\dfrac{-2-5}{8-2}=-\dfrac{7}{6}$이므로

$y=-\dfrac{7}{6}x+k$로 놓고 $x=2$, $y=5$를 대입하면

$5=-\dfrac{7}{3}+k$ $\therefore k=\dfrac{22}{3}$

따라서 이 일차함수의 식은 $y=-\dfrac{7}{6}x+\dfrac{22}{3}$

b는 $y=-\dfrac{7}{6}x+\dfrac{22}{3}$의 그래프와 x축과의 교점의 x좌표이므로

$y=0$을 대입하면

$0=-\dfrac{7}{6}x+\dfrac{22}{3}$, $\dfrac{7}{6}x=\dfrac{22}{3}$, $x=\dfrac{44}{7}$ $\therefore b=\dfrac{44}{7}$

$\therefore a^2+7b=85+7\times\dfrac{44}{7}=129$ **답** 129

참고 다음과 같이 삼각형의 닮음을 이용하여 점 P의 x좌표를 구할 수도 있다.

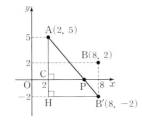

오른쪽 그림의 △ACP와 △AHB'에서

$\angle ACP=\angle AHB'=90°$,

$\angle A$는 공통이므로

△ACP∽△AHB' (AA 닮음)

즉, $\overline{AC}:\overline{AH}=\overline{CP}:\overline{HB'}$이므로

$5:7=\overline{CP}:6$

$7\overline{CP}=30$ $\therefore \overline{CP}=\dfrac{30}{7}$

따라서 점 P의 x좌표는

$\overline{OP}=\overline{OC}+\overline{CP}=2+\dfrac{30}{7}=\dfrac{44}{7}$

13

[**전략**] △BFM은 직각삼각형이다.

△FGM에서 $\overline{GM}=\dfrac{1}{2}\overline{GH}=\dfrac{1}{2}\times 20=10$

$\therefore \overline{FM}^2=\overline{FG}^2+\overline{GM}^2=20^2+10^2=500$

△BFM에서 $\overline{BM}^2=\overline{BF}^2+\overline{FM}^2=20^2+500=900$

이때 $\overline{BM}>0$이므로 $\overline{BM}=30$ **답** 30

14

[**전략**] 선이 지나는 부분의 전개도를 그려 각 모서리를 지날 때의 최단 거리를 구해 본다.

(i) 모서리 AD 또는 모서리 FG를 지날 때, 다음 그림과 같은 전개도의 일부에서 최단 거리는 $\overline{BH}$의 길이와 같다.

$\therefore l^2=\overline{BH}^2=(3+4)^2+6^2=85$

(ii) 모서리 DC 또는 모서리 EF를 지날 때, 다음 그림과 같은 전개도의 일부에서 최단 거리는 $\overline{BH}$의 길이와 같다.

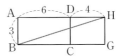 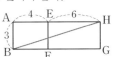

$\therefore l^2=\overline{BH}^2=(6+4)^2+3^2=109$

(iii) 모서리 CG 또는 모서리 AE를 지날 때, 다음 그림과 같은 전개도의 일부에서 최단 거리는 $\overline{BH}$의 길이와 같다.

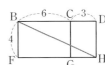 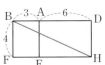

$\therefore l^2=\overline{BH}^2=(6+3)^2+4^2=97$

(i)~(iii)에서 모서리 AD 또는 모서리 FG를 지날 때, l^2의 값이 가장 작으므로 구하는 l^2의 값은 85   **답** 85

15

[전략] 실이 지나는 부분을 전개도에 그린다.

원기둥의 모선 AB의 중점을 M이라 하면 실을 두 바퀴 감았을 때, 실이 지나간 최단 경로는 오른쪽 그림의 $\overline{AM'}$과 $\overline{MB'}$이다.

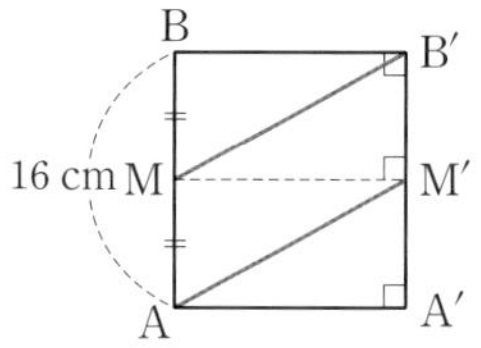

실의 길이가 34 cm이고, $\overline{AB}=16$ cm이므로

$\overline{AM'}=\frac{1}{2}\times34=17$ (cm), $\overline{A'M'}=\frac{1}{2}\overline{AB}=\frac{1}{2}\times16=8$ (cm)

즉, 직각삼각형 AA′M′에서 $\overline{AA'}^2=17^2-8^2=225$

이때 $\overline{AA'}>0$이므로 $\overline{AA'}=15$ cm

따라서 원기둥의 밑면의 둘레의 길이는 $\overline{AA'}$의 길이와 같으므로 15 cm이다.

답 15 cm

16

[전략] 삼각형의 넓이가 같을 조건을 생각한다.

ㄱ. $\overline{AB}$와 $\overline{AC}$의 길이를 알 수 없으므로 △ABC와 △AEB의 넓이가 같은지 알 수 없다.

ㄴ. $\overline{DC}$ // $\overline{EB}$이고 $\overline{EB}$가 공통인 밑변이므로

△AEB$=\frac{1}{2}\times\overline{EB}\times\overline{AB}=$△EBC

ㄷ. △EBC와 △ABF에서

$\overline{EB}=\overline{AB}$, ∠EBC$=90°+$∠ABC$=$∠ABF, $\overline{BC}=\overline{BF}$

이므로 △EBC≡△ABF (SAS 합동)

∴ △EBC=△ABF

ㄹ. $\overline{AK}$ // $\overline{BF}$이고 $\overline{BF}$가 공통인 밑변이므로

△ABF$=\frac{1}{2}\times\overline{BF}\times\overline{BJ}=$△JBF

이때 □BFKJ는 직사각형이므로 △JFK=△JBF=△ABF

따라서 △AEB와 넓이가 항상 같은 것은 ㄴ, ㄷ, ㄹ이다.

답 ㄴ, ㄷ, ㄹ

17

[전략] 직각삼각형에서 빗변을 한 변으로 하는 정사각형의 넓이는 나머지 두 변을 각각 한 변으로 하는 두 정사각형의 넓이의 합과 같음을 이용한다.

다음 그림과 같이 색칠한 정사각형의 넓이를 각각 S_1, S_2, S_3, ⋯, S_{14}, S_{15}라 하자.

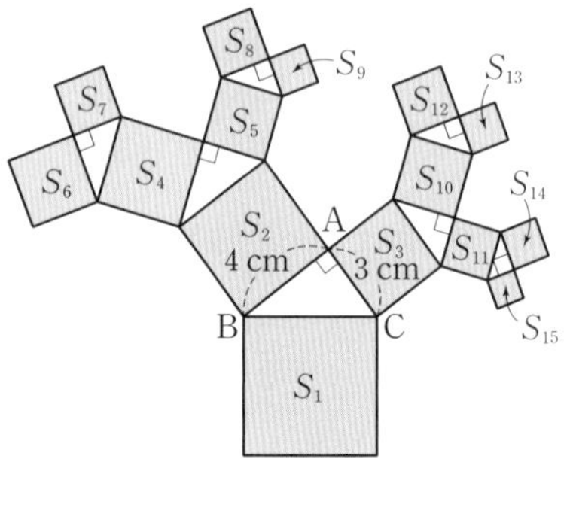

△ABC에서 $\overline{BC}^2=4^2+3^2=25$

∴ $S_1=5^2=25$ cm^2

$S_1=S_2+S_3$

S_2, S_4, S_5로 둘러싸인 직각삼각형에서

$S_2=S_4+S_5$

S_4, S_6, S_7로 둘러싸인 직각삼각형에서

$S_4=S_6+S_7$

S_5, S_8, S_9로 둘러싸인 직각삼각형에서

$S_5=S_8+S_9$

마찬가지 방법으로

$S_3=S_{10}+S_{11}$, $S_{10}=S_{12}+S_{13}$, $S_{11}=S_{14}+S_{15}$

$\therefore S_1+(S_2+S_3)+(S_4+S_5)+(S_6+S_7)+(S_8+S_9)+(S_{10}+S_{11})$
$+(S_{12}+S_{13})+(S_{14}+S_{15})$
$=S_1+S_1+S_2+(S_4+S_5)+S_3+(S_{10}+S_{11})$
$=S_1+S_1+S_2+S_2+S_3+S_3$
$=2S_1+2S_2+2S_3=2S_1+2S_1$
$=4S_1=4\times25=100$ (cm^2)

답 100 cm^2

18

[전략] 세 사각형 ABCD, EFGH, IJKL이 모두 정사각형임을 이용하여 합동인 직각삼각형을 찾는다.

△HIE와 △GLH에서

∠HIE=∠GLH=90°, $\overline{HE}=\overline{GH}$,

∠HEI=90°−∠EHI=∠GHL

이므로 △HIE≡△GLH (RHA 합동)

∴ $\overline{IE}=\overline{LH}=8$

△HIE에서 $\overline{EH}^2=8^2+15^2=289$

이때 $\overline{EH}>0$이므로 $\overline{EH}=17$

∴ $\overline{AH}=\overline{EH}-\overline{EA}=17-10=7$

△AEB와 △DHA에서

∠AEB=∠DHA=90°, $\overline{AB}=\overline{DA}$,

∠EBA=90°−∠BAE=∠HAD

이므로 △AEB≡△DHA (RHA 합동)

∴ $\overline{DH}=\overline{AE}=10$

△DHA에서 $\overline{AD}^2=7^2+10^2=149$

∴ (□ABCD의 넓이)$=\overline{AD}^2=149$

답 149

19

[전략] 좌표평면 위에 세 점을 나타내고, 삼각형의 각 변을 빗변으로 하는 직각삼각형을 이용한다.

오른쪽 그림과 같이 세 점 A, B, C를 지나고 x축 또는 y축에 평행한 직선이 만나는 점을 D, E, F라 하자.

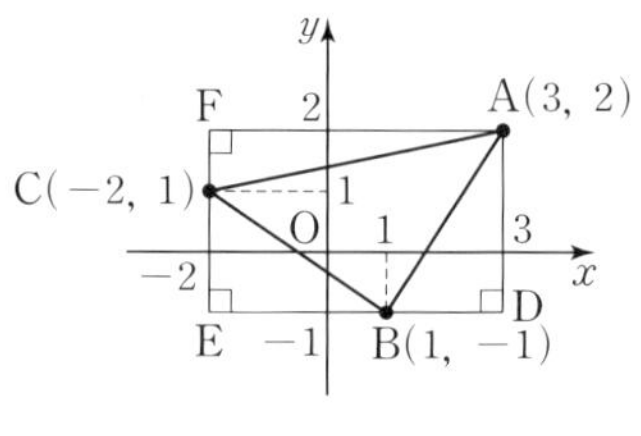

△ABD에서

$\overline{AB}^2=2^2+3^2=13$

△BCE에서
$\overline{BC}^2 = 2^2 + 3^2 = 13$
△ACF에서
$\overline{AC}^2 = 1^2 + 5^2 = 26$
이때 $\overline{AB} = \overline{BC}$이고, $\overline{AC}^2 = \overline{AB}^2 + \overline{BC}^2$이므로
△ABC는 $\overline{AB} = \overline{BC}$인 직각이등변삼각형이다.
따라서 △ABC는 이등변삼각형이면서 직각삼각형이다.

目 ㄱ, ㄹ

20

[전략] 가장 긴 변의 길이가 x일 때와 8일 때로 나누어 생각한다.

(1) (i) 가장 긴 변의 길이가 x일 때
 직각삼각형이 되려면 $x^2 = 6^2 + 8^2 = 100$
 (ii) 가장 긴 변의 길이가 8일 때
 직각삼각형이 되려면 $8^2 = 6^2 + x^2$, $x^2 = 8^2 - 6^2 = 28$
 (i), (ii)에서 x^2의 값은 28, 100이다.

(2) (i) 가장 긴 변의 길이가 x일 때
 삼각형이 되기 위한 조건에 의하여
 $8 < x < 14$ ∴ $x = 9, 10, 11, 12, 13$ ⋯⋯ ㉠
 둔각삼각형이 되려면 $x^2 > 6^2 + 8^2$, $x^2 > 100$ ⋯⋯ ㉡
 ㉠, ㉡을 모두 만족시키는 자연수 x의 값은 11, 12, 13이다.
 (ii) 가장 긴 변의 길이가 8일 때
 삼각형이 되기 위한 조건에 의하여
 $2 < x < 8$ ∴ $x = 3, 4, 5, 6, 7$ ⋯⋯ ㉢
 둔각삼각형이 되려면 $8^2 > 6^2 + x^2$, $x^2 < 28$ ⋯⋯ ㉣
 ㉢, ㉣을 모두 만족시키는 자연수 x의 값은 3, 4, 5이다.
 (i), (ii)에서 x의 값은 3, 4, 5, 11, 12, 13이다.

目 (1) 28, 100 (2) 3, 4, 5, 11, 12, 13

21

[전략] △EDB, △EFB, △ABG, △ABC는 모두 ∠B=90°인 직각삼각형이므로 각 직각삼각형에서 피타고라스 정리를 이용한다.

$\overline{DB} = a$, $\overline{BE} = b$라 하면
△EDB에서
$\overline{DE}^2 = \overline{DB}^2 + \overline{BE}^2$, 즉 $10 = a^2 + b^2$ ⋯⋯ ㉠
△EFB에서
$\overline{EF}^2 = \overline{FB}^2 + \overline{BE}^2$, 즉 $37 = (2a)^2 + b^2$
$37 = 4a^2 + b^2$ ⋯⋯ ㉡
㉡ − ㉠을 하면 $27 = 3a^2$ ∴ $a^2 = 9$
$a^2 = 9$를 ㉠에 대입하면 $10 = 9 + b^2$ ∴ $b^2 = 1$
△ABG에서
$\overline{AG}^2 = \overline{AB}^2 + \overline{BG}^2$이므로
$\overline{AG}^2 = (3a)^2 + (2b)^2 = 9a^2 + 4b^2 = 81 + 4 = 85$
△ABC에서
$\overline{AC}^2 = \overline{AB}^2 + \overline{BC}^2$이므로

$\overline{AC}^2 = (3a)^2 + (3b)^2 = 9a^2 + 9b^2 = 81 + 9 = 90$
∴ $\overline{AC}^2 + \overline{AG}^2 = 90 + 85 = 175$

目 175

> **쌤의 만점 특강**
>
> $\overline{DE}^2$과 $\overline{EF}^2$의 값이 주어졌으므로 $\overline{DE}$와 $\overline{EF}$를 빗변으로 하는 직각삼각형에서 피타고라스 정리를 각각 이용한다.

22

[전략] □DECA의 두 대각선이 서로 직교함을 이용한다.

삼각형의 두 변의 중점을 연결한 선분의 성질에 의하여
$\overline{DE} = \dfrac{1}{2}\overline{AC}$
한편, □DECA에서
$\overline{DA} = \dfrac{1}{2}\overline{BA} = \dfrac{1}{2} \times 12 = 6$
$\overline{EC} = \dfrac{1}{2}\overline{BC} = \dfrac{1}{2} \times 16 = 8$
이때 두 대각선이 서로 직교하므로
$\overline{DE}^2 + \overline{AC}^2 = \overline{DA}^2 + \overline{EC}^2$
즉, $\left(\dfrac{1}{2}\overline{AC}\right)^2 + \overline{AC}^2 = 6^2 + 8^2 = 100$, $\dfrac{5}{4}\overline{AC}^2 = 100$
∴ $\overline{AC}^2 = 80$

目 80

> **쌤의 특강**
>
> △BDE와 △BAC에서
> ∠B는 공통, $\overline{BD} : \overline{BA} = \overline{BE} : \overline{BC} = 1 : 2$
> 이므로 △BDE∽△BAC (SAS 닮음)
> 즉, $\overline{DE} : \overline{AC} = \overline{BD} : \overline{BA} = 1 : 2$이므로 $\overline{DE} = \dfrac{1}{2}\overline{AC}$

23

[전략] $\overline{AB}$를 지름으로 하는 반원의 넓이는 나머지 두 변을 지름으로 하는 두 반원의 넓이의 합과 같다.

오른쪽 그림과 같이 세 반원의 넓이를 각각 S_1, S_2, S_3이라 하자.

$S_2 = \dfrac{1}{2} \times \pi \times 4^2 = 8\pi \, (\text{cm}^2)$이므로
$S_3 = S_1 + S_2 = \dfrac{9}{2}\pi + 8\pi = \dfrac{25}{2}\pi \, (\text{cm}^2)$

目 $\dfrac{25}{2}\pi \, \text{cm}^2$

> **다른 풀이**
>
> $\overline{AC}$를 지름으로 하는 반원의 넓이가 $\dfrac{9}{2}\pi \, \text{cm}^2$이므로
> $\dfrac{1}{2} \times \pi \times \left(\dfrac{1}{2}\overline{AC}\right)^2 = \dfrac{9}{2}\pi$, $\dfrac{\pi}{8} \times \overline{AC}^2 = \dfrac{9}{2}\pi$
> ∴ $\overline{AC}^2 = 36$
> 이때 $\overline{AC} > 0$이므로 $\overline{AC} = 6 \, \text{cm}$
> △ABC에서
> $\overline{AB}^2 = 8^2 + 6^2 = 100$
> 이때 $\overline{AB} > 0$이므로 $\overline{AB} = 10 \, \text{cm}$

따라서 $\overline{AB}$를 지름으로 하는 반원의 넓이는

$\dfrac{1}{2} \times \pi \times 5^2 = \dfrac{25}{2}\pi\ (\text{cm}^2)$

24

[**전략**] 색칠한 부분과 넓이가 같은 도형을 찾는다.

오른쪽 그림과 같이 색칠한 부분의 넓이를
각각 S_1, S_2, S_3, S_4라 하면
$\triangle$ABD와 $\triangle$BCD는 직각삼각형이므로
$S_1 + S_2 = \triangle$ABD, $S_3 + S_4 = \triangle$BCD
$\therefore S_1 + S_2 + S_3 + S_4 = \triangle$ABD $+ \triangle$BCD
$\qquad\qquad\qquad\quad = \square$ABCD
$\qquad\qquad\qquad\quad = 6 \times 12$
$\qquad\qquad\qquad\quad = 72$

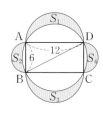

답 72

LEVEL 3 최고난도 문제 → 85쪽

01 $\dfrac{72}{5}$ cm	**02** 40 cm	**03** 74	**04** ㄱ, ㄷ, ㄹ

01 solution 미리 보기

step ❶	$\overline{BE} = a$ cm로 놓은 후 $\triangle$DBE$\circ$$\triangle$ABC임을 이용하여 $\overline{DE}$를 a에 대한 식으로 나타내기
step ❷	$\overline{AD}$, $\overline{BD}$를 a에 대한 식으로 나타내기
step ❸	$\triangle$DBE와 $\triangle$ABC의 닮음비를 이용하여 a의 값 구하기
step ❹	$\square$ADEF의 둘레의 길이 구하기

$\triangle$ABC에서

$\overline{BC}^2 = 8^2 + 6^2 = 100$

이때 $\overline{BC} > 0$이므로 $\overline{BC} = 10$ cm

$\triangle$DBE와 $\triangle$ABC에서

$\angle$B는 공통, $\angle$BDE $= \angle$BAC $= 90°$

이므로 $\triangle$DBE$\circ$$\triangle$ABC (AA 닮음)

$\overline{BE} = a$ cm라 하면

$\overline{BE} : \overline{BC} = \overline{DE} : \overline{AC}$이므로 $a : 10 = \overline{DE} : 6$

$10\overline{DE} = 6a \qquad \therefore \overline{DE} = \dfrac{3}{5}a\ (\text{cm})$ ── ❶

$\overline{DE} : \overline{AD} = 1 : 2$에서 $\overline{AD} = 2\overline{DE} = 2 \times \dfrac{3}{5}a = \dfrac{6}{5}a\ (\text{cm})$

$\therefore \overline{BD} = \overline{AB} - \overline{AD} = 8 - \dfrac{6}{5}a\ (\text{cm})$ ── ❷

한편, $\overline{BD} : \overline{BA} = \overline{DE} : \overline{AC}$이므로 $\left(8 - \dfrac{6}{5}a\right) : 8 = \dfrac{3}{5}a : 6$

$48 - \dfrac{36}{5}a = \dfrac{24}{5}a,\ 12a = 48 \qquad \therefore a = 4$ ── ❸

즉, $\overline{AD} = \dfrac{6}{5}a = \dfrac{6}{5} \times 4 = \dfrac{24}{5}\ (\text{cm})$,

$\overline{DE} = \dfrac{3}{5}a = \dfrac{3}{5} \times 4 = \dfrac{12}{5}\ (\text{cm})$이므로

$(\square\text{ADEF의 둘레의 길이}) = 2(\overline{AD} + \overline{DE})$

$\qquad\qquad\qquad\qquad\quad = 2 \times \left(\dfrac{24}{5} + \dfrac{12}{5}\right)$

$\qquad\qquad\qquad\qquad\quad = \dfrac{72}{5}\ (\text{cm})$ ── ❹

답 $\dfrac{72}{5}$ cm

> **참고** $\triangle$DBE에서 $\overline{BD}^2 = a^2 - \left(\dfrac{3}{5}a\right)^2 = \dfrac{16}{25}a^2 \qquad \therefore \overline{BD} = \dfrac{4}{5}a$
>
> $\overline{AB} = \overline{BD} + \overline{AD} = \dfrac{4}{5}a + \dfrac{6}{5}a = 2a$
>
> 즉, $2a = 80$이므로 $a = 4$

02 solution 미리 보기

step ❶	원뿔대의 단면에서 $\triangle$OO$_1$B$\circ$$\triangle$OO$_2$A임을 이용하여 $\overline{OB}$의 길이 구하기
step ❷	원뿔대의 옆면의 전개도에서 밑면의 둘레의 길이를 이용하여 중심각의 크기 구하기
step ❸	원뿔대의 옆면의 전개도에서 $\triangle$OAM이 어떤 삼각형인지 알기
step ❹	피타고라스 정리를 이용하여 실의 길이 구하기

오른쪽 그림과 같이 원뿔대의 단면에서 작은
밑면인 원의 중심을 O_1, 큰 밑면인 원의 중심을
O_2라 하면 $\triangle$OO$_1$B와 $\triangle$OO$_2$A에서
$\angle$OO$_1$B $= \angle$OO$_2$A $= 90°$, $\angle$O는 공통
이므로 $\triangle$OO$_1$B$\circ$$\triangle$OO$_2$A (AA 닮음)

$\overline{OB} : \overline{OA} = \overline{O_1B} : \overline{O_2A} = 4 : 8 = 1 : 2$

즉, $\overline{OB} : (\overline{OB} + 16) = 1 : 2$, $2\overline{OB} = \overline{OB} + 16$

$\therefore \overline{OB} = 16\ (\text{cm})$ ── ❶

이때 오른쪽 그림과 같이 원뿔대의 옆면
의 전개도 위에 실이 지나간 경로를 나타
내면 $\overline{AM}$과 같다.

$\angle$BOB′ $= x°$라 하면

$2\pi \times 16 \times \dfrac{x}{360} = 2\pi \times 4$, $\dfrac{2x}{45} = 4$

$\therefore x = 90$ ── ❷

즉, $\triangle$OAM은 직각삼각형이다. ── ❸

$\triangle$OAM에서

$\overline{OA} = \overline{OB} + \overline{AB} = 16 + 16 = 32\ (\text{cm})$

$\overline{OM} = \overline{OB′} + \overline{B′M} = 16 + \dfrac{1}{2} \times 16 = 24\ (\text{cm})$

$\therefore \overline{AM}^2 = \overline{OA}^2 + \overline{OM}^2 = 32^2 + 24^2 = 1600$

이때 $\overline{AM} > 0$이므로 $\overline{AM} = 40$ cm

따라서 구하는 실의 길이는 40 cm이다. ── ❹

답 40 cm

03 solution 미리 보기

step ❶	△ABC에서 피타고라스 정리를 이용하여 $\overline{BC}$의 길이를 구한 후 △ABC와 △HCG의 넓이 구하기
step ❷	$\overline{AD}$를 연장하여 △ABC와 닮음인 삼각형을 그리고, 닮음비를 이용하여 △IAD의 넓이 구하기
step ❸	$\overline{BE}$를 연장하여 △ABC와 닮음인 삼각형을 그리고, 닮음비를 이용하여 △FBE의 넓이 구하기
step ❹	여러 개의 삼각형과 사각형의 넓이의 합으로 육각형 DEFGHI의 넓이 구하기

△ABC에서

$\overline{BC}^2 = 5^2 - 4^2 = 9$

이때 $\overline{BC} > 0$이므로 $\overline{BC} = 3$

$\therefore \triangle ABC = \dfrac{1}{2} \times 4 \times 3 = 6$

$\quad \triangle HCG = \dfrac{1}{2} \times 4 \times 3 = 6$ ……❶

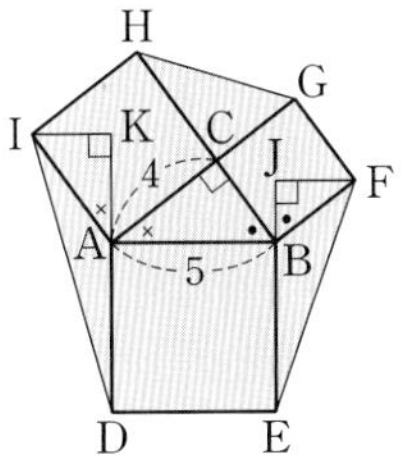

오른쪽 그림과 같이 두 점 I, F에서 $\overline{DA}$의 연장선, $\overline{EB}$의 연장선에 내린 수선의 발을 각각 K, J라 하면

△ABC와 △AIK에서

∠ACB = ∠AKI = 90°,

∠CAB = 90° − ∠CAK = ∠KAI

이므로 △ABC∽△AIK (AA 닮음)

$\overline{AB} : \overline{AI} = \overline{BC} : \overline{IK}$, 즉 $5 : 4 = 3 : \overline{IK}$

$5\overline{IK} = 12$ $\quad \therefore \overline{IK} = \dfrac{12}{5}$

$\therefore \triangle IAD = \dfrac{1}{2} \times \overline{AD} \times \overline{IK} = \dfrac{1}{2} \times 5 \times \dfrac{12}{5} = 6$ ……❷

또한, △ABC와 △FBJ에서

∠ACB = ∠FJB = 90°, ∠ABC = 90° − ∠CBJ = ∠FBJ

이므로 △ABC∽△FBJ (AA 닮음)

$\overline{AB} : \overline{FB} = \overline{AC} : \overline{FJ}$, 즉 $5 : 3 = 4 : \overline{FJ}$

$5\overline{FJ} = 12$ $\quad \therefore \overline{FJ} = \dfrac{12}{5}$

$\therefore \triangle FBE = \dfrac{1}{2} \times \overline{BE} \times \overline{FJ} = \dfrac{1}{2} \times 5 \times \dfrac{12}{5} = 6$ ……❸

∴ (육각형 DEFGHI의 넓이)

$= \square ADEB + \triangle FBE + \square BFGC + \triangle HCG + \square ACHI$
$\quad + \triangle IAD + \triangle ABC$

$= 5^2 + 6 + 3^2 + 6 + 4^2 + 6 + 6 = 74$ ……❹

답 74

04 solution 미리 보기

step ❶	□ABCD가 직사각형임을 이용하여 ㄱ의 옳고 그름을 판별하기
step ❷	두 대각선이 직교하는 □DPCQ를 이용하여 ㄴ의 옳고 그름을 판별하기
step ❸	△APB의 점 P와 △FQE의 점 Q가 일치하도록 △APB를 이동시킨 후, 내부의 점 Q를 이용하여 ㄷ의 옳고 그름을 판별하기
step ❹	△APB의 점 P와 △DQC의 점 Q가 일치하도록 △APB를 뒤집어 이동시킨 후, 내부의 점 Q를 이용하여 ㄹ의 옳고 그름을 판별하고 옳은 것을 모두 말하기

ㄱ. □ABCD가 직사각형이므로 내부의 한 점 P에 대하여

$\overline{AP}^2 + \overline{CP}^2 = \overline{BP}^2 + \overline{DP}^2$ ……❶

ㄴ. □DPCQ의 두 대각선 PQ와 CD가 직교하므로

$\overline{DP}^2 + \overline{CQ}^2 = \overline{CP}^2 + \overline{DQ}^2$

$\therefore \overline{CP}^2 - \overline{DP}^2 = \overline{CQ}^2 - \overline{DQ}^2$

따라서 $\overline{CP}^2 + \overline{DP}^2 \neq \overline{CQ}^2 + \overline{DQ}^2$ ……❷

ㄷ. 오른쪽 그림과 같이 △APB의 점 P와 △FQE의 점 Q가 일치하도록 △APB를 이동시킨 도형을 △A′QB′이라 하면 직사각형 A′B′EF에서

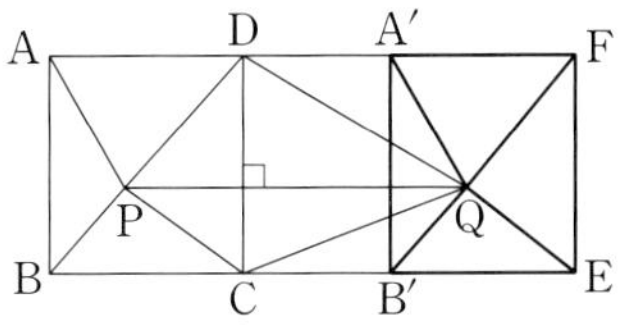

$\overline{A'Q}^2 + \overline{EQ}^2 = \overline{B'Q}^2 + \overline{FQ}^2$

즉, $\overline{AP}^2 + \overline{EQ}^2 = \overline{BP}^2 + \overline{FQ}^2$이다. ……❸

ㄹ. 오른쪽 그림과 같이 △APB의 점 P와 △DQC의 점 Q가 일치하도록 △APB를 뒤집어 이동시킨 도형을 △A′QB′이라 하면 직사각형 DCB′A′에서 $\overline{DQ}^2 + \overline{B'Q}^2 = \overline{CQ}^2 + \overline{A'Q}^2$

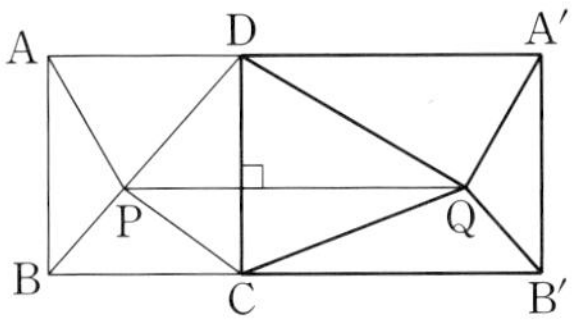

즉, $\overline{DQ}^2 + \overline{BP}^2 = \overline{CQ}^2 + \overline{AP}^2$이다.

따라서 옳은 것은 ㄱ, ㄷ, ㄹ이다. ……❹

답 ㄱ, ㄷ, ㄹ

쌤의 특강

□ABCD, □DPCQ, □DCEF에서 다음과 같이 설명할 수도 있다.

□ABCD에서 $\overline{AP}^2 + \overline{CP}^2 = \overline{BP}^2 + \overline{DP}^2$

$\therefore \overline{AP}^2 - \overline{BP}^2 = \overline{DP}^2 - \overline{CP}^2$ ……㉠

□DPCQ에서 $\overline{DP}^2 + \overline{CQ}^2 = \overline{CP}^2 + \overline{DQ}^2$

$\therefore \overline{DP}^2 - \overline{CP}^2 = \overline{DQ}^2 - \overline{CQ}^2$ ……㉡

□DCEF에서 $\overline{DQ}^2 + \overline{EQ}^2 = \overline{CQ}^2 + \overline{FQ}^2$

$\therefore \overline{DQ}^2 - \overline{CQ}^2 = \overline{FQ}^2 - \overline{EQ}^2$ ……㉢

ㄷ. ㉠, ㉡, ㉢에서 $\overline{AP}^2 - \overline{BP}^2 = \overline{FQ}^2 - \overline{EQ}^2$

$\therefore \overline{AP}^2 + \overline{EQ}^2 = \overline{BP}^2 + \overline{FQ}^2$

ㄹ. ㉠, ㉡에서 $\overline{AP}^2 - \overline{BP}^2 = \overline{DQ}^2 - \overline{CQ}^2$

$\therefore \overline{AP}^2 + \overline{CQ}^2 = \overline{BP}^2 + \overline{DQ}^2$

IV. 확률

08. 경우의 수

LEVEL 1 시험에 꼭 내는 문제

→ 90쪽~92쪽

01 ⑤	02 6	03 ⑤	04 36	05 ④	06 18	07 ③	08 ⑤
09 48	10 ③	11 12	12 ②	13 140	14 6	15 ②	16 45
17 5	18 36						

01

① 짝수가 나오는 경우는 2, 4, 6, 8, 10의 5가지이다.
② 소수가 나오는 경우는 2, 3, 5, 7의 4가지이다.
③ 3의 배수가 나오는 경우는 3, 6, 9의 3가지이다.
④ 10의 약수가 나오는 경우는 1, 2, 5, 10의 4가지이다.
⑤ 7 미만의 수가 나오는 경우는 1, 2, 3, 4, 5, 6의 6가지이다.
따라서 경우의 수가 가장 큰 사건은 ⑤이다.　　　　답 ⑤

02

6000원을 지불하는 경우를 표로 나타내면 다음과 같다.

(단위 : 개)

5000원	1	1	0	0	0	0
1000원	1	0	6	5	4	3
500원	0	2	0	2	4	6

따라서 구하는 경우의 수는 6이다.　　　　답 6

03

두 주사위에서 나오는 눈의 수를 순서쌍으로 나타내면
(i) 눈의 수의 합이 3인 경우
　　(1, 2), (2, 1)의 2가지
(ii) 눈의 수의 합이 6인 경우
　　(1, 5), (2, 4), (3, 3), (4, 2), (5, 1)의 5가지
(iii) 눈의 수의 합이 9인 경우
　　(3, 6), (4, 5), (5, 4), (6, 3)의 4가지
(iv) 눈의 수의 합이 12인 경우
　　(6, 6)의 1가지
(i)~(iv)에서 구하는 경우의 수는
$2+5+4+1=12$　　　　답 ⑤

04

10부터 99까지의 두 자리 자연수 중에서
4의 배수는 12, 16, 20, …, 92, 96의 22개이고
5의 배수는 10, 15, 20, 25, …, 90, 95의 18개이다.
이때 4와 5의 공배수, 즉 20의 배수는
20, 40, 60, 80의 4개이다.

따라서 구하는 경우의 수는
$22+18-4=36$　　　　답 36

쌤의 오답 피하기 특강

1부터 99까지의 자연수에서 4의 배수와 5의 배수의 개수를 각각 구한 후 1부터 9까지의 자연수에서 4의 배수와 5의 배수의 개수를 빼서 구해도 된다.
이와 같이 a의 배수 또는 b의 배수를 선택하는 경우에는 a, b의 공배수가 있는지 확인하고, a와 b의 공배수가 있는 경우에는 다음과 같이 구한다.
(a의 배수의 개수) + (b의 배수의 개수) − (a와 b의 공배수의 개수)

05

(i) A 지점에서 B 지점을 거쳐 C 지점까지 가는 경우의 수는
　　$2 \times 3 = 6$
(ii) A 지점에서 C 지점까지 직접 가는 경우의 수는 1
(i), (ii)에서 구하는 경우의 수는 $6+1=7$　　　　답 ④

06

동전 2개에서 서로 다른 면이 나오는 경우는 (앞, 뒤), (뒤, 앞)의 2가지이고, 주사위 1개에서 짝수의 눈이 나오는 경우는 2, 4, 6의 3가지이므로 주사위 2개를 동시에 던질 때 모두 짝수의 눈이 나오는 경우의 수는 $3 \times 3 = 9$
따라서 구하는 경우의 수는 $2 \times 9 = 18$　　　　답 18

07

오른쪽 그림과 같이 A 지점에서 B 지점으로 이동하려면 P 지점을 반드시 지나야 한다.
이때 A 지점에서 P 지점까지 최단 거리로 가는 경우를 나뭇가지 모양의 그림으로 나타내면 다음과 같다.

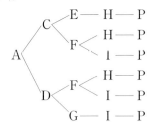

즉, A 지점에서 P 지점까지 최단 거리로 가는 경우의 수는 6이다.
이때 P 지점에서 B 지점까지 최단 거리로 가는 경우의 수는 2이므로 구하는 경우의 수는 $6 \times 2 = 12$　　　　답 ③

쌤의 특강

오른쪽 그림과 같이 A→P, P→B로 이동하는 경우의 수를 나타낼 수도 있다.

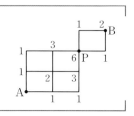

08

8개의 전시관 중에서 3개를 택하여 일렬로 나열하는 경우의 수와 같으므로

$8 \times 7 \times 6 = 336$

답 ⑤

09

초등학생 4명을 나란히 앉히는 경우의 수는

$4 \times 3 \times 2 \times 1 = 24$

이때 중학생 2명을 양 끝에 앉히는 경우의 수는 2이므로 구하는 경우의 수는

$24 \times 2 = 48$

답 48

10

남학생 2명을 1명으로 생각하여 5명을 한 줄로 세우는 경우의 수는

$5 \times 4 \times 3 \times 2 \times 1 = 120$

이때 남학생끼리 자리를 바꾸는 경우의 수가 2이므로 구하는 경우의 수는

$120 \times 2 = 240$

답 ③

11

십의 자리에 올 수 있는 숫자는 3, 4, 5의 3가지, 일의 자리에 올 수 있는 숫자는 십의 자리에 온 숫자를 제외한 4가지이다.

따라서 구하는 30보다 큰 수의 개수는

$3 \times 4 = 12$

답 12

12

5의 배수이려면 일의 자리의 숫자가 0 또는 5이어야 한다.

(i) 일의 자리의 숫자가 0인 경우

백의 자리에 올 수 있는 숫자는 0을 제외한 9가지, 십의 자리에 올 수 있는 숫자는 0과 백의 자리에 온 숫자를 제외한 8가지이므로

$9 \times 8 = 72$

(ii) 일의 자리의 숫자가 5인 경우

백의 자리에 올 수 있는 숫자는 5와 0을 제외한 8가지, 십의 자리에 올 수 있는 숫자는 5와 백의 자리에 온 숫자를 제외한 8가지이므로

$8 \times 8 = 64$

(i), (ii)에서 구하는 5의 배수의 개수는

$72 + 64 = 136$

답 ②

13

여학생과 남학생 중에서 여자 부회장 1명과 남자 부회장 1명을 각각 뽑는 경우의 수는

$4 \times 5 = 20$

부회장을 1명씩 뽑고 남은 7명의 학생 중에서 회장을 1명 뽑는 경우의 수는 7이므로 구하는 경우의 수는

$20 \times 7 = 140$

답 140

> **쌤의 특강**
>
> 다음과 같이 경우의 수를 구할 수도 있다.
> (i) 여학생 중에서 회장이 뽑힐 때
> $4 \times 3 \times 5 = 60$
> (ii) 남학생 중에서 회장이 뽑힐 때
> $5 \times 4 \times 4 = 80$
> (i), (ii)에서 $60 + 80 = 140$

14

대표로 뽑히는 B와 뽑히지 않는 D를 제외한 A, C, E, F 4명의 후보 중에서 대표 2명을 뽑는 경우의 수와 같으므로

$\dfrac{4 \times 3}{2} = 6$

답 6

15

만들 수 있는 삼각형의 개수는 7개의 점 중에서 순서를 생각하지 않고 3개를 선택하는 경우의 수와 같으므로

$\dfrac{7 \times 6 \times 5}{3 \times 2 \times 1} = 35$

답 ②

> **쌤의 오답 피하기 특강**
>
> 삼각형 ABC와 삼각형 ACB, 삼각형 BAC, 삼각형 BCA, 삼각형 CAB, 삼각형 CBA는 모두 같은 삼각형이다.
> 따라서 어느 세 점도 한 직선 위에 있지 않은 $n(n \geq 3)$개의 점 중에서 세 점을 연결하여 만들 수 있는 삼각형의 개수는 n개의 점 중에서 순서에 관계없이 3개의 점을 뽑는 경우의 수와 같으므로 $\dfrac{n \times (n-1) \times (n-2)}{3 \times 2 \times 1}$이다.

16

십의 자리의 숫자가 6, 5인 경우 각각 일의 자리에 올 수 있는 숫자는 5가지이므로 12번째로 큰 수는 5+5+2에서 십의 자리의 숫자가 4인 두 자리 수 중 두 번째로 큰 수이다.

십의 자리의 숫자가 4인 두 자리 자연수는 46, 45, 43, 42, 41이므로 구하는 수는 45이다.

답 45

17

$ax - b = 0$에서 $x = \dfrac{b}{a}$이므로 해가 짝수인 경우는 다음과 같다.

(i) $a = 1$일 때, $b = 2, 4, 6$

(ii) $a = 2$일 때, $b = 4$

(iii) $a = 3$일 때, $b = 6$

(i)~(iii)에서 구하는 경우의 수는

$3 + 1 + 1 = 5$

답 5

18

은찬이가 봉사 활동하는 날짜를 선택하는 경우의 수는

7, 14, 21, 28의 4

민서가 봉사 활동하는 날짜를 선택하는 경우의 수는

6, 12, 18, 24, 30에서 6, 24를 제외하면 3

예빈이가 봉사 활동하는 날짜를 선택하는 경우의 수는

6, 13, 20, 27에서 6을 제외하면 3

따라서 세 사람이 봉사 활동하는 날짜를 선택하는 경우의 수는

$4 \times 3 \times 3 = 36$　　　　　　　　　　　　　　　**目** 36

LEVEL 2 필수 기출 문제
→ 93쪽~98쪽

01 9	**02** 4	**03** 13	**04** ②	**05** 63	**06** 36	**07** 4	**08** 20
09 ④	**10** CBDEA	**11** 7488		**12** 360	**13** 288	**14** ②	
15 336	**16** 7200	**17** 26	**18** 64	**19** 53	**20** 56	**21** 10	**22** 94

01

[**전략**] 나뭇가지 모양의 그림을 이용하여 구하는 경우를 나타낸다.

A, B, C, D 네 명의 학생의 증명사진을 각각 a, b, c, d라 하자.

네 학생 모두 자기 자신의 증명사진이 아닌 것을 뽑는 경우를 나뭇가지 모양의 그림으로 나타내면 다음과 같다.

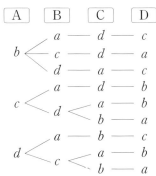

따라서 구하는 경우의 수는 9이다.　　　　　　　　　**目** 9

02

[**전략**] 점 P가 점 B에 오려면 동전을 네 번 던졌을 때, 앞면과 뒷면이 몇 번 나와야 하는지 구한다.

동전을 네 번 던졌을 때, 앞면과 뒷면이 나오는 횟수에 따라 점 P는 다음과 같이 이동한다.

(i) 앞면이 4번 또는 뒷면이 4번 ➡ 점 A

(ii) 앞면이 1번, 뒷면이 3번 ➡ 점 B

(iii) 앞면이 2번, 뒷면이 2번 ➡ 점 C

(iv) 앞면이 3번, 뒷면이 1번 ➡ 점 D

(i)~(iv)에서 동전을 네 번 던졌을 때, 점 P가 점 A를 출발하여 점 B에 오는 경우는 앞면이 1번, 뒷면이 3번 나오는 경우이므로 구하는 경우의 수는 (앞, 뒤, 뒤, 뒤), (뒤, 앞, 뒤, 뒤), (뒤, 뒤, 앞, 뒤), (뒤, 뒤, 뒤, 앞)의 4이다.　　　　　　　　　　　　　　　**目** 4

> **쌤의 특강**
>
> 동전을 네 번 던졌을 때 앞면이 나오는 횟수를 x, 뒷면이 나오는 횟수를 y라 하면 x, y는 $x+y=4$, $x-2y=-1+4k$ (k는 정수)를 동시에 만족시킨다.

03

[**전략**] 1 또는 2만 더하여 6이 되는 경우를 생각한다.

한 걸음에 오르는 계단 수를 순서쌍으로 나타내면 여섯 번째 계단까지 오르는 경우의 수는

$(2, 2, 2)$

$(2, 2, 1, 1), (2, 1, 2, 1), (2, 1, 1, 2), (1, 2, 2, 1), (1, 2, 1, 2),$ $(1, 1, 2, 2)$

$(2, 1, 1, 1, 1), (1, 2, 1, 1, 1), (1, 1, 2, 1, 1), (1, 1, 1, 2, 1),$ $(1, 1, 1, 1, 2)$

$(1, 1, 1, 1, 1, 1)$

의 13이다.　　　　　　　　　　　　　　　　　　　**目** 13

04

[**전략**] 좌표평면 위의 점이 직선 위에 있으려면 점의 x좌표와 y좌표를 각각 직선의 방정식에 대입했을 때 등식이 성립해야 한다.

좌표평면 위의 점 $P(a, b)$가 직선 $x-y=0$ 또는 직선 $y=-x+6$ 위에 있으려면 $x=a$, $y=b$를 직선의 방정식에 대입하였을 때 등식이 성립해야 한다. 즉, $a-b=0$ 또는 $b=-a+6$이다.

$a-b=0$, 즉 $a=b$를 만족시키는 a, b의 순서쌍 (a, b)는

$(1, 1), (2, 2), (3, 3), (4, 4), (5, 5), (6, 6)$의 6가지

$b=-a+6$, 즉 $a+b=6$을 만족시키는 a, b의 순서쌍 (a, b)는

$(1, 5), (2, 4), (3, 3), (4, 2), (5, 1)$의 5가지

이때 $(3, 3)$이 중복되므로 구하는 경우의 수는

$6+5-1=10$　　　　　　　　　　　　　　　　　　**目** ②

> **쌤의 복합 개념 특강**
>
> **직선 위의 점**
>
> 직선 $ax+by+c=0$이 점 (p, q)를 지난다.
>
> ➡ $x=p$, $y=q$를 $ax+by+c=0$에 대입하면 등식이 성립한다.
>
> ➡ $ap+bq+c=0$

05

[**전략**] 모든 경우를 일일이 나열할 수 없으므로 각 사건이 일어나는 경우의 수의 곱을 생각한다.

3개의 주사위 중에서 다른 눈의 수가 나오는 한 주사위를 선택하는 경우의 수가 3이고, 이 한 주사위와 나머지 두 주사위의 숫자를 선택하는 경우의 수는 $6 \times 5 = 30$이므로

$a = 3 \times 30 = 90$

서로 다른 주사위 2개를 동시에 던졌을 때 나오는 눈의 수를 각각 p, q라 하면 p, q의 곱이 짝수가 되는 경우의 수는 다음과 같다.

(i) p가 짝수, q가 홀수일 때

　　$3 \times 3 = 9$

(ii) p가 홀수, q가 짝수일 때

　　$3 \times 3 = 9$

(iii) p, q가 모두 짝수일 때

　　$3 \times 3 = 9$

(i)~(iii)에서 $b = 9 + 9 + 9 = 27$

$\therefore a - b = 90 - 27 = 63$

답 63

06

[전략] 한 번 지나간 길은 다시 지나갈 수 없음에 주의한다.

A 지점에서 P 지점까지 가는 경우의 수는 3이고, P 지점에서 B 지점까지 가는 경우의 수는 3이다.

따라서 A 지점에서 P 지점을 거쳐 B 지점까지 가는 경우의 수는

$3 \times 3 = 9$

다시 A 지점으로 돌아올 때에는 한 번 지나간 길은 다시 지나갈 수 없으므로

$(3 - 1) \times (3 - 1) = 4$

따라서 구하는 경우의 수는

$9 \times 4 = 36$

답 36

07

[전략] 새로 만들어야 하는 도로의 개수를 x라 하고 A 지점에서 출발하여 D 지점까지 가는 경우의 수를 구한다.

새로 만들어야 하는 도로의 개수를 x라 하자.

(i) A－B－D의 순서로 가는 경우의 수 : $3 \times 3 = 9$

(ii) A－C－D의 순서로 가는 경우의 수 : $3 \times 2 = 6$

(iii) A－B－C－D의 순서로 가는 경우의 수 : $3 \times x \times 2 = 6x$

(iv) A－C－B－D의 순서로 가는 경우의 수 : $3 \times x \times 3 = 9x$

(i)~(iv)에서 구하는 경우의 수는 $15x + 15$

즉, $15x + 15 = 75$이므로 $15x = 60$　　$\therefore x = 4$

따라서 B 지점과 C 지점 사이에 4개의 도로를 새로 만들어야 한다.

답 4

08

[전략] 변 p의 양 끝 지점을 각각 P, Q라 하고 A 지점에서 P 지점까지, Q 지점에서 B 지점까지 최단 거리로 가는 경우의 수를 각각 구한다.

다음 그림과 같이 변 p의 양 끝 지점을 각각 P, Q라 하자.

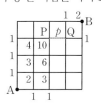

A 지점을 출발하여 각 지점까지 가는 경우의 수와 Q 지점에서 출발하여 각 지점까지 가는 경우의 수는 위의 그림과 같으므로 A 지점에서 P 지점까지 최단 거리로 가는 경우의 수는 10이고, Q 지점에서 B 지점까지 최단 거리로 가는 경우의 수는 2이다.

따라서 구하는 경우의 수는 $10 \times 2 = 20$

답 20

09

[전략] C가 4번째 오도록 세우는 모든 경우의 수에서 A, B가 이웃하는 경우의 수를 뺀다.

C를 4번째 자리에 세우고, 나머지 4명을 한 줄로 세우는 경우의 수는

$4 \times 3 \times 2 \times 1 = 24$

A, B를 1, 2번째 자리에 이웃하게 세우고, 4번째 자리를 제외한 나머지 자리에 D, E를 세우는 경우의 수는

$2 \times 2 = 4$

마찬가지 방법으로 A, B를 2, 3번째 자리에 세우는 경우의 수는

$2 \times 2 = 4$

따라서 구하는 경우의 수는

$24 - 4 - 4 = 16$

답 ④

10

[전략] A를 맨 앞에 두었을 때 5개의 알파벳을 배열하는 경우의 수를 구한다.

(i) A□□□□인 경우 : A를 제외한 4개의 알파벳을 일렬로 배열하는 경우의 수와 같으므로 $4 \times 3 \times 2 \times 1 = 24$

(ii) B□□□□인 경우 : B를 제외한 4개의 알파벳을 일렬로 배열하는 경우의 수와 같으므로 $4 \times 3 \times 2 \times 1 = 24$

(ⅲ) CA□□□인 경우 : A, C를 제외한 3개의 알파벳을 일렬로 배열하는 경우의 수와 같으므로 $3×2×1=6$

(ⅳ) CB□□□인 경우 : CBADE, CBAED, CBDAE, CBDEA, CBEAD, CBEDA의 6가지

(ⅰ)~(ⅳ)에서 $24+24+6=54$이므로 58번째에 나오는 문자는 CBDEA이다.　　　　　　　　　　　　　　　　　**目** CBDEA

11

[전략] 자리가 정해진 알파벳을 먼저 배열한 후 경우의 수를 구한다.

q, u, e, s, t, i, o, n 중에서 모음은 u, e, i, o의 4가지이고 자음은 q, s, t, n의 4가지이다.

이때 양 끝에 모음을 배열하는 경우의 수는 $4×3=12$이고

양 끝에 온 모음을 제외한 6개의 알파벳을 배열하는 경우의 수는

$6×5×4×3×2×1=720$

$∴ a=12×720=8640$

모음과 자음을 번갈아 배열하는 경우는

(모, 자, 모, 자, 모, 자, 모, 자) 또는

(자, 모, 자, 모, 자, 모, 자, 모)

의 2가지 경우가 있다. 즉, 모음과 자음 중에서 먼저 배열하는 것을 정한 후 모음을 배열하고, 자음을 배열하는 경우의 수와 같으므로

$b=2×(4×3×2×1)×(4×3×2×1)=1152$

$∴ a-b=8640-1152=7488$　　　　　　　　　　　　　　**目** 7488

12

[전략] 각 영역에 칠할 수 있는 색의 개수를 구한다.

A에 칠할 수 있는 색은 5가지, B에 칠할 수 있는 색은 A에 칠한 색을 제외한 4가지, C에 칠할 수 있는 색은 A, B에 칠한 색을 제외한 3가지, D에 칠할 수 있는 색은 A, C에 칠한 색을 제외한 3가지, E에 칠할 수 있는 색은 A, C, D에 칠한 색을 제외한 2가지이다.

따라서 구하는 경우의 수는

$5×4×3×3×2=360$　　　　　　　　　　　　　　　　　**目** 360

쌤의 특강

색칠하는 경우의 수

① 모두 다른 색을 칠하는 경우 : 한 번 칠한 색을 다시 사용할 수 없음을 이용한다.

② 같은 색을 여러 번 칠해도 좋으나 이웃하는 영역은 서로 다른 색으로 칠하는 경우 : 이웃하지 않는 영역은 칠한 색을 다시 사용할 수 있음을 이용한다.

13

[전략] 강을 경계로 각 구역에 칠할 수 있는 색의 개수를 각각 구한다.

강을 경계로 위쪽의 4개의 구역과 아래쪽의 5개의 구역으로 나누어 색칠하는 경우의 수를 각각 구한다.

(ⅰ) C에 칠할 수 있는 색은 3가지, A에 칠할 수 있는 색은 C에 칠한 색을 제외한 2가지, B에 칠할 수 있는 색은 C에 칠한 색을 제외한 2가지, D에 칠할 수 있는 색은 B와 C에 칠한 색을 제외한 1가지이다.

따라서 위쪽의 4개의 구역을 칠하는 경우의 수는

$3×2×2×1=12$

(ⅱ) F에 칠할 수 있는 색은 3가지, E에 칠할 수 있는 색은 F에 칠한 색을 제외한 2가지, G에 칠할 수 있는 색은 F에 칠한 색을 제외한 2가지, H에 칠할 수 있는 색은 F와 G에 칠한 색을 제외한 1가지, I에 칠할 수 있는 색은 H에 칠한 색을 제외한 2가지이다.

따라서 아래쪽의 5개의 구역을 칠하는 경우의 수는

$3×2×2×1×2=24$

(ⅰ), (ⅱ)에서 구하는 경우의 수는

$12×24=288$　　　　　　　　　　　　　　　　　　　　**目** 288

14

[전략] 세 자리 짝수이므로 일의 자리의 숫자가 짝수이어야 함에 주의하여 백의 자리의 숫자가 작은 수부터 생각해 본다.

(ⅰ) 백의 자리의 숫자가 1인 경우

일의 자리에 올 수 있는 숫자는 2, 4, 6, 8의 4가지이고, 십의 자리에 올 수 있는 숫자는 백의 자리와 일의 자리에 온 숫자를 제외한 7가지이므로

$4×7=28$

(ⅱ) 백의 자리의 숫자가 2인 경우

일의 자리에 올 수 있는 숫자는 4, 6, 8의 3가지이고, 십의 자리에 올 수 있는 숫자는 백의 자리와 일의 자리에 온 숫자를 제외한 7가지이므로

$3×7=21$

(ⅲ) 백의 자리의 숫자가 3인 경우는 백의 자리의 숫자가 1인 경우와 같으므로

$4×7=28$

(ⅳ) 백의 자리이 숫자가 4인 세 자리 짝수를 작은 수부터 나열하면

412, 416, 418, …

(ⅰ)~(ⅳ)에서 416은 $28+21+28+2=79$(번째)이다.　　　　**目** ②

15

[전략] 숫자가 같은 두 자리를 정해 놓고 각각의 경우의 수를 생각한다.

(ⅰ) 중복되는 숫자가 9인 경우

숫자 9가 올 수 있는 자리는 천의 자리, 백의 자리, 십의 자리의 3가지이고, 9를 제외한 8개의 숫자를 나머지 두 자리에 순서대로 배열하는 경우의 수는 $8×7=56$이므로 구하는 네 자리 자연수의 개수는

$3×56=168$

(ii) 중복되는 숫자가 9가 아닌 경우

중복되는 숫자를 a, a와 9가 아닌 숫자를 b라 하면 네 자리 자연수는 $aab9$, $aba9$, $baa9$의 3가지 꼴이다. a, b의 값이 될 수 있는 자연수의 개수는 각각 8, 7이므로 구하는 네 자리 자연수의 개수는

$3 \times (8 \times 7) = 168$

(i), (ii)에서 구하는 네 자리 자연수의 개수는

$168 + 168 = 336$ 🔲 336

쌤의 특강

(ii)의 경우에는 1부터 8까지의 자연수 중에서 숫자 2개가 중복되도록 세 자리 자연수를 만드는 경우의 수를 생각하여 다음과 같이 구할 수도 있다.

중복되는 숫자를 고르는 경우의 수는 8

나머지 한 숫자를 고르는 경우의 수는 7

세 숫자를 나열하는 경우의 수는 3

$\therefore 8 \times 7 \times 3 = 168$

16

[전략] 동아리 임원 중 여학생이 3명 포함되는 경우는 두 학기 중에서 한 학기에는 여학생 중에서 회장이 뽑혀야 한다.

남학생 5명 중에서 두 학기 남자 부회장을 뽑는 경우의 수는

$5 \times 4 = 20$

여학생 5명 중에서 두 학기 여자 부회장을 뽑는 경우의 수는

$5 \times 4 = 20$

6명의 동아리 임원 중 여학생이 3명 포함되려면 두 학기 중 한 학기에는 여학생이 회장으로, 한 학기는 남학생이 회장으로 뽑혀야 하므로 나머지 남학생 3명과 여학생 3명 중에서 두 학기 회장을 뽑는 경우의 수는

$3 \times 3 \times 2 = 18$

따라서 구하는 경우의 수는

$20 \times 20 \times 18 = 7200$ 🔲 7200

17

[전략] 2문제, 3문제, 4문제, 5문제를 맞히는 경우의 수를 각각 구한다.

(i) 2문제를 맞히는 경우의 수는 5문제 중 2문제를 순서에 상관없이 택하는 경우의 수와 같으므로 $\dfrac{5 \times 4}{2} = 10$

(ii) 마찬가지 방법으로 3문제를 맞히는 경우의 수는 $\dfrac{5 \times 4 \times 3}{3 \times 2 \times 1} = 10$

(iii) 4문제를 맞히는 경우의 수는 1문제를 틀리는 경우의 수와 같으므로 5

(iv) 5문제를 맞히는 경우의 수는 1

(i)~(iv)에서 구하는 경우의 수는

$10 + 10 + 5 + 1 = 26$ 🔲 26

다른 풀이

모든 경우의 수는 5문제에 ○, ×중 하나를 표시하는 경우의 수와 같으므로 $2 \times 2 \times 2 \times 2 \times 2 = 32$

이때 5문제를 모두 틀리는 경우의 수는 1이고 1문제만 맞히는 경우의 수는 5

따라서 적어도 두 문제 이상 맞히는 경우의 수는 $32 - (1 + 5) = 26$

18

[전략] 각 조의 리그전의 경기 수는 8개의 팀 중 순서를 생각하지 않고 2팀을 뽑는 경우의 수와 같음을 이용한다.

각 조에 속한 8개 팀이 리그전을 할 때, 각 조의 경기 수는

$\dfrac{8 \times 7}{2} = 28$이므로 리그전의 경기 수는 $28 \times 2 = 56$

8개 팀의 토너먼트 경기 수는 $4 + 2 + 1 = 7$

동메달 결정전의 경기 수는 1

따라서 구하는 경우의 수는 $56 + 7 + 1 = 64$ 🔲 64

19

[전략] 홀수가 2개, 3개, 4개 들어 있는 비밀번호의 개수를 각각 구한다.

8개의 숫자 중에서 순서를 생각하지 않고 4개를 뽑는 경우의 수는

$\dfrac{8 \times 7 \times 6 \times 5}{4 \times 3 \times 2 \times 1} = 70$이다.

이때 홀수가 1개만 들어 있거나 하나도 들어 있지 않은 비밀번호의 개수는 다음과 같다.

(i) 홀수가 1개만 들어 있는 비밀번호의 개수는 4개의 홀수와 4개의 짝수 중에서 순서를 생각하지 않고 홀수를 1개, 짝수를 3개 택하는 경우의 수와 같으므로

$4 \times \dfrac{4 \times 3 \times 2}{3 \times 2 \times 1} = 16$

(ii) 홀수가 하나도 들어 있지 않다는 것은 짝수가 4개 들어 있는 것이므로 비밀번호의 개수는 1

(i), (ii)에서 홀수가 1개이거나 없는 비밀번호의 개수는 $16 + 1 = 17$

따라서 구하는 비밀번호의 개수는

$70 - 17 = 53$ 🔲 53

다른 풀이

1부터 8까지의 자연수 중에서 홀수와 짝수는 각각 4개씩 있다.

(i) 홀수가 2개 들어 있는 비밀번호의 개수는 4개의 홀수와 4개의 짝수 중에서 순서를 생각하지 않고 2개씩을 택하는 경우의 수와 같으므로 $\dfrac{4 \times 3}{2} \times \dfrac{4 \times 3}{2} = 36$

(ii) 홀수가 3개 들어 있는 비밀번호의 개수는 4개의 홀수와 4개의 짝수 중에서 순서를 생각하지 않고 홀수를 3개, 짝수를 1개 택하는 경우의 수와 같으므로 $\dfrac{4 \times 3 \times 2}{3 \times 2 \times 1} \times 4 = 16$

(iii) 홀수가 4개 들어 있는 비밀번호의 개수는 1

(i)~(iii)에서 구하는 비밀번호의 개수는

$36+16+1=53$

20

[전략] 일직선 위의 세 점 중 두 점을 연결하여 만들어지는 직선은 1개뿐이다.

2개의 점을 연결하여 만들 수 있는 선분의 개수는 서로 다른 9개의 점 중에서 순서를 생각하지 않고 2개의 점을 택하는 경우의 수와 같으므로

$a=\dfrac{9\times8}{2}=36$

한편, 일직선 위의 세 점 중 두 점을 택하는 경우의 수는 3이지만 그 두 점을 연결하여 만들 수 있는 직선의 개수는 1이다.

이때 세 점이 일직선 위에 있는 경우는 가로, 세로, 대각선으로 총 8 가지이므로 9개의 점에서 두 점을 연결하여 만들 수 있는 직선의 개수는 9개의 점 중에서 순서를 생각하지 않고 2개의 점을 택하는 경우의 수에서 중복되는 직선의 개수를 뺀 것이다.

$\therefore b=a-2\times8=36-16=20$

$\therefore a+b=36+20=56$ 답 56

쌤의 만점 특강

오른쪽 그림과 같이 9개의 점을 각각 A, B, C, D, E, F, G, H, I라 하면 세 점 A, B, C에서 두 점을 연결하여 만들는 직선 AB, BC, CA는 모두 같은 직선이다.

9개의 점에서 세 점이 일직선 위에 있는 경우는

A, B, C 또는 D, E, F 또는 G, H, I 또는 A, D, G 또는 B, E, H 또는 C, F, I 또는 A, E, I 또는 C, E, G

의 8가지이므로 각 경우에서 2개씩 중복하여 센 직선의 개수, 즉 $2\times8=16$을 빼는 것에 주의한다.

21

[전략] 삼각형의 개수는 7개의 점 중에서 순서를 생각하지 않고 세 점을 택하는 경우의 수에서 삼각형이 만들어지지 않는 경우의 수를 빼서 구해야 한다.

두 점을 연결하여 만들 수 있는 선분의 개수는 7개의 점 중에서 순서를 생각하지 않고 2개를 택하는 경우의 수와 같으므로

$a=\dfrac{7\times6}{2}=21$

7개의 점 중에서 순서를 생각하지 않고 3개를 택하는 경우의 수는

$\dfrac{7\times6\times5}{3\times2\times1}=35$

반원의 지름 위에 있는 4개의 점 중에서 순서를 생각하지 않고 3개를 택하는 경우의 수는 $\dfrac{4\times3\times2}{3\times2\times1}=4$이고 이때는 삼각형이 만들어지지 않으므로

$b=35-4=31$

$\therefore b-a=31-21=10$ 답 10

22

[전략] 만들 수 있는 직사각형의 개수는 세로선과 가로선에서 각각 2개를 택하는 경우의 수와 같다.

만들 수 있는 직사각형의 개수는 세로선 7개 중 2개, 가로선 4개 중 2개를 순서를 생각하지 않고 택하는 경우의 수와 같으므로

$a=\dfrac{7\times6}{2}\times\dfrac{4\times3}{2}=126$

만들 수 있는 정사각형은 다음과 같이 3가지가 있다.

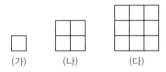

(가)와 같이 만들 수 있는 정사각형의 개수는 18

(나)와 같이 만들 수 있는 정사각형의 개수는 $2\times5=10$

(다)와 같이 만들 수 있는 정사각형의 개수는 $1\times4=4$

$\therefore b=18+10+4=32$

$\therefore a-b=126-32=94$ 답 94

LEVEL **3** 최고난도 문제 → 99쪽

01 42	**02** 72	**03** 240	**04** 16

01 solution 미리 보기

step ❶	세 수의 곱이 30의 배수가 되기 위한 조건 알기
step ❷	3개의 눈의 수가 각각 인수로 2, 3, 5를 가지는 경우의 수 구하기
step ❸	2개의 눈의 수가 각각 인수로 5, 6을 가지는 경우의 수 구하기
step ❹	나오는 눈의 수의 곱이 30의 배수인 경우의 수 구하기

$30=2\times3\times5$이므로 세 수의 곱이 30의 배수가 되기 위해서는 세 눈의 수가 각각 인수로 2, 3, 5를 가지거나 세 눈의 수 중에 두 수가 각각 인수로 5, 6을 가지면 된다. ....❶

(i) 3개의 눈의 수가 각각 인수로 2, 3, 5를 가지는 경우

서로 다른 3개의 주사위와 2, 3, 5를 인수로 갖는 눈의 수를 짝 짓는 경우의 수는

$3\times2\times1=6$

한 개의 주사위에서 나오는 눈의 수 중에서 인수로 2를 가지는 경우는 2, 4, 6의 3가지, 인수로 3을 가지는 경우는 3, 6의 2가지, 인수로 5를 가지는 경우는 1가지이다.

이때 6은 2와 3을 동시에 인수로 가지므로 (6, 6, 5), (6, 5, 6), (5, 6, 6)의 3가지가 중복된다.

따라서 구하는 경우의 수는

$6\times3\times2\times1-3=36-3=33$ ....❷

(ii) 2개의 눈의 수가 각각 인수로 5, 6을 가지는 경우

　두 눈의 수가 각각 5, 6이라 할 때, (i)의 경우와 중복되지 않기 위해 나머지 한 눈의 수는 인수로 2와 3을 갖지 않아야 한다. 즉, 나머지 한 눈의 수는 1 또는 5가 되어야 하므로 세 눈의 수가 각각 1, 5, 6 또는 5, 5, 6인 경우의 수를 구하면 된다.

　1, 5, 6인 경우의 수는 $3 \times 2 \times 1 = 6$

　5, 5, 6인 경우의 수는 $(5, 5, 6)$, $(5, 6, 5)$, $(6, 5, 5)$의 3

　$\therefore 6 + 3 = 9$ ············· ❸

(i), (ii)에서 구하는 경우의 수는

$33 + 9 = 42$ ············· ❹

답 42

쌤의 만점 특강

세 주사위의 눈의 수의 곱이 30의 배수가 되기 위해서는 중복을 제외하고, 순서를 고려하지 않을 경우 다음과 같이 8가지가 있다.

세 수 중 두 수가 5, 6인 경우

➡ $(1, 5, 6)$, $(2, 5, 6)$, $(3, 5, 6)$, $(4, 5, 6)$, $(5, 5, 6)$, $(5, 6, 6)$

세 수가 각각 2, 3, 5라는 인수를 중복되지 않게 나누어 갖는 경우

➡ $(2, 3, 5)$, $(3, 4, 5)$

(i) 중복되는 수가 있는 $(5, 5 \, 6)$, $(5, 6, 6)$의 경우 : 순서를 고려하여 경우의 수를 구하면 각각 3이므로 구하는 경우의 수는 $2 \times 3 = 6$

(ii) 세 수가 모두 다른 $(1, 5, 6)$, $(2, 5, 6)$, $(3, 5, 6)$, $(4, 5, 6)$, $(2, 3, 5)$, $(3, 4, 5)$의 경우 : 순서를 고려하여 경우의 수를 구하면 각각 $3 \times 2 \times 1 = 6$ 이므로 구하는 경우의 수는 $6 \times 6 = 36$

(i), (ii)에서 구하는 경우의 수는 $6 + 36 = 42$

---

02 **solution** （미리 보기）

step ❶	백의 자리의 숫자를 a, 십의 자리의 숫자를 b, 일의 자리의 숫자를 c라 하고 a, b, c 모두 $3k$ (k는 자연수) 꼴인 경우의 수 구하기
step ❷	a, b, c 모두 $3k-1$ (k는 자연수) 꼴인 경우의 수 구하기
step ❸	a, b, c 모두 $3k-2$ (k는 자연수) 꼴인 경우의 수 구하기
step ❹	a, b, c가 $3p$, $3q-1$, $3r-2$ (p, q, r는 자연수) 꼴인 경우의 수 구하고, 답 구하기

백의 자리의 숫자를 a, 십의 자리의 숫자를 b, 일의 자리의 숫자를 c라 하면 $a + b + c$의 값이 3의 배수인 경우는 다음과 같이 나누어 생각할 수 있다.

(i) a, b, c 모두 $3k$ (k는 자연수) 꼴인 경우

　가능한 a, b, c는 각각 3, 6의 2가지이므로 구하는 경우의 수는

　$2 \times 2 \times 2 = 8$ ············· ❶

(ii) a, b, c 모두 $3k-1$ (k는 자연수) 꼴인 경우

　가능한 a, b, c는 각각 2, 5의 2가지이므로 구하는 경우의 수는

　$2 \times 2 \times 2 = 8$ ············· ❷

(iii) a, b, c 모두 $3k-2$ (k는 자연수) 꼴인 경우

　가능한 a, b, c는 각각 1, 4의 2가지이므로 구하는 경우의 수는

　$2 \times 2 \times 2 = 8$ ············· ❸

(iv) a, b, c가 $3p$, $3q-1$, $3r-2$ (p, q, r는 자연수) 꼴인 경우

　$3p$ 꼴인 수는 3, 6의 2가지이고 $3p-1$ 꼴인 수는 2, 5의 2가지이고 $3r-2$ 꼴인 수는 1, 4의 2가지

　이때 a, b, c와 $3p$, $3q-1$, $3r-2$를 짝 짓는 경우의 수는

　$3 \times 2 \times 1 = 6$이므로 구하는 경우의 수는 $2 \times 2 \times 2 \times 6 = 48$

(i)～(iv)에서 구하는 경우의 수는

$8 + 8 + 8 + 48 = 72$ ············· ❹

답 72

다른 풀이

세 수의 합이 3의 배수인 3, 6, 9, 12, 15, 18이 되는 1부터 6까지의 세 자연수는 다음과 같다.

3이 되는 경우 : $1 + 1 + 1$

6이 되는 경우 : $1 + 1 + 4$, $1 + 2 + 3$, $2 + 2 + 2$

9가 되는 경우 : $1 + 2 + 6$, $1 + 3 + 5$, $1 + 4 + 4$, $2 + 2 + 5$, $2 + 3 + 4$, $3 + 3 + 3$

12가 되는 경우 : $1 + 5 + 6$, $2 + 4 + 6$, $2 + 5 + 5$, $3 + 3 + 6$, $3 + 4 + 5$, $4 + 4 + 4$

15가 되는 경우 : $3 + 6 + 6$, $4 + 5 + 6$, $5 + 5 + 5$

18이 되는 경우 : $6 + 6 + 6$

이때 합이 3의 배수인 세 자연수를 같은 수의 개수에 따라 나누면 다음과 같다.

(i) 세 수가 모두 같은 경우의 수는 6이다.

(ii) 세 수 중 두 수가 같은 경우의 수는 6이고 세 수의 배열 순서를 바꿀 수 있으므로 구하는 경우의 수는

　$6 \times 3 = 18$

(iii) 세 수가 모두 다른 경우의 수는 8이고 세 수의 배열 순서를 바꿀 수 있으므로 구하는 경우의 수는

　$8 \times (3 \times 2 \times 1) = 48$

(i)～(iii)에서 구하는 경우의 수는

$6 + 18 + 48 = 72$

쌤의 만점 특강

배수판별법

① 2의 배수 : 일의 자리의 숫자가 0 또는 2의 배수

② 3의 배수 : 각 자리의 숫자의 합이 3의 배수

③ 4의 배수 : 끝의 두 자리의 수가 00 또는 4의 배수

④ 5의 배수 : 일의 자리의 숫자가 0 또는 5

⑤ 9의 배수 : 각 자리의 숫자의 합이 9의 배수

---

03 **solution** （미리 보기）

step ❶	A와 C에 같은 색을 칠하는 경우의 수 구하기
step ❷	A와 D에 같은 색을 칠하는 경우의 수 구하기
step ❸	A, C, D에 모두 다른 색을 칠하는 경우의 수 구하기
step ❹	칠할 수 있는 모든 경우의 수 구하기

(i) A와 C에 같은 색을 칠하는 경우

　A와 C에 칠할 수 있는 색은 4가지이고,

　B에 칠할 수 있는 색은 A(C)에 칠한 색을 제외한 3가지,

　D에 칠할 수 있는 색은 A(C)에 칠한 색을 제외한 3가지,

　E에 칠할 수 있는 색은 A(C), D에 칠한 색을 제외한 2가지

　이므로 구하는 경우의 수는

　$4 \times 3 \times 3 \times 2 = 72$ ·················· ❶

(ii) A와 D에 같은 색을 칠하는 경우

　A와 D에 칠할 수 있는 색은 4가지이고,

　B에 칠할 수 있는 색은 A(D)에 칠한 색을 제외한 3가지,

　C에 칠할 수 있는 색은 B, D에 칠한 색을 제외한 2가지,

　E에 칠할 수 있는 색은 A(D)에 칠한 색을 제외한 3가지

　이므로 구하는 경우의 수는

　$4 \times 3 \times 2 \times 3 = 72$ ·················· ❷

(iii) A, C, D에 모두 다른 색을 칠하는 경우

　A, C, D에 칠할 수 있는 색은 각각 4가지, 3가지, 2가지이고,

　B에 칠할 수 있는 색은 A, C에 칠한 색을 제외한 2가지,

　E에 칠할 수 있는 색은 A, D에 칠한 색을 제외한 2가지

　이므로 구하는 경우의 수는

　$4 \times 3 \times 2 \times 2 \times 2 = 96$ ·················· ❸

(i)~(iii)에서 구하는 경우의 수는

$72 + 72 + 96 = 240$ ·················· ❹

답 240

04 solution 미리 보기

step ❶	세 점을 연결하여 만들 수 있는 삼각형의 개수 구하기
step ❷	이웃하는 두 점을 연결하여 만들 수 있는 삼각형의 개수 구하기
step ❸	어느 두 점도 이웃하지 않은 세 점을 연결하여 만들 수 있는 삼각형의 개수 구하기

세 점을 연결하여 만들 수 있는 삼각형의 개수는 8개의 점 중에서 순서를 생각하지 않고 3개를 택하는 경우의 수와 같으므로

$\dfrac{8 \times 7 \times 6}{3 \times 2 \times 1} = 56$ ·················· ❶

이웃하는 두 점 A와 B를 이은 선분을 한 변으로 하는 삼각형은 6개가 있고, 이웃하는 두 점을 연결하여 선분을 만들 수 있는 경우의 수는 8이므로 이웃하는 두 점을 연결한 선분을 한 변으로 하는 삼각형의 개수는

$6 \times 8 = 48$

이때 각 점에서 이웃하는 양 옆의 점을 연결하여 만들 수 있는 삼각형 8개가 중복되므로 그 개수를 빼면

$48 - 8 = 40$ ·················· ❷

따라서 어느 두 점도 이웃하지 않은 세 점을 연결하여 만들 수 있는 삼각형의 개수는

$56 - 40 = 16$ ·················· ❸

답 16

09. 확률

LEVEL 1 시험에 꼭 내는 문제 → 102쪽~104쪽

01 ②	02 $\dfrac{2}{5}$	03 ⑤	04 ④	05 ④	06 $\dfrac{11}{60}$	07 ③	08 $\dfrac{1}{2}$
09 $\dfrac{3}{8}$	10 ②	11 $\dfrac{7}{12}$	12 $\dfrac{7}{40}$	13 $\dfrac{12}{35}$	14 $\dfrac{1}{3}$	15 $\dfrac{144}{625}$
16 $\dfrac{5}{6}$	17 $\dfrac{1}{4}$	18 $\dfrac{1}{4}$				

01

모든 경우의 수는 $6 \times 6 = 36$

$2a + b < 8$을 만족시키는 a, b의 순서쌍 (a, b)는 $(1, 1)$, $(1, 2)$, $(1, 3)$, $(1, 4)$, $(1, 5)$, $(2, 1)$, $(2, 2)$, $(2, 3)$, $(3, 1)$의 9가지이다.

따라서 구하는 확률은 $\dfrac{9}{36} = \dfrac{1}{4}$ **답** ②

02

다섯 개의 알파벳 a, b, c, d, e를 한 줄로 배열하는 경우의 수는

$5 \times 4 \times 3 \times 2 \times 1 = 120$

모음인 a와 e를 1개로 생각하여 4개를 한 줄로 배열하는 경우의 수는 $4 \times 3 \times 2 \times 1 = 24$

이때 a와 e의 자리를 바꾸는 경우의 수는 2이므로

$24 \times 2 = 48$

따라서 구하는 확률은 $\dfrac{48}{120} = \dfrac{2}{5}$ **답** $\dfrac{2}{5}$

03

④ $p + q = 1$에서 $p = 1 - q$

⑤ $q = 0$이면 $p = 1$이므로 사건 A는 반드시 일어난다.

따라서 옳지 않은 것은 ⑤이다. **답** ⑤

04

모든 경우의 수는 9이다.

① 소수가 나오는 경우의 수는

　2, 3, 5, 7의 4이므로 그 확률은 $\dfrac{4}{9}$이다.

③ 3의 배수가 나오는 경우의 수는

　3, 6, 9의 3이므로 그 확률은 $\dfrac{3}{9} = \dfrac{1}{3}$이다.

④ 6의 약수가 나오는 경우의 수는

　1, 2, 3, 6의 4이므로 그 확률은 $\dfrac{4}{9}$이다.

따라서 옳지 않은 것은 ④이다. **답** ④

05

6명을 한 줄로 세우는 경우의 수는

$6 \times 5 \times 4 \times 3 \times 2 \times 1 = 720$

양 끝에 선 사람이 모두 남학생인 경우의 수는

양 끝에 남학생 2명을 세우고 가운데에 나머지 4명을 세우는 경우

의 수와 같으므로

$4 \times 3 \times (4 \times 3 \times 2 \times 1) = 288$

이므로 그 확률은 $\dfrac{288}{720} = \dfrac{2}{5}$

따라서 구하는 확률은 $1 - \dfrac{2}{5} = \dfrac{3}{5}$ 답 ④

06

2루타를 칠 확률이 $\dfrac{14}{120} = \dfrac{7}{60}$

홈런을 칠 확률이 $\dfrac{8}{120} = \dfrac{1}{15}$

따라서 구하는 확률은

$\dfrac{7}{60} + \dfrac{1}{15} = \dfrac{7}{60} + \dfrac{4}{60} = \dfrac{11}{60}$ 답 $\dfrac{11}{60}$

07

모든 경우의 수는 $6 \times 6 = 36$

(i) $x + y = 4$인 경우의 수는

  $(1, 3), (2, 2), (3, 1)$의 3이므로

  그 확률은 $\dfrac{3}{36} = \dfrac{1}{12}$

(ii) $x + 2y = 11$인 경우의 수는

  $(1, 5), (3, 4), (5, 3)$의 3이므로

  그 확률은 $\dfrac{3}{36} = \dfrac{1}{12}$

(i), (ii)에서 구하는 확률은

$\dfrac{1}{12} + \dfrac{1}{12} = \dfrac{2}{12} = \dfrac{1}{6}$ 답 ③

08

모든 경우의 수는 $5 \times 4 = 20$

(i) 두 자리 자연수가 4의 배수인 경우의 수는

  12, 24, 32, 52의 4이므로 그 확률은 $\dfrac{4}{20} = \dfrac{1}{5}$

(ii) 두 자리 자연수가 소수인 경우의 수는

  13, 23, 31, 41, 43, 53의 6이므로 그 확률은 $\dfrac{6}{20} = \dfrac{3}{10}$

(i), (ii)에서 구하는 확률은

$\dfrac{1}{5} + \dfrac{3}{10} = \dfrac{2}{10} + \dfrac{3}{10} = \dfrac{5}{10} = \dfrac{1}{2}$ 답 $\dfrac{1}{2}$

09

정우가 자유투를 성공할 확률은 $\dfrac{3}{5}$

지훈이가 자유투를 성공할 확률은 $\dfrac{5}{8}$

따라서 두 사람 모두 성공할 확률은

$\dfrac{3}{5} \times \dfrac{5}{8} = \dfrac{3}{8}$ 답 $\dfrac{3}{8}$

10

동전을 한 개 던질 때 앞면이 나올 확률은 $\dfrac{1}{2}$, 뒷면이 나올 확률은 $\dfrac{1}{2}$이다.

(i) 동전 세 개가 모두 앞면이 나올 확률

$\dfrac{1}{2} \times \dfrac{1}{2} \times \dfrac{1}{2} = \dfrac{1}{8}$

(ii) 동전 세 개가 모두 뒷면이 나올 확률

$\dfrac{1}{2} \times \dfrac{1}{2} \times \dfrac{1}{2} = \dfrac{1}{8}$

(i), (ii)에서 구하는 확률은

$\dfrac{1}{8} + \dfrac{1}{8} = \dfrac{2}{8} = \dfrac{1}{4}$ 답 ②

11

각 스위치가 닫히면 그 옆에 있는 전구에 불이 들어오므로

(i) 스위치 A만 닫힐 확률

$\dfrac{1}{3} \times \left(1 - \dfrac{3}{4}\right) = \dfrac{1}{3} \times \dfrac{1}{4} = \dfrac{1}{12}$

(ii) 스위치 B만 닫힐 확률

$\left(1 - \dfrac{1}{3}\right) \times \dfrac{3}{4} = \dfrac{2}{3} \times \dfrac{3}{4} = \dfrac{1}{2}$

(i), (ii)에서 구하는 확률은

$\dfrac{1}{12} + \dfrac{1}{2} = \dfrac{1}{12} + \dfrac{6}{12} = \dfrac{7}{12}$ 답 $\dfrac{7}{12}$

쌤의 오답 피하기 특강

스위치 A가 닫히면 그 옆에 있는 전구에 불이 들어오고, 스위치 B가 닫히면 그 옆에 있는 전구에 불이 들어온다. 따라서 한 전구에만 불이 들어오려면 두 스위치 중 한 스위치만 닫혀 있고 다른 스위치는 열려 있어야 한다.

12

첫 번째에 검정 바둑돌을 꺼낼 확률은 $\dfrac{7}{10}$

두 번째에 흰 바둑돌을 꺼낼 확률은 $\dfrac{3}{9} = \dfrac{1}{3}$

세 번째에 검정 바둑돌을 꺼낼 확률은 $\dfrac{6}{8} = \dfrac{3}{4}$

따라서 구하는 확률은

$\dfrac{7}{10} \times \dfrac{1}{3} \times \dfrac{3}{4} = \dfrac{7}{40}$ 답 $\dfrac{7}{40}$

13

(i) 지은이가 당첨 제비를 뽑고, 소연이가 당첨 제비를 뽑지 않을 확률

$\dfrac{3}{15} \times \dfrac{12}{14} = \dfrac{1}{5} \times \dfrac{6}{7} = \dfrac{6}{35}$

(ii) 지은이가 당첨 제비를 뽑지 않고, 소연이가 당첨 제비를 뽑을 확률

$\dfrac{12}{15} \times \dfrac{3}{14} = \dfrac{4}{5} \times \dfrac{3}{14} = \dfrac{6}{35}$

(i), (ii)에서 구하는 확률은

$$\frac{6}{35} + \frac{6}{35} = \frac{12}{35}$$

답 $\frac{12}{35}$

14

중심이 같은 세 원의 반지름의 길이의 비가 $1 : 2 : 3$이므로 세 원의 반지름의 길이를 각각 x, $2x$, $3x$라 하면 세 원의 넓이는 각각 πx^2, $4\pi x^2$, $9\pi x^2$

따라서 구하는 확률은

$$\frac{(4점\ 부분의\ 넓이)}{(전체\ 과녁의\ 넓이)} = \frac{4\pi x^2 - \pi x^2}{9\pi x^2} = \frac{3\pi x^2}{9\pi x^2} = \frac{1}{3}$$

답 $\frac{1}{3}$

15

화살을 한 번 쏘았을 때 색칠한 부분을 맞힐 확률은 $\frac{9}{25}$이고 맞히지 못할 확률은 $1 - \frac{9}{25} = \frac{16}{25}$이므로 구하는 확률은

$$\frac{16}{25} \times \frac{9}{25} = \frac{144}{625}$$

답 $\frac{144}{625}$

16

주사위 두 개를 동시에 던질 때 모든 경우의 수는 $6 \times 6 = 36$

직선 PQ의 기울기는 $\frac{5-3}{4-2} = \frac{2}{2} = 1$이므로 직선 $y = \frac{b}{a}x$가 직선 PQ와 만나지 않으려면 두 직선은 평행해야 한다.

즉, $\frac{b}{a} = 1$을 만족시키는 순서쌍 (a, b)는

$(1, 1)$, $(2, 2)$, $(3, 3)$, $(4, 4)$, $(5, 5)$, $(6, 6)$의 6가지이므로

그 확률은 $\frac{6}{36} = \frac{1}{6}$

따라서 두 직선이 만날 확률은 $1 - \frac{1}{6} = \frac{5}{6}$

답 $\frac{5}{6}$

> **쌤의 오답 피하기 특강**
>
> 평면에서 두 직선의 위치 관계는 다음 세 가지 경우가 있다.
> ① 한 점에서 만난다. ② 평행하다. (만나지 않는다.) ③ 일치한다.
> 따라서 기울기가 같고, y절편이 다른 두 직선은 평행하고
> (두 직선이 만날 확률)$=1-$(두 직선이 평행할 확률)임을 이용한다.

17

일요일에 비가 올 확률이 $1 - \frac{3}{8} = \frac{5}{8}$이므로 토요일과 일요일에 모두 비가 올 확률은 $\frac{2}{5} \times \frac{5}{8} = \frac{1}{4}$

답 $\frac{1}{4}$

18

주사위를 던져서 짝수의 눈이 나올 확률은 $\frac{1}{2}$, 홀수의 눈이 나올 확률은 $\frac{1}{2}$이다.

주사위를 4회 던져서 점 P가 2에 위치하는 경우는 짝수의 눈이 3회, 홀수의 눈이 1회 나오는 경우이다.

즉, (홀, 짝, 짝, 짝), (짝, 홀, 짝, 짝), (짝, 짝, 홀, 짝), (짝, 짝, 짝, 홀)이다.

따라서 구하는 확률은

$$\left(\frac{1}{2} \times \frac{1}{2} \times \frac{1}{2} \times \frac{1}{2}\right) \times 4 = \frac{1}{4}$$

답 $\frac{1}{4}$

> **참고** 다음과 같은 방법으로 점 P가 2에 위치할 경우를 구할 수도 있다.
> 짝수의 눈이 나오는 횟수를 x, 홀수의 눈이 나오는 횟수를 y라 하면
> 주사위를 4회 던지므로 $x+y=4$ ……㉠
> 점 P가 2에 위치하므로 $x-y=2$ ……㉡
> ㉠, ㉡을 연립하여 풀면 $x=3$, $y=1$
> 즉, 짝수가 3회, 홀수가 1회 나와야 한다.

> **쌤의 특강**
>
> 주사위를 던져서 나오는 눈의 수는 짝수이거나 홀수이므로 주사위를 4회 던질 때 나오는 모든 경우는
> (홀, 홀, 홀, 홀), (홀, 홀, 홀, 짝), (홀, 홀, 짝, 홀), (홀, 홀, 짝, 짝),
> (홀, 짝, 홀, 홀), (홀, 짝, 홀, 짝), (홀, 짝, 짝, 홀), (홀, 짝, 짝, 짝),
> (짝, 홀, 홀, 홀), (짝, 홀, 홀, 짝), (짝, 홀, 짝, 홀), (짝, 홀, 짝, 짝),
> (짝, 짝, 홀, 홀), (짝, 짝, 홀, 짝), (짝, 짝, 짝, 홀), (짝, 짝, 짝, 짝)
> 의 16가지이므로 $\frac{4}{16} = \frac{1}{4}$로 구할 수도 있다.

LEVEL 2 필수 기출 문제 → 105쪽~110쪽

01 $\frac{1}{6}$	02 $\frac{7}{10}$	03 $\frac{1}{2}$	04 4	05 $\frac{1}{12}$	06 $\frac{5}{18}$	07 $\frac{98}{125}$
08 $\frac{13}{14}$	09 ①, ⑤	10 $\frac{1}{36}$	11 (1) $\frac{1}{2}$ (2) $\frac{3}{8}$			
12 (1) $\frac{2}{3}$ (2) $\frac{2}{81}$		13 $\frac{21}{40}$	14 $\frac{5}{9}$	15 $\frac{3}{7}$	16 $\frac{3}{5}$	17 $\frac{2}{3}$
18 0.51	19 $\frac{7}{8}$	20 ⑤	21 $\frac{21}{52}$		22 $\frac{95}{144}$	23 $\frac{1}{4}$

01

[전략] 1부터 6까지의 자연수 중에서 (홀수)$-$(짝수)$=-1$인 경우를 찾는다.

주사위를 두 번 던질 때의 모든 경우의 수는 $6 \times 6 = 36$

유나가 첫 번째 던진 주사위에서 나온 눈의 수를 x, 두 번째 던진 주사위에서 나온 눈의 수를 y라 할 때 조건을 만족시키는 x, y의 순서쌍 (x, y)는

$(1, 2)$, $(2, 1)$, $(3, 4)$, $(4, 3)$, $(5, 6)$, $(6, 5)$의 6가지

따라서 구하는 확률은 $\frac{6}{36} = \frac{1}{6}$

답 $\frac{1}{6}$

02

[전략] 삼각형이 되려면 세 변의 길이 중 가장 긴 변의 길이가 나머지 두 변의 길이의 합보다 작아야 함을 이용한다.

5개의 막대 중 3개를 택하는 경우의 수는

$$\frac{5 \times 4 \times 3}{3 \times 2 \times 1} = 10$$

한편, 선택한 3개의 막대로 삼각형을 만들려면 가장 긴 막대의 길이가 나머지 두 막대의 길이의 합보다 작아야 한다. 즉, 삼각형이 만들어지는 경우를 순서쌍으로 나타내면

$(3\,\mathrm{cm}, 4\,\mathrm{cm}, 6\,\mathrm{cm})$, $(3\,\mathrm{cm}, 6\,\mathrm{cm}, 8\,\mathrm{cm})$

$(3\,\mathrm{cm}, 8\,\mathrm{cm}, 9\,\mathrm{cm})$, $(4\,\mathrm{cm}, 6\,\mathrm{cm}, 8\,\mathrm{cm})$

$(4\,\mathrm{cm}, 6\,\mathrm{cm}, 9\,\mathrm{cm})$, $(4\,\mathrm{cm}, 8\,\mathrm{cm}, 9\,\mathrm{cm})$

$(6\,\mathrm{cm}, 8\,\mathrm{cm}, 9\,\mathrm{cm})$의 7가지이다.

따라서 삼각형이 만들어질 확률은 $\dfrac{7}{10}$ 답 $\dfrac{7}{10}$

03

[전략] 수지가 뽑히지 않는 경우의 수는 수지를 제외한 5명 중에서 3명을 뽑는 경우의 수와 같다.

모든 경우의 수는 $\dfrac{6 \times 5 \times 4}{3 \times 2 \times 1} = 20$

수지가 뽑히지 않는 경우의 수는 수지를 제외한 5명 중에서 3명을 뽑는 경우의 수와 같으므로

$$\frac{5 \times 4 \times 3}{3 \times 2 \times 1} = 10$$

따라서 구하는 확률은 $\dfrac{10}{20} = \dfrac{1}{2}$ 답 $\dfrac{1}{2}$

다른 풀이

모든 경우의 수는 20

수지가 뽑히는 경우의 수는 수지를 제외한 5명 중에서 2명을 뽑는 경우의 수와 같으므로

$$\frac{5 \times 4}{2 \times 1} = 10$$

따라서 수지가 뽑힐 확률은 $\dfrac{10}{20} = \dfrac{1}{2}$이므로 구하는 확률은

$$1 - \frac{1}{2} = \frac{1}{2}$$

04

[전략] 처음 주머니에 들어 있는 흰 구슬과 검은 구슬의 개수를 각각 x, y라 하고 x, y에 대한 방정식을 세운다.

처음 주머니에 들어 있는 흰 구슬과 검은 구슬의 개수를 각각 x, y라 하면

$$\frac{y}{x+y} = \frac{2}{5}, \quad 2(x+y) = 5y$$

$$\therefore 2x - 3y = 0 \quad \cdots\cdots \bigcirc$$

처음 주머니에 흰 구슬과 검은 구슬을 각각 2개씩 더 넣으면 흰 구슬과 검은 구슬의 개수는 각각 $x+2$, $y+2$가 되므로

$$\frac{x+2}{(x+2)+(y+2)} = \frac{4}{7}, \quad 7(x+2) = 4(x+y+4)$$

$$\therefore 3x - 4y = 2 \quad \cdots\cdots \bigcirc$$

$\bigcirc$, $\bigcirc$을 연립하여 풀면 $x=6$, $y=4$

따라서 처음 주머니에 들어 있는 검은 구슬의 개수는 4이다.   답 4

쌤의 특강

$\bigcirc$에서 $x : y = 3 : 2$이므로 $x = 3k$, $y = 2k$(k는 자연수)라 하면

$$\frac{3k+2}{(3k+2)+(2k+2)} = \frac{4}{7}$$이므로

$$\frac{3k+2}{5k+4} = \frac{4}{7}, \quad 7(3k+2) = 4(5k+4) \quad \therefore k = 2$$

따라서 처음 주머니에 흰 구슬과 검은 구슬은 각각 6개, 4개 들어 있다.

05

[전략] a, b가 모두 1부터 6까지의 자연수이므로 a의 값을 작은 수부터 차례로 대입하여 조건을 만족시키는 b의 값을 구한다.

모든 경우의 수는 $6 \times 6 = 36$

(i) $a=1$일 때, $x-b<0$ $\therefore x < b$

자연수 x의 개수가 2이려면 $b=3$

(ii) $a=2$일 때, $2x-b<0$ $\therefore x < \dfrac{b}{2}$

자연수 x의 개수가 2이려면 $b=5, 6$

(i), (ii)에서 조건을 만족시키는 순서쌍 (a, b)의 개수는

$(1, 3)$, $(2, 5)$, $(2, 6)$의 3이다.

따라서 구하는 확률은 $\dfrac{3}{36} = \dfrac{1}{12}$ 답 $\dfrac{1}{12}$

쌤의 특강

다음과 같이 a, b의 값을 구할 수도 있다.

$ax - b < 0$에서 $x < \dfrac{b}{a}$

자연수인 해의 개수가 2이려면

오른쪽 그림에서 $2 < \dfrac{b}{a} \leq 3$

(i) $a=1$일 때, $2 < \dfrac{b}{a} \leq 3$ $\therefore b=3$

(ii) $a=2$일 때, $4 < b \leq 6$ $\therefore b=5, 6$

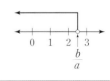

06

[전략] 일차방정식의 그래프의 x절편, y절편을 각각 구한 후 도형의 넓이를 구한다.

모든 경우의 수는 $6 \times 6 = 36$

일차방정식 $ax + by = 36$의 그래프의 x절편은 $\dfrac{36}{a}$이고, y절편은 $\dfrac{36}{b}$이다.

따라서 오른쪽 그림과 같이 일차방정식 $ax+by=36$의 그래프와 x축, y축으로 둘러싸인 도형은 밑변의 길이가 $\dfrac{36}{a}$이고 높이가 $\dfrac{36}{b}$인 직각삼각형이므로 그 넓이는

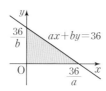

$\dfrac{1}{2} \times \dfrac{36}{a} \times \dfrac{36}{b} = \dfrac{18 \times 36}{ab}$

즉, $\dfrac{18 \times 36}{ab} \leq 36$이므로 $ab \geq 18$

이를 만족시키는 순서쌍 (a, b)는

$(3, 6)$, $(4, 5)$, $(4, 6)$, $(5, 4)$, $(5, 5)$, $(5, 6)$, $(6, 3)$, $(6, 4)$, $(6, 5)$, $(6, 6)$의 10개이므로 구하는 확률은

$\dfrac{10}{36} = \dfrac{5}{18}$　　　　　　　　　　　　　립 $\dfrac{5}{18}$

쌤의 복합 개념 특강

일차방정식의 그래프와 일차함수의 그래프

일차방정식 $ax+by=c$의 그래프는 일차함수 $y = -\dfrac{a}{b}x + \dfrac{c}{b}$의 그래프와 같다.

① x절편 ➡ $y = 0$일 때, x의 값 ➡ $x = \dfrac{c}{a}$

② y절편 ➡ $x = 0$일 때, y의 값 ➡ $y = \dfrac{c}{b}$

07

[전략] 적어도 한 면이 색칠된 정육면체일 확률은
$1 -$ (어떤 면도 색칠되지 않은 정육면체일 확률)로 구한다.

작은 정육면체 125개 중에서 어떤 면도 색칠되지 않은 정육면체의 개수는 $3 \times 3 \times 3 = 27$이므로

그 확률은 $\dfrac{27}{125}$

따라서 선택한 정육면체가 적어도 한 면이 색칠된 정육면체일 확률은 $1 - \dfrac{27}{125} = \dfrac{98}{125}$　　　　　　립 $\dfrac{98}{125}$

쌤의 특강

한 면 이상 색칠된 정육면체의 개수를 세어서 구할 수도 있다.

한 면만 색칠된 정육면체의 개수는 각 면에 9개씩 $9 \times 6 = 54$

두 면만 색칠된 정육면체의 개수는 각 모서리에 3개씩 $3 \times 12 = 36$

세 면이 색칠된 정육면체의 개수는 각 꼭짓점에 1개씩 $1 \times 8 = 8$

따라서 적어도 한 면이 색칠된 정육면체의 개수는 $54 + 36 + 8 = 98$이므로 구하는 확률은 $\dfrac{98}{125}$이다.

08

[전략] 구하는 확률은 $1 -$ (3개 모두 사용한 건전지를 꺼낼 확률)임을 이용한다.

8개의 건전지 중에서 3개를 꺼내는 경우의 수는

$\dfrac{8 \times 7 \times 6}{3 \times 2 \times 1} = 56$

사용한 건전지 4개 중에서 3개를 꺼내는 경우의 수는

$\dfrac{4 \times 3 \times 2}{3 \times 2 \times 1} = 4$

이므로 3개 모두 사용한 건전지를 꺼낼 확률은 $\dfrac{4}{56} = \dfrac{1}{14}$

따라서 구하는 확률은 $1 - \dfrac{1}{14} = \dfrac{13}{14}$　　　　립 $\dfrac{13}{14}$

09

[전략] 민정이와 소민이가 술래가 될 확률을 각각 구한다.

① 짝수의 눈이 나올 확률은 $\dfrac{1}{2}$, 홀수의 눈이 나올 확률도 $\dfrac{1}{2}$이므로 민정이와 소민이가 술래가 될 확률이 같다.

② 모든 경우의 수는 36이고, 처음 나온 눈의 수가 두 번째 나온 눈의 수보다 더 큰 경우는

$(2, 1)$, $(3, 1)$, $(4, 1)$, $(5, 1)$, $(6, 1)$, $(3, 2)$, $(4, 2)$, $(5, 2)$, $(6, 2)$, $(4, 3)$, $(5, 3)$, $(6, 3)$, $(5, 4)$, $(6, 4)$, $(6, 5)$의 15가지이므로 민정이가 술래가 될 확률은 $\dfrac{15}{36} = \dfrac{5}{12}$, 소민이가 될 확률은 $1 - \dfrac{5}{12} = \dfrac{7}{12}$이다.

③ 두 눈의 수의 곱이 홀수이려면 두 번 모두 홀수인 눈이 나와야 하므로 그 확률은 $\dfrac{1}{2} \times \dfrac{1}{2} = \dfrac{1}{4}$이다.

따라서 민정이가 술래가 될 확률은 $\dfrac{1}{4}$이고, 소민이가 술래가 될 확률은 $1 - \dfrac{1}{4} = \dfrac{3}{4}$이다.

④ 모든 경우의 수는 36이고, 처음 나온 눈의 수가 두 번째 나온 눈의 수의 배수인 경우는

$(1, 1)$, $(2, 1)$, $(3, 1)$, $(4, 1)$, $(5, 1)$, $(6, 1)$, $(2, 2)$, $(4, 2)$, $(6, 2)$, $(3, 3)$, $(6, 3)$, $(4, 4)$, $(5, 5)$, $(6, 6)$의 14가지이므로 민정이가 술래가 될 확률은 $\dfrac{14}{36} = \dfrac{7}{18}$이고, 소민이가 술래가 될 확률은 $1 - \dfrac{7}{18} = \dfrac{11}{18}$이다.

⑤ 모든 경우의 수는 $6 \times 6 = 36$

　(i) 두 눈의 수의 차가 1인 경우

　　$(1, 2)$, $(2, 1)$, $(2, 3)$, $(3, 2)$, $(3, 4)$, $(4, 3)$, $(4, 5)$, $(5, 4)$, $(5, 6)$, $(6, 5)$의 10가지

　(ii) 두 눈의 수의 차가 2인 경우

　　$(1, 3)$, $(2, 4)$, $(3, 5)$, $(4, 6)$, $(3, 1)$, $(4, 2)$, $(5, 3)$, $(6, 4)$의 8가지

　(i), (ii)에서 두 눈의 수의 차가 1 또는 2인 경우의 수는

　$10 + 8 = 18$이므로 민정이가 술래가 될 확률은 $\dfrac{18}{36} = \dfrac{1}{2}$이고, 소민이가 술래가 될 확률은 $1 - \dfrac{1}{2} = \dfrac{1}{2}$이다.

따라서 공정한 규칙은 ①, ⑤이다.　　　　　　립 ①, ⑤

10

[전략] 지윤이와 우진이의 말이 점 C에 도착할 확률을 각각 구하여 곱한다.

지윤이의 말이 점 C에 도착하려면 주사위의 눈의 수는 2 또는 8이 나와야 하므로 지윤이의 말이 점 C에 도착할 확률은 $\dfrac{2}{12} = \dfrac{1}{6}$

우진이의 말이 점 C에 도착하려면 주사위의 눈의 수는 4 또는 10이 나와야 하므로 우진이의 말이 점 C에 도착할 확률은 $\dfrac{2}{12}=\dfrac{1}{6}$

따라서 두 사람의 말이 점 C에서 만날 확률은 $\dfrac{1}{6}\times\dfrac{1}{6}=\dfrac{1}{36}$

$$\boxed{\text{답}}\ \dfrac{1}{36}$$

11

[전략] k가 짝수일 때와 홀수일 때로 나누어 생각한다.

k가 짝수일 때, $(-1)^k=1$

k가 홀수일 때, $(-1)^k=-1$

(1) $X_1+X_2=0$이 될 확률은 주사위를 두 번 던질 때, 짝수의 눈과 홀수의 눈이 각각 한 번씩 나올 확률과 같다.

따라서 두 번 중 짝수와 홀수의 눈이 나오는 순서는 서로 바꿀 수 있으므로 구하는 확률은

$\dfrac{1}{2}\times\dfrac{1}{2}+\dfrac{1}{2}\times\dfrac{1}{2}=\dfrac{1}{2}$

(2) $X_1+X_2+X_3=-1$이 될 확률은 주사위를 세 번 던질 때, 짝수의 눈이 1번, 홀수의 눈이 2번 나올 확률과 같다.

따라서 세 번 중 짝수의 눈이 나오는 순서를 정하는 경우의 수는 3이므로 구하는 확률은

$\dfrac{1}{2}\times\dfrac{1}{2}\times\dfrac{1}{2}+\dfrac{1}{2}\times\dfrac{1}{2}\times\dfrac{1}{2}+\dfrac{1}{2}\times\dfrac{1}{2}\times\dfrac{1}{2}=\dfrac{3}{8}$

$$\boxed{\text{답}}\ (1)\ \dfrac{1}{2}\ \ (2)\ \dfrac{3}{8}$$

12

[전략] 승부가 결정될 확률은 $1-$(승부가 결정되지 않을 확률)임을 이용한다.

(1) 모든 경우의 수는 $3\times3\times3=27$

승부가 결정되지 않는 경우는 세 사람이 모두 같은 것을 내는 경우와 세 사람이 모두 다른 것을 내는 경우이므로

$3+3\times2\times1=3+6=9$

따라서 승부가 결정되지 않을 확률은 $\dfrac{9}{27}=\dfrac{1}{3}$이므로 첫 번째에 승부가 결정될 확률은 $1-\dfrac{1}{3}=\dfrac{2}{3}$

(2) 네 번째에 승부가 결정될 확률은 세 번째까지는 승부가 결정되지 않고 네 번째에 승부가 결정되어야 하므로

$\dfrac{1}{3}\times\dfrac{1}{3}\times\dfrac{1}{3}\times\dfrac{2}{3}=\dfrac{2}{81}$

$$\boxed{\text{답}}\ (1)\ \dfrac{2}{3}\ \ (2)\ \dfrac{2}{81}$$

쌤의 특강

세 사람이 가위바위보를 할 때, 비기는 경우는 다음과 같다.

(i) 세 사람이 모두 같은 것을 내는 경우, 즉

(가위, 가위, 가위), (바위, 바위, 바위), (보, 보, 보)의 3가지이다.

(ii) 세 사람이 모두 다른 것을 내는 경우, 즉

(가위, 바위, 보), (바위, 보, 가위), (보, 가위, 바위), (가위, 보, 바위),

(바위, 가위, 보), (보, 바위, 가위)의 6가지이다.

(i), (ii)에서 비기는 경우의 수는 $3+6=9$

13

[전략] A, B 주머니 중 하나를 택한 후 흰 공을 뽑을 확률을 각각 구한다.

주사위 1개를 던져 나온 눈의 수가 3의 배수, 즉 3, 6일 확률은 $\dfrac{2}{6}=\dfrac{1}{3}$이고, 3의 배수가 아닐 확률은 $1-\dfrac{1}{3}=\dfrac{2}{3}$이다.

(i) A 주머니를 택하고 흰 공을 뽑을 확률 :

A 주머니를 택할 확률은 $\dfrac{1}{3}$

A 주머니에서 흰 공을 뽑을 확률은 $\dfrac{3}{8}$

따라서 구하는 확률은 $\dfrac{1}{3}\times\dfrac{3}{8}=\dfrac{1}{8}$

(ii) B 주머니를 택하고 흰 공을 뽑을 확률 :

B 주머니를 택할 확률은 $\dfrac{2}{3}$

B 주머니에서 흰 공을 뽑을 확률은 $\dfrac{6}{10}=\dfrac{3}{5}$

따라서 구하는 확률은 $\dfrac{2}{3}\times\dfrac{3}{5}=\dfrac{2}{5}$

(i), (ii)에서 구하는 확률은

$\dfrac{1}{8}+\dfrac{2}{5}=\dfrac{5}{40}+\dfrac{16}{40}=\dfrac{21}{40}$

$$\boxed{\text{답}}\ \dfrac{21}{40}$$

14

[전략] 동전의 앞면이 나오는 경우와 뒷면이 나오는 경우로 나누어 생각한다.

주사위 1개를 던져 나온 눈의 수가 6의 약수, 즉 1, 2, 3, 6일 확률은 $\dfrac{4}{6}=\dfrac{2}{3}$이고 6의 약수가 아닐 확률은 $1-\dfrac{2}{3}=\dfrac{1}{3}$이다.

(i) 동전은 앞면이 나오고, 주사위를 한 번 던져서 6의 약수의 눈이 나올 확률은 $\dfrac{1}{2}\times\dfrac{2}{3}=\dfrac{1}{3}$

(ii) 동전은 뒷면이 나오고, 주사위를 두 번 던져서 6의 약수의 눈이 한 번만 나올 확률은

$\dfrac{1}{2}\times\dfrac{1}{3}\times\dfrac{2}{3}+\dfrac{1}{2}\times\dfrac{2}{3}\times\dfrac{1}{3}=\dfrac{1}{9}+\dfrac{1}{9}=\dfrac{2}{9}$

(i), (ii)에서 구하는 확률은

$\dfrac{1}{3}+\dfrac{2}{9}=\dfrac{3}{9}+\dfrac{2}{9}=\dfrac{5}{9}$

$$\boxed{\text{답}}\ \dfrac{5}{9}$$

15

[전략] 토요일에 비가 오는 경우와 비가 오지 않는 경우로 나누어 생각한다.

(i) 토요일에 비가 오고, 두 사람이 같은 곳에서 공부를 할 확률

비가 오면 두 사람 모두 학교에서 공부하므로 $\dfrac{1}{7}$

(ii) 토요일에 비가 오지 않고, 두 사람이 같은 곳에서 공부를 할 확률 : 토요일에 비가 오지 않을 확률은 $1-\dfrac{1}{7}=\dfrac{6}{7}$

두 사람이 도서관에서 공부를 할 확률은 $\dfrac{1}{3}\times\dfrac{1}{3}=\dfrac{1}{9}$

이때 카페, 독서실에서 두 사람이 공부를 할 확률도 각각 $\dfrac{1}{9}$이다.

즉, 구하는 확률은

$$\frac{6}{7}\times\left(\frac{1}{9}+\frac{1}{9}+\frac{1}{9}\right)=\frac{6}{7}\times\frac{1}{3}=\frac{2}{7}$$

(i), (ii)에서 구하는 확률은 $\dfrac{1}{7}+\dfrac{2}{7}=\dfrac{3}{7}$　　　　　답 $\dfrac{3}{7}$

16

[전략] 전구에 불이 들어오지 않을 확률은 1−(전구에 불이 들어올 확률)을 이용한다.

전구에 불이 들어오려면 스위치 A는 닫혀 있어야 하고, 두 스위치 B, C 중에서 적어도 한 개는 닫혀 있어야 한다.

(i) 두 스위치 A, B가 닫히고 스위치 C는 닫히지 않을 확률

$$\frac{2}{3}\times\frac{1}{2}\times\left(1-\frac{1}{5}\right)=\frac{2}{3}\times\frac{1}{2}\times\frac{4}{5}=\frac{4}{15}$$

(ii) 두 스위치 A, C가 닫히고 스위치 B는 닫히지 않을 확률

$$\frac{2}{3}\times\left(1-\frac{1}{2}\right)\times\frac{1}{5}=\frac{2}{3}\times\frac{1}{2}\times\frac{1}{5}=\frac{1}{15}$$

(iii) 세 스위치 A, B, C가 모두 닫힐 확률

$$\frac{2}{3}\times\frac{1}{2}\times\frac{1}{5}=\frac{1}{15}$$

(i)~(iii)에서 전구에 불이 들어올 확률은

$$\frac{4}{15}+\frac{1}{15}+\frac{1}{15}=\frac{6}{15}=\frac{2}{5}$$

따라서 구하는 확률은 $1-\dfrac{2}{5}=\dfrac{3}{5}$　　　　　답 $\dfrac{3}{5}$

17

[전략] 주사위를 두 번 던진 후에 불이 켜져 있는 전구의 개수가 바뀌지 않았음을 이용한다.

주사위를 두 번 던진 후에 불이 켜져 있는 전구가 3개이려면 한 번은 불이 켜져 있는 전구에 붙어 있는 번호가 나오고, 한 번은 불이 꺼져 있는 전구에 붙어 있는 번호가 나와야 한다.

(i) 불이 켜져 있는 3개의 전구에 붙어 있는 번호가 먼저 나오고 불이 꺼져 있는 4개의 전구에 붙어 있는 번호가 나올 확률

$$\frac{3}{6}\times\frac{4}{6}=\frac{1}{2}\times\frac{2}{3}=\frac{1}{3}$$

(ii) 불이 꺼져 있는 3개의 전구에 붙어 있는 번호가 먼저 나오고 불이 켜져 있는 4개의 전구에 붙어 있는 번호가 나올 확률

$$\frac{3}{6}\times\frac{4}{6}=\frac{1}{2}\times\frac{2}{3}=\frac{1}{3}$$

(i), (ii)에서 구하는 확률은 $\dfrac{1}{3}+\dfrac{1}{3}=\dfrac{2}{3}$　　　답 $\dfrac{2}{3}$

18

[전략] 수요일에 비가 오는 경우와 비가 오지 않는 경우로 나누어 생각한다.

비가 오는 날을 ○, 비가 오지 않는 날을 ×라 하면

×→○일 확률은 0.6이므로 ×→×일 확률은 1−0.6=0.4

○→○일 확률은 0.3이므로 ○→×일 확률은 1−0.3=0.7

화요일에 비가 왔을 때, 그 주 목요일에 비가 올 경우는 다음과 같다.

화요일		수요일		목요일
○	→	○	→	○
○	→	×	→	○

(i) 수요일에 비가 오고, 목요일에도 비가 올 확률은

　　0.3×0.3=0.09

(ii) 수요일에는 비가 오지 않고, 목요일에 비가 올 확률은

　　0.7×0.6=0.42

(i), (ii)에서 구하는 확률은

0.09+0.42=0.51　　　　　　　　　　答 0.51

19

[전략] $(x+1)(y+2)(z+3)$이 짝수가 될 확률은 $1-\{(x+1)(y+2)(z+3)$이 홀수가 될 확률}임을 이용한다.

서로 다른 5개의 동전을 동시에 한 번 던질 때 모든 경우의 수는

$2\times2\times2\times2\times2=32$

이때 앞면이 나온 동전의 개수가 홀수인 경우는 다음과 같다.

(i) 앞면이 나온 동전의 개수가 1인 경우는

　　(앞, 뒤, 뒤, 뒤, 뒤), (뒤, 앞, 뒤, 뒤, 뒤)

　　(뒤, 뒤, 앞, 뒤, 뒤), (뒤, 뒤, 뒤, 앞, 뒤)

　　(뒤, 뒤, 뒤, 뒤, 앞)의 5가지

(ii) 앞면이 나온 동전의 개수가 3인 경우의 수는 5개 중에서 앞면이 나올 3개를 순서를 생각하지 않고 뽑는 경우의 수와 같으므로

$$\frac{5\times4\times3}{3\times2\times1}=10$$

(iii) 앞면이 나온 동전의 개수가 5인 경우는

　　(앞, 앞, 앞, 앞, 앞)의 1가지

(i)~(iii)에서 앞면이 나온 동전의 개수가 홀수인 경우의 수는

$5+10+1=16$이므로 그 확률은 $\dfrac{16}{32}=\dfrac{1}{2}$

이때 앞면이 나온 동전의 개수가 0 또는 짝수일 확률은 $1-\dfrac{1}{2}=\dfrac{1}{2}$

또한, $(x+1)(y+2)(z+3)$이 홀수가 되려면 x는 0 또는 짝수, y는 홀수, z는 0 또는 짝수이어야 하므로 그 확률은

$$\frac{1}{2}\times\frac{1}{2}\times\frac{1}{2}=\frac{1}{8}$$

따라서 $(x+1)(y+2)(z+3)$이 짝수가 될 확률은

$1-\dfrac{1}{8}=\dfrac{7}{8}$　　　　　　　　　　　答 $\dfrac{7}{8}$

쌤의 만점 특강

(홀수)×(홀수)=(홀수),　　　(홀수)×(짝수)=(짝수),

(짝수)×(짝수)=(짝수),　　　(홀수)+(홀수)=(짝수),

(홀수)+(짝수)=(홀수),　　　(짝수)+(짝수)=(짝수)

이므로 $(x+1)(y+2)(z+3)$이 짝수가 되는 경우는 $x+1$, $y+2$, $z+3$이 모두 짝수이거나 이 중 2개가 홀수이고 1개가 짝수이거나 1개가 홀수이고 2개가 짝수인 경우와 같이 다양하다. 반면에 $(x+1)(y+2)(z+3)$이 홀수가 되는 경우는 $x+1$, $y+2$, $z+3$이 모두 홀수가 되는 경우 밖에 없으므로 이를 이용하는 것이 편리하다.

20

[전략] 각 순서에서 청소 당번 당첨 제비를 뽑을 확률을 각각 구한다.

(i) 첫 번째로 제비를 뽑는 사람이 당첨될 확률 : $\dfrac{1}{4}$

(ii) 두 번째로 제비를 뽑는 사람이 당첨될 확률 : $\dfrac{3}{4} \times \dfrac{1}{3} = \dfrac{1}{4}$

(iii) 세 번째로 제비를 뽑는 사람이 당첨될 확률

$\dfrac{3}{4} \times \dfrac{2}{3} \times \dfrac{1}{2} = \dfrac{1}{4}$

(iv) 네 번째로 제비를 뽑는 사람이 당첨될 확률

$\dfrac{3}{4} \times \dfrac{2}{3} \times \dfrac{1}{2} \times 1 = \dfrac{1}{4}$

(i)~(iv)에서 뽑는 순서에 상관없이 청소 당번이 될 확률은 모두 같다. 　　　　　　　　　　　　　　　 답 ⑤

21

[전략] 상자에서 주머니로 옮긴 공이 흰 공일 경우와 검은 공일 경우로 나누어 생각한다.

(i) 상자에서 주머니로 옮긴 공이 흰 공인 경우

상자에서 꺼낸 공이 흰 공일 확률은 $\dfrac{2}{8} = \dfrac{1}{4}$

주머니에 흰 공 1개를 넣으면 흰 공이 6개, 검은 공이 7개가 들어 있으므로 이 주머니에서 꺼낸 공이 흰 공일 확률은 $\dfrac{6}{13}$

따라서 구하는 확률은 $\dfrac{1}{4} \times \dfrac{6}{13} = \dfrac{3}{26}$

(ii) 상자에서 주머니로 옮긴 공이 검은 공인 경우

상자에서 꺼낸 공이 검은 공일 확률은 $\dfrac{6}{8} = \dfrac{3}{4}$

주머니에 검은 공 1개를 넣으면 흰 공이 5개, 검은 공이 8개가 들어 있으므로 이 주머니에서 꺼낸 공이 흰 공일 확률은 $\dfrac{5}{13}$

따라서 구하는 확률은 $\dfrac{3}{4} \times \dfrac{5}{13} = \dfrac{15}{52}$

(i), (ii)에서 구하는 확률은

$\dfrac{3}{26} + \dfrac{15}{52} = \dfrac{6}{52} + \dfrac{15}{52} = \dfrac{21}{52}$　　　　 답 $\dfrac{21}{52}$

22

[전략] 두 번 모두 색칠한 부분에 맞히지 못할 확률을 생각한다.

화살을 한 번 쏘아 색칠한 부분에 맞힐 확률은 $\dfrac{150}{360} = \dfrac{5}{12}$,

맞히지 못할 확률은 $1 - \dfrac{5}{12} = \dfrac{7}{12}$

과녁에 화살을 두 번 쏠 때, 적어도 한 번은 색칠한 부분에 맞힐 확률은 1−(두 번 모두 색칠한 부분에 맞히지 못할 확률)과 같다.

따라서 구하는 확률은

$1 - \dfrac{7}{12} \times \dfrac{7}{12} = 1 - \dfrac{49}{144} = \dfrac{95}{144}$　　　 답 $\dfrac{95}{144}$

쌤의 복합 개념 특강

중심각의 크기와 호의 길이, 부채꼴의 넓이

한 원 또는 합동인 두 원에서

① 부채꼴의 호의 길이는 중심각의 크기에 정비례한다.

② 부채꼴의 넓이는 중심각의 크기에 정비례한다.

23

[전략] 다트가 꽂힌 위치가 정사각형의 네 꼭짓점에서 모두 1 이상 떨어져 있는 부분을 구한다.

다트가 꽂힌 위치가 정사각형의 네 꼭짓점에서 모두 1 이상 떨어져 있는 부분은 오른쪽 그림에서 색칠한 부분과 같다.

즉, 정사각형의 네 꼭짓점에서 각각 반지름의 길이가 1인 사분원을 그린 후 정사각형에서 이 사분원 4개를 제외한 부분이다.

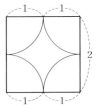

따라서 색칠한 부분의 넓이는

$2 \times 2 - 4 \times \left(\dfrac{1}{4} \times \pi \times 1^2 \right) = 4 - \pi$

이므로 구하는 확률은

$\dfrac{4-\pi}{2 \times 2} = 1 - \dfrac{\pi}{4}$ 이고, π를 3으로 계산하면

$1 - \dfrac{3}{4} = \dfrac{1}{4}$　　　　　　　　　　　　 답 $\dfrac{1}{4}$

LEVEL 3 최고난도 문제
→ 111쪽

01 $\dfrac{12}{17}$　　　02 $\dfrac{45}{256}$　　　03 20　　　04 $\dfrac{1}{16}$

01 solution 미리 보기

step ❶	6개의 점 중에서 3개를 택하는 경우의 수 구하기
step ❷	삼각형이 되는 모든 경우의 수 구하기
step ❸	정삼각형이 되는 경우의 수 구하기
step ❹	정삼각형이 아닐 확률 구하기

6개의 점 중에서 순서를 생각하지 않고 3개의 점을 택하는 경우의 수는

$\dfrac{6 \times 5 \times 4}{3 \times 2 \times 1} = 20$　　　　　　　　　　　　 ❶

이 중에서 3개의 점이 일직선 위에 있는 경우는 다음과 같이 3가지이다.

따라서 6개의 점 중에서 3개의 점을 연결하여 삼각형을 만드는 모든 경우의 수는 $20 - 3 = 17$　　　　　　　　　 ❷

이때 정삼각형이 되는 경우는 다음과 같이 5가지이다.

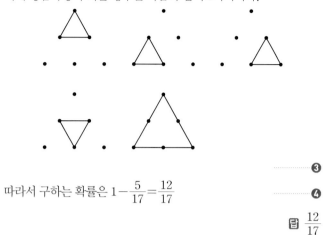

.... ❸

따라서 구하는 확률은 $1-\dfrac{5}{17}=\dfrac{12}{17}$ .... ❹

답 $\dfrac{12}{17}$

02 solution 미리 보기

step ❶	B 바구니로 공이 떨어질 확률 구하기
step ❷	세 번째 공을 넣었을 때 B가 이기는 경우 알기
step ❸	세 번째 공을 넣었을 때 B가 이길 확률 구하기

공이 B 출구로 떨어지는 경로는 다음과 같이 3가지이다.

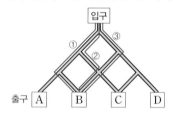

경로 ①을 지날 확률은 $\dfrac{1}{2}\times\dfrac{1}{2}\times\dfrac{1}{2}=\dfrac{1}{8}$

경로 ②를 지날 확률은 $\dfrac{1}{2}\times\dfrac{1}{2}\times\dfrac{1}{2}=\dfrac{1}{8}$

경로 ③을 지날 확률은 $\dfrac{1}{2}\times\dfrac{1}{2}\times\dfrac{1}{2}=\dfrac{1}{8}$

따라서 B 바구니로 공이 떨어질 확률은

$\dfrac{1}{8}+\dfrac{1}{8}+\dfrac{1}{8}=\dfrac{3}{8}$ .... ❶

세 번째 공을 넣었을 때 B가 이기는 경우는 첫 번째나 두 번째에 한 번은 B 바구니로, 나머지 한 번은 B 이외의 바구니로 공이 떨어져야 하고 세 번째에는 무조건 B 바구니로 공이 떨어져야 한다.

.... ❷

(ⅰ) 첫 번째, 세 번째에 B 바구니로 공이 떨어지고, 두 번째에는 A, C, D 중 한 곳으로 공이 떨어질 확률

$\dfrac{3}{8}\times\left(1-\dfrac{3}{8}\right)\times\dfrac{3}{8}=\dfrac{45}{512}$

(ⅱ) 첫 번째에는 A, C, D 중 한 곳으로 공이 떨어지고, 두 번째, 세 번째에는 B 바구니로 공이 떨어질 확률

$\left(1-\dfrac{3}{8}\right)\times\dfrac{3}{8}\times\dfrac{3}{8}=\dfrac{45}{512}$

따라서 구하는 확률은 $\dfrac{45}{512}+\dfrac{45}{512}=\dfrac{90}{512}=\dfrac{45}{256}$ .... ❸

답 $\dfrac{45}{256}$

03 solution 미리 보기

step ❶	세희가 3번 먼저 이기는 경우의 각 확률 구하기
step ❷	세희가 3번 먼저 이길 확률 구하기
step ❸	세희가 가져갈 적절한 사탕의 개수 구하기

세희가 3번 먼저 이기려면 3번째, 4번째 경기에서 모두 이기거나 지원이와 세희가 1번씩 이기고 5번째 경기에서 세희가 이겨야 한다.

(ⅰ) 3번째, 4번째 경기에서 세희가 이길 확률

$\dfrac{2}{3}\times\dfrac{2}{3}=\dfrac{4}{9}$

(ⅱ) 3번째, 5번째 경기에서 세희가 이길 확률

$\dfrac{2}{3}\times\left(1-\dfrac{2}{3}\right)\times\dfrac{2}{3}=\dfrac{4}{27}$

(ⅲ) 4번째, 5번째 경기에서 세희가 이길 확률

$\left(1-\dfrac{2}{3}\right)\times\dfrac{2}{3}\times\dfrac{2}{3}=\dfrac{4}{27}$ .... ❶

(ⅰ)~(ⅲ)에서 세희가 3번 먼저 이길 확률은

$\dfrac{4}{9}+\dfrac{4}{27}+\dfrac{4}{27}=\dfrac{20}{27}$ .... ❷

따라서 세희가 가져갈 적절한 사탕의 개수는

$27\times\dfrac{20}{27}=20$ .... ❸

답 20

04 solution 미리 보기

step ❶	동전이 떨어질 수 있는 부분을 동전의 중심을 기준으로 생각해 보기
step ❷	동전의 중심이 밑면의 네 변으로부터 4 이상 떨어져 있는 부분의 넓이 구하기
step ❸	동전의 중심이 밑면의 네 변으로부터 4 이상 떨어져 있을 확률 구하기

동전이 떨어질 수 있는 부분을 동전의 중심을 기준으로 생각해 보면 오른쪽 그림의 색칠한 부분과 같다.

즉, 동전의 반지름의 길이가 1이므로 동전의 중심은 밑면의 네 변으로부터 1 이상 떨어져 있어야 하므로 그 넓이는

$8\times8=64$ .... ❶

이때 동전이 밑면의 네 변으로부터 3 이상 떨어져 있으려면 동전의 중심이 네 변으로부터 오른쪽 그림과 같이 4 이상 떨어져 있어야 한다.

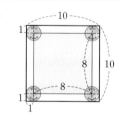

즉, 동전의 중심이 밑면의 네 변으로부터 4 이상 떨어질 수 있는 부분은 오른쪽 그림의 색칠한 부분과 같고 그 넓이는

$2\times2=4$ .... ❷

따라서 구하는 확률은 $\dfrac{4}{64}=\dfrac{1}{16}$ .... ❸

답 $\dfrac{1}{16}$

참고 동전이 떨어진 위치는 동전의 중심을 기준으로 생각한다. 이때 동전의 넓이로 확률을 구하지 않도록 주의한다.

대한민국 대표 영단어 뜯어먹는 시리즈

동아출판

개정판 중학 영단어 시리즈 ▶ 새 교육과정 중학 영어 교과서 완벽 분석

날짜별 음원
QR 제공

예비중~중학 1학년	중학 1~3학년	중학 1~3학년
중학 기초 영단어 1200개	중학 필수 영단어 1200개	중학 필수 영숙어 1000개
+기능어 100개	+고등 기초 영단어 600개	+서술형이 쉬워지는 숙어 50개
	+ Upgrading 300개	

개정판 수능 영단어 시리즈 ▶ 새 교육과정 고등 영어 교과서 및 수능 기출문제 완벽 분석

날짜별 음원
QR 제공

예비고~고등 3학년	고등 2~3학년	예비고~고등 3학년
수능 필수 영단어 1800개	수능 주제별 영단어 1800개	수능 빈도순 영숙어 1200개
+수능 1등급 영단어 600개	+수능필수 어원 90개	+수능 필수 구문 50개
	+수능 적중 어휘 150개	

최상위의 절대 기준

절대등급

정답과 풀이

중학 수학 2-2

최상위의 절대 기준

절대등급